S0-AEN-482

ODILE ET XAVIER

DU MÊME AUTEUR

La Souris et le Rat, roman, Gatineau, Vents d'Ouest, 2004
L'été de 1939, avant l'orage, roman, Montréal, Hurtubise, 2006, format compact, 2008
La Rose et l'Irlande, roman, Montréal, Hurtubise, 2007
Haute-Ville, Basse-Ville, roman, Montréal, Hurtubise, 2009, format compact, 2012 (réédition de *Un viol sans importance*)
Un homme sans allégeance, roman, Montréal, Hurtubise, 2012 (réédition de *Un pays pour un autre*)
Père et mère tu honoreras, roman, Montréal, Hurtubise, 2016
Eva Braun, tome 1, *Un jour mon prince viendra*, roman, Montréal, Hurtubise, 2017
Eva Braun, tome 2, *Une cage dorée*, roman, Montréal, Hurtubise, 2018
Un seul Dieu tu adoreras, roman, Montréal, Hurtubise, 2018
Impudique point ne seras, roman, Montréal, Hurtubise, 2019

SAGA LE CLAN PICARD
Les Portes de Québec, tome 1, *Faubourg Saint-Roch*, roman, Montréal, Hurtubise HMH, 2007, format compact, 2011
Les Portes de Québec, tome 2, *La Belle Époque*, roman, Montréal, Hurtubise HMH, 2008, format compact, 2011
Les Portes de Québec, tome 3, *Le prix du sang*, roman, Montréal, Hurtubise HMH, 2008, format compact, 2011
Les Portes de Québec, tome 4, *La mort bleue*, roman, Montréal, Hurtubise HMH, 2009, format compact, 2011
Les Folles Années, tome 1, *Les héritiers*, roman, Montréal, Hurtubise, 2010, format compact, 2011
Les Folles Années, tome 2, *Mathieu et l'affaire Aurore*, roman, Montréal, Hurtubise, 2010, format compact, 2011
Les Folles Années, tome 3, *Thalie et les âmes d'élite*, roman, Montréal, Hurtubise, 2011, format compact, 2011
Les Folles Années, tome 4, *Eugénie et l'enfant retrouvé*, roman, Montréal, Hurtubise, 2011, format compact, 2011
Les Années de plomb, tome 1, *La déchéance d'Édouard*, roman, Montréal, Hurtubise, 2013
Les Années de plomb, tome 2, *Jour de colère*, roman, Montréal, Hurtubise, 2014
Les Années de plomb, tome 3, *Le choix de Thalie*, roman, Montréal, Hurtubise, 2014
Les Années de plomb, tome 4, *Amours de guerre*, roman, Montréal, Hurtubise, 2014
Le Clan Picard, tome 1, *Vies rapiécées*, roman, Montréal, Hurtubise, 2018
Le Clan Picard, tome 2, *L'enfant trop sage*, roman, Montréal, Hurtubise, 2018
Le Clan Picard, tome 3, *Les ambitions d'Aglaé*, roman, Montréal, Hurtubise, 2019

SAGA FÉLICITÉ
Félicité, tome 1, *Le pasteur et la brebis*, roman, Montréal, Hurtubise, 2011, format compact, 2014
Félicité, tome 2, *La grande ville*, roman, Montréal, Hurtubise, 2012, format compact, 2014
Félicité, tome 3, *Le salaire du péché*, roman, Montréal, Hurtubise, 2012, format compact, 2014
Félicité, tome 4, *Une vie nouvelle*, roman, Montréal, Hurtubise, 2013, format compact, 2014

SAGA 1967
1967, tome 1, *L'âme sœur*, roman, Montréal, Hurtubise, 2015
1967, tome 2, *Une ingénue à l'Expo*, roman, Montréal, Hurtubise, 2015
1967, tome 3, *L'impatience*, roman, Montréal, Hurtubise, 2015

SAGA SUR LES BERGES DU RICHELIEU
Sur les berges du Richelieu, tome 1, *La tentation d'Aldée*, roman, Montréal, Hurtubise, 2016
Sur les berges du Richelieu, tome 2, *La faute de monsieur le curé*, roman, Montréal, Hurtubise, 2016
Sur les berges du Richelieu, tome 3, *Amours contrariées*, roman, Montréal, Hurtubise, 2017

Jean-Pierre Charland

ODILE ET XAVIER

tome 1

Le vieil amour

Roman historique

Hurtubise

Catalogage avant publication de Bibliothèque et Archives nationales du Québec et Bibliothèque et Archives Canada

Titre : Odile et Xavier / Jean-Pierre Charland.
Noms : Charland, Jean-Pierre, 1954- auteur. | Charland, Jean-Pierre, 1954- Vieil amour.
Description : Sommaire incomplet : t. 1. Le vieil amour.
Identifiants : Canadiana 20190026847 | ISBN 9782897814588
Classification : LCC PS8555.H415 O35 2019 | CDD C843/.54—dc23

Les Éditions Hurtubise bénéficient du soutien financier du gouvernement du Québec par l'entremise du programme de crédit d'impôt pour l'édition de livres et de la Société de développement des entreprises culturelles du Québec (SODEC). L'éditeur remercie également le Conseil des arts du Canada de l'aide accordée à son programme de publication.

Financé par le gouvernement du Canada | Canadä

Illustration de la couverture : Jean-Luc Trudel
Conception graphique : René St-Amand
Maquette intérieure et mise en pages : Folio infographie

ISBN 978-2-89781-458-8 (version imprimée)
ISBN 978-2-89781-459-5 (version numérique PDF)
ISBN 978-2-89781-460-1 (version numérique ePub)

Dépôt légal : 4e trimestre 2019
Bibliothèque et Archives nationales du Québec
Bibliothèque et Archives Canada

Diffusion-distribution au Canada :
Distribution HMH
1815, avenue De Lorimier
Montréal (Québec) H2K 3W6
www.distributionhmh.com

Diffusion-distribution en France :
Librairie du Québec / DNM
30, rue Gay-Lussac
75005 Paris
www.librairieduquebec.fr

Imprimé au Canada
www.editionshurtubise.com

Avant-propos

Quoiqu'ils n'occupent pas tout à fait le devant de la scène, vous retrouverez dans ce roman quelques-uns des personnages de *Sur les berges du Richelieu*.

Jean-Pierre Charland

Les personnages

Blain, Xavier: Employé de la Royal Bank of Canada, il revient dans sa région d'origine en 1922 afin de mettre de l'ordre dans les comptes d'une succursale.

Careau, Aristide: Secrétaire à la succursale de la Royal Bank of Canada à Douceville. Il est fiancé à Fleurange Vincelette.

Lanoue, Calixte: Originaire d'Iberville, il est curé de la paroisse Saint-Antoine, à Douceville.

Nantel, Corinne: Fille d'Évariste et Délia Turgeon, elle a épousé Jules Nantel, avocat.

Nantel, Jules: Fils du juge de Douceville, il a épousé Corinne Turgeon, fille du docteur Évariste Turgeon.

Payant, Clarisse: Née Gauvin, originaire d'Iberville, elle habite Douceville. Veuve d'Isidore Payant, elle a une fille, Odile.

Payant, Isidore: Avocat décédé en 1921, époux de Clarisse et père d'Odile.

Payant, Odile: Fille d'Isidore et de Clarisse, elle vient à peine de terminer le cours académique du couvent des sœurs de la congrégation Notre-Dame.

Rancourt, Ulric: Commis à la succursale de la Royal Bank of Canada. Son épouse se prénomme Gisèle et ils ont trois enfants.

Turgeon, Délia : Épouse du docteur Évariste Turgeon, mère de Corinne et Georges.

Turgeon, Évariste : Médecin, époux de Délia, père de Corinne et Georges.

Turgeon, Georges : Fils d'Évariste et Délia Turgeon, formé en médecine à Montréal et à Boston, époux de Sophie Deslauriers.

Turgeon, Sophie : Fille d'Alphonse Grégoire et de Clotilde Serre, elle a été élevée sous le nom de Deslauriers. Élève de la congrégation Notre-Dame à Douceville, amie de Corinne Turgeon, elle a épousé le docteur Georges Turgeon.

Chapitre 1

— Je ne peux pas mettre ça. Mon temps au couvent est terminé.

La grande jeune fille tenait son uniforme scolaire devant elle. Il s'agissait d'une robe de lainage noir.

— Tu ne rentres plus dans celle que tu as mise l'an dernier, pour les funérailles. Tu as pris au moins deux pouces, et dix livres.

La mère formulait presque cela comme un reproche, comme si le fait de grandir lui coûtait trop cher.

— Je ne peux pas t'acheter une vraie robe de demi-deuil. En plus, tu ne la porterais pas longtemps. Dans six mois, ça sera terminé.

Clarisse Payant était devenue veuve presque exactement un an plus tôt. La tradition demandait qu'elle porte exclusivement du noir pendant les douze premiers mois, tout en se privant totalement de sorties et d'activités de loisir. Cela signifiait, par exemple, ne jamais toucher le clavier du piano ni la manivelle du phonographe. Voilà qui ne la bouleversait guère puisqu'elle ne possédait ni l'un ni l'autre. Pour les six mois suivants, on pouvait abandonner le noir pour porter des couleurs sombres, et s'amuser un peu.

Sa fille Odile délaissa ce sujet pour en aborder un autre.

— Je ne vois pas pourquoi je dois t'accompagner. D'abord, qui est cet homme ?

— Je t'ai déjà parlé de lui, je t'ai même montré sa photo. Un fiancé que j'ai éconduit il y a vingt ans.

— Dans ce cas, je doute qu'il ait envie de te revoir. Ou il t'a oubliée, ou il souhaite t'oublier.

— Tu as encore des fumées d'encens dans le cerveau. Le couvent, ce n'est pas la vie. Une femme n'est rien sans mari. Pour mon malheur, j'ai été madame Isidore Payant. Je paie toujours cette erreur. Maintenant, je dois trouver quelqu'un d'autre.

C'était parler très durement du père de cette jeune fille.

— Et puis ça ne vaut pas que pour moi. À dix-huit ans, tu dois te dépêcher de te trouver un prétendant. Si tu tardes, dans un an, les meilleurs partis seront casés.

— Comme si ça pouvait m'arriver, vêtue d'un uniforme scolaire, grommela la jeune fille.

Le visage de Clarisse Payant se durcit. Elle tolérait mal de se voir contredire, surtout quand elle donnait une leçon de vie.

— Pour attirer un homme, la robe ne vient pas en premier. Il y a le contenu… Et si tu ne peux pas avoir un bon mari, tu seras dans la misère. Comme moi. Tu as vu beaucoup d'hommes parader dans la maison, depuis le début de mon veuvage ?

De toute façon, durant cette période, en recevoir un seul aurait fait d'elle une personne totalement infréquentable. Le retour à Douceville de cet ancien soupirant coïncidait heureusement avec la fin de son grand deuil.

— J'ai la chance de pouvoir me reprendre avec ce premier prétendant. Mais je ne dois pas gaspiller cette occasion. C'est pareil pour toi, fais-toi voir et trouve le bon. Si tu ne choisis pas bien, tu as vu quel genre de misère t'attend.

La femme marqua une pause, puis conclut :

— Maintenant, va mettre ta robe.

— Si tu veux vraiment l'intéresser, mieux vaudrait que je ne sois pas là. Vous seriez plus libres de parler.

— Voyons ! Tu dois servir de chaperon à ta mère. Sinon, ce ne serait pas convenable. De toute façon, tu fais partie de ma vie. Alors je dois te montrer.

Le sous-entendu échappa totalement à la couventine : la fille utilisée comme appât pour trouver un mari à la mère.

Rue Richelieu, coin Saint-Georges, la Royal Bank of Canada demeurait vide. Le nouveau directeur – intérimaire – de la succursale, Xavier Blain, se tenait près de l'une des grandes fenêtres en façade pour regarder passer les passants. Pourtant, aucun d'entre eux ne franchissait la porte.

— C'est toujours comme ça, le samedi ?

Comme il était en fonction depuis deux jours à peine, il ne pouvait guère en juger.

— Je vous rappelle qu'aujourd'hui, c'est la Saint-Jean, répondit le commis derrière le comptoir.

L'homme de trente ans, Ulric Rancourt, était à peine visible dans l'ombre du fond de la pièce, derrière les barreaux de laiton qui devaient empêcher quiconque de sauter par-dessus le comptoir pour accéder aux caisses, ou au coffre.

— Quand j'habitais de l'autre côté de la rivière, les gens dépensaient aussi le jour de la Saint-Jean…

Le directeur était né dans la paroisse située de l'autre côté de la rivière Richelieu, à Iberville. Un pont permettait de passer d'une municipalité à l'autre sans difficulté.

— Sans doute, mais peut-être ne visitaient-ils pas leur banquier pour autant.

— Maintenant que vous me le dites… Je pense que mon père utilisait une petite boîte de fer-blanc en guise de banque. Il la cachait sous un madrier du plancher de sa chambre.

— Ça ne lui rapportait pas beaucoup d'intérêt, ça.

— Non, mais aucun directeur de succursale ne pouvait partir aux États-Unis avec une part de ses économies.

C'était une « indélicatesse » de ce genre qui avait amené son séjour tout à fait inattendu à cet endroit. Les malheureux épargnants seraient remboursés. La banque n'avait guère le choix: autrement ces clients floués, leur famille élargie – c'est-à-dire jusqu'aux cousins par alliance au troisième degré – et toutes leurs connaissances auraient migré vers d'autres établissements.

Xavier poussa la demi-porte donnant accès à la partie de la salle réservée aux employés. En plus de Rancourt, un autre auxiliaire était occupé derrière un pupitre. Le secrétaire, Aristide Careau, multipliait les envois de lettres aux plus importants clients afin de leur présenter le nouveau responsable de la succursale. La missive décrivait ses expériences passées afin de les rassurer sur sa compétence. À compter du lundi suivant, certains se présenteraient sur les lieux, juste pour le voir et se faire leur propre idée.

— Aristide, avez-vous eu le temps de mettre en enveloppe les dernières que j'ai signées ?

— Pas toutes, mais une bonne vingtaine.

— Je vais les prendre avec moi. Aller au bureau de poste me donnera l'occasion de prendre l'air.

Tout en disant cela, il passait un index entre son cou et son col de celluloïd. Ce 24 juin 1922, le mercure dépassait les quatre-vingts degrés. Dans l'établissement, à cause des grandes fenêtres laissant entrer le soleil, il faisait plus chaud encore.

— Dans une heure, deux tout au plus, il y en aura encore d'autres de prêtes.

— À ce moment, ce sera votre tour de prendre l'air.

L'homme passa dans son bureau pour mettre son panama, puis il ramassa la pile de lettres et se dirigea vers la porte.

Quand il fut sorti, Rancourt ronchonna :

— Si je comprends bien, je serai le seul à ne pas prendre un peu l'air malgré la chaleur étouffante.

Ce petit homme brun, souvent taciturne, trouvait toujours que la vie ne distribuait pas les opportunités d'une façon bien équitable. Cela allait de sa jalousie des clients avec de gros comptes de banque – alors que le sien demeurait anémique – jusqu'aux occasions de marcher un peu dans les rues pendant les heures de travail.

— Voilà bien ton drame. Tu es trop important pour faire les courses, cette responsabilité revient au subalterne.

Aristide Careau se montrait volontiers moqueur. Évidemment, ce châtain un peu maigre suait à moins grosses gouttes que son collègue plutôt replet.

— Tu l'as vu avec son chapeau du Sud et son complet de lin ? On dirait un de ces vacanciers qui s'amusent aux régates sur la rivière.

La veste et le pantalon écrus, marqués de très fines rayures bleues, faisaient en effet très estival. À Douceville, les tenues plus strictes s'imposaient pour aller au travail. Le nouveau venu indiquait ainsi qu'il venait de la grande ville.

Un bruit à la porte d'entrée leur imposa le silence. Rancourt retourna à son poste derrière le comptoir. Une femme d'une quarantaine d'années s'approcha, souriante. Derrière elle venait une grande fille faisant moins de la moitié de son âge, vêtue d'un uniforme scolaire même si toutes les écoles étaient fermées depuis la veille à cause des grandes vacances.

— C'est bien vrai, Xavier Blain a été nommé directeur ? demanda la visiteuse. J'ai lu la nouvelle dans le journal.

— Tout à fait vrai. Depuis jeudi, en fait. L'entrefilet a été publié le jour de son arrivée.

— C'est bien le Xavier Blain qui est né à Iberville ?

Son interlocuteur eut un petit sourire amusé.

— Il vient tout juste de nous faire la confidence de ses origines. Tout en soulignant la méfiance de son père à l'égard des banques.

— Oh ! Son père n'avait pas vraiment besoin d'une banque. Il n'est pas ici ?

Puis comme pour justifier sa curiosité, elle ajouta :

— C'est une vieille connaissance. Moi aussi j'habitais Iberville, avant mon mariage.

— Vous l'avez raté d'une ou deux minutes. En réalité, vous devez l'avoir croisé.

— Je ne pense pas. Je l'aurais reconnu. Où allait-il ?

Décidément, elle se montrait très curieuse. Comme l'information ne s'avérait guère confidentielle, l'employé se fit bavard :

— À la poste. Il juge nécessaire de faire connaître son arrivée à tout le monde. Il envoie des lettres depuis deux jours.

— Il a dû emprunter un autre chemin que moi. Pouvez-vous lui dire que je suis passée ?

— Et vous êtes madame ?

— Madame veuve Payant.

Rancourt hocha la tête, il poussa même le zèle jusqu'à gribouiller le nom sur un bout de papier.

— Mais il m'a connue sous mon nom de jeune fille. Clarisse Gauvin.

De nouveau, le commis griffonna quelque chose. La femme le remercia, puis marcha vers la porte, pour se retourner au moment de saisir la poignée.

— Xavier… Je veux dire monsieur Blain a-t-il décidé d'acheter une maison ? Je ne sais pas s'il a une importante famille, maintenant.

— Sa famille se limite à lui-même, si j'ai bien compris. Depuis son arrivée en ville, il habite dans une pension.

Clarisse Payant hocha la tête avec un air satisfait, répéta ses remerciements, puis sortit. Rancourt se tourna immédiatement vers son collègue pour remarquer :

— “Madame veuve”, puis “Je ne sais pas s'il a une importante famille”. Un peu plus et elle me demandait la permission de le visiter les bons soirs.

— En tout cas, être le patron, moi je lui demanderais l'autorisation de visiter mademoiselle sa fille. Quel joli minois !

— Tu pourrais tenter ta chance toi-même, si elle te plaît tant que ça…

Aristide Careau se raidit un peu, puis dit, d'une voix impatiente :

— Tu sais que je suis engagé avec Fleurange. C'est sérieux entre nous.

— Ouais, depuis ta confirmation. Tu sais ce que le curé dit des fréquentations interminables. Elles favorisent le péché de la chair.

— Le curé n'a jamais élevé une famille. Nous, nous attendons d'avoir mis assez d'argent de côté.

— Si c'est juste une question d'argent, il y a une fortune là-dedans.

Des yeux, Rancourt désigna la petite pièce au fond de la banque, là où se trouvait le gros coffre. Il faisait assez souvent cette blague, au point de susciter des doutes sur son honnêteté. Toutefois, il revint bien vite à son sujet de prédilection :

— En tout cas, la donzelle fait tout de même trop couventine à mon goût, d'autant plus qu'elle a encore son uniforme sur le dos. Elle rêve peut-être de se faire religieuse. Mais ça serait du gaspillage. Je suis sûr qu'après l'avoir déniaisée, un gars pourrait en faire quelque chose.

Malgré son engagement auprès de sa « fiancée » des cinq dernières années, Careau s'informa tout de même sur cette visiteuse :

— Tu la connais, cette femme ? Je ne l'ai jamais vue sur le perron de mon église.

— Parce que tu fréquentes Notre-Dame-Auxiliatrice. Tous les dimanches, je la croise à Saint-Antoine.

Avec ses quelques milliers d'habitants, Douceville avait été divisée en deux paroisses quelques années plus tôt. Loin du centre, proche de la manufacture de moulins à coudre, Notre-Dame était surtout peuplée d'ouvriers. Comme les notables fréquentaient Saint-Antoine, les dîmes y étaient plus importantes. Les deux curés connaissaient des niveaux de vie fort différents.

— C'est la veuve de… ?

— Du pauvre Isidore, mort l'an dernier.

Rancourt aurait sans doute été capable de donner tous les ascendants d'Isidore Payant jusqu'à la Nouvelle-France, tellement il paraissait bien informé. Mais l'arrivée inopinée d'un client l'amena à changer de sujet.

— Bonjour monsieur, je peux vous aider ?

Le soleil de juin tapait fort sur la petite municipalité. En ce jour de fête des Canadiens français, les trottoirs, et même la chaussée s'encombraient de badauds. Parfois, des conducteurs d'automobiles faisaient entendre leur klaxon, et ceux des charrettes ajoutaient leurs cris au tintamarre.

Le gouvernement municipal et diverses associations avaient organisé une parade pour le milieu de l'après-midi. Elle se terminerait dans le grand parc municipal, avec des compétitions sportives et les joyeux flonflons d'un orchestre amateur. L'événement serait assez important, avec des corps de clairon, des chars allégoriques, et surtout plusieurs détachements de soldats en parade. La Grande Guerre avait pris fin moins de quatre ans plus tôt, un collège militaire se trouvait en banlieue. Maintenant que plus personne ne risquait de se retrouver au front, tant les bourgeois gros et gras que les cultivateurs affichaient une soif d'en découdre avec les Allemands. Un bellicisme commodément apparu après l'armistice.

Xavier Blain avait tenu à faire l'aller-retour jusqu'au bureau de poste avant que le trajet ne soit rendu impraticable par tous les badauds. L'édifice se trouvait rue Jacques-Cartier. Pourtant, pendant un moment il lui tourna le dos pour contempler l'église Saint-Antoine située de l'autre côté de la chaussée, flanquée d'un immense presbytère de pierre. Bientôt, il devrait y effectuer une visite, tant à titre de nouveau paroissien que d'ami du titulaire de la cure.

Ensuite, il entra dans le bureau de poste. Sur le mur, on voyait les portraits de George V, le monarque régnant sur toutes les possessions de l'Empire britannique, et du nouveau premier ministre du Canada, William Lyon Mackenzie King. Et au-dessus, le drapeau du Royaume-Uni. Des affiches de recrutement militaire aux couleurs un peu délavées témoignaient encore des jours héroïques du dernier conflit.

Xavier se plaça au bout de la queue s'allongeant devant les guichets. Bien des gens profitaient de ce samedi pour envoyer des lettres ou prendre leur courrier. Il en aurait pour quelques minutes d'attente. Pour passer le temps, il lut les adresses sur les enveloppes. Celles de professionnels – avocats et médecins –, d'entrepreneurs, de cadres…

Une voix le fit sursauter:

— Oui, c'est bien toi. Quand j'ai vu ton nom dans *Le Canada français*, je me demandais s'il s'agissait du même Xavier.

La voix eut un curieux effet sur lui. Brusquement, il basculait vingt et un ans plus tôt, en ce même jour de la Saint-Jean, alors qu'il avait dix-huit ans. Tout de suite après le dîner, il était allé rejoindre une brunette de son âge au domicile de son père, un marchand général à Iberville. Jusqu'à la veille, tous les deux étudiaient à Douceville, lui chez les frères, elle chez les sœurs.

Ce jour-là, elle avait troqué son uniforme scolaire pour une robe blanche. Lui, de son côté, portait le pantalon et la chemise habituels, faute d'avoir mieux à se mettre. Il avait simplement remplacé la redingote par une veste trop petite.

— Oh! Clarisse, dit-il en se retournant. Je suis ce Xavier-là, si vous parlez du garçon d'Iberville. Quelle agréable surprise…

Tout de suite, il remarqua la robe d'assez bonne qualité, mais démodée. Des cheveux bruns dépassaient de son chapeau de paille. Sous la lumière vive, quelques cheveux gris trahissaient son âge.

— Ça fait si longtemps...

Bien élevé, il enleva son chapeau pour le tenir dans sa main gauche, puis accepta celle de son interlocutrice dans sa droite. Elle dit: « Bonjour, comment vas-tu? », et lui: « Bonjour, comment allez-vous? », sans que ni l'un ni l'autre réponde à la question.

Il l'examinait, comme pour chercher les ressemblances entre elle et la jeune fille connue plus de trente ans auparavant, de son enfance à la petite école et jusqu'à l'adolescence, à la fin du primaire supérieur. Elle était à la fois semblable et différente. L'effet du temps qui passe. L'homme savait cette rencontre inévitable – au moment d'être affecté à Douceville, il avait cherché son nom dans le bottin pour vérifier si elle y vivait encore. Constater qu'elle ne suscitait plus aucun désir le rassura. Quant aux autres émotions ressenties, il y songerait plus tard.

— Voyons, Xavier, dans le temps nous nous disions "tu".

— Mais ce temps-là est loin, maintenant. Plus de vingt ans nous séparent de notre dernier tête-à-tête.

Elle fronça les sourcils et murmura :

— Ne lance pas des chiffres comme ça à haute voix.

Xavier se montra bien insensible à cette coquetterie. Son regard se porta sur la jeune demoiselle accompagnant son interlocutrice. Elle semblait avoir terriblement envie de se trouver ailleurs.

— Voilà ma grande fille, Odile.

Celle-ci cessa de contempler le sol, le temps d'un regard. Un regard assez long pour que le banquier remarque les yeux aux iris d'un gris intense, avec un contour tout à fait noir. L'effet était saisissant. Presque rien chez elle ne rappelait sa mère. Ni le regard, ni la timidité. L'homme lui tendit la main, elle l'accepta en rougissant un peu.

— Xavier est un vieil ami, précisa Clarisse à son intention. Il a été beaucoup plus que ça, en fait.

Depuis le début de leur conversation, deux clients avaient eu accès au guichet.

— Maintenant vous devrez m'excuser, dit le banquier. Ce sera bientôt mon tour, et ensuite je dois retourner travailler.

— Ah ! Toujours aussi sérieux. J'espère que nous allons nous revoir.

Elle lui tendit sa main gantée, il la serra. Elle la retint plus longtemps que nécessaire.

— Tu sais, je suis veuve, maintenant.

— Je ne savais pas. Je vous offre toute ma sympathie. Madame ?

— Payant. Isidore Payant. Il y a déjà un an. Comme tu vois, j'ai d'ailleurs abandonné le grand deuil.

— Et mes sympathies à vous aussi, mademoiselle.

Odile lui parut tellement intimidée qu'il lui fit grâce d'une poignée de main. Une inclinaison de la tête servit de dernier salut. Il y eut un moment de malaise. Clarisse Payant demeura plantée là, comme pour attendre la conclusion de cet échange. Heureusement, un nouveau client quitta le guichet.

— Excusez-moi, maintenant c'est vraiment mon tour.

Il avança de trois pas, déposa les vingt lettres sur le comptoir. Ses mains tremblaient un peu.

— Je souhaite poster ceci. Première classe.

Du coin de l'œil, il put apercevoir Clarisse quitter les lieux, flanquée de sa fille. Il eut l'impression que l'atmosphère s'allégeait un peu.

Quand il remit les pieds à la succursale de la banque une trentaine de minutes plus tard, Ulric Rancourt lança, depuis son poste de travail :

— J'espère qu'elle n'est pas allée jusqu'à la poste pour vous retrouver ?

— Pardon ?

— Madame veuve Payant. Elle semblait tellement déçue de vous avoir manqué, tout à l'heure.

— Elle est venue ici ?

Une certaine contrariété marquait sa voix. Le commis en conclut que cette inconnue tenait plus à cette rencontre que son patron.

— Oui. Je lui ai dit que vous étiez parti à la poste. Je n'aurais pas dû ?

— Bof… Si elle n'a rien de mieux à faire que de me suivre à la trace, grand bien lui fasse.

La réaction surprit ses employés. Il passa la demi-porte pour accéder à la section réservée au personnel. Depuis l'entrée de son bureau, il se retourna pour demander à son secrétaire :

— Est-ce que cet Isidore Payant a été l'un de nos clients ? Ou cette dame ?

— Non. J'ai regardé après sa visite, et ce n'est pas le cas.

Ainsi donc, si elle se faisait trop insistante, il aurait la liberté de l'envoyer paître sans plus de ménagements. Après tout, aucune loi ne l'obligeait à faire bon accueil à un fantôme surgi de son passé.

Clarisse Payant était aux prises avec un flot d'émotions contradictoires. La colère devant l'indifférence… Non, plutôt l'agacement. L'inquiétude, aussi. Sa seule stratégie pour se sortir de son marasme était la recherche du bon parti. Et un unique candidat était apparu dans son horizon.

La veuve avait quitté le bureau de poste pour se diriger vers le parc municipal. Si se planter sur le trottoir pour regarder passer une parade ne lui disait rien, l'idée d'entendre un orchestre jouer les airs les plus gais la séduisait.

À ses côtés, Odile se sentait ridicule dans son uniforme de couventine. La sueur coulait au creux de son dos.

Heureusement, dans le parc aménagé vingt ans plus tôt, les arbres étaient maintenant de bonne taille. Elle apprécia le fait de se trouver à l'ombre.

Comme la plupart des citadins s'intéressaient à la parade, de nombreux bancs demeuraient libres. Une fois assise, elle demanda :

— Cet homme à qui tu viens de parler, tu l'as connu alors que tu étais toute jeune ?

— Oui, à la petite école. Quand nous avons grandi, il est devenu follement amoureux de moi.

Elle eut un moment d'hésitation avant d'ajouter :

— Au point de faire des folies.

Odile fronça les sourcils. De quelles folies sa mère parlait-elle ? Du péché de la chair ? En bonne jeune fille sage, devant des allusions de ce genre, le rose lui monta aux joues.

— Je ne sais pas si je dois te dire ça, mais maintenant que tu es grande, il y a certaines réalités dont tu dois prendre conscience. Très vite après mon mariage, je me suis demandé si j'avais bien fait d'épouser ton père.

Cette fois, les joues de la jeune fille passèrent au cramoisi. Si sa mère avait pris une autre décision à cet égard, elle n'existerait pas. Faisait-elle partie de sa déception ?

— Ce n'est pas que je ne l'aimais pas ! Ton père était promis à un avenir tellement brillant : le cours classique, les études en droit. Xavier, lui, terminait son cours chez les frères des Écoles chrétiennes.

C'est-à-dire que ce dernier se destinait au mieux à un emploi de commis dans une administration, et Isidore, à une profession libérale. La différence dans les perspectives d'avenir se calculait en plusieurs centaines de dollars par année. Clarisse savait compter.

— Pour tout te dire, ton père m'a déçue. Tu sais comment ça s'est terminé.

Par une vie de misère. Odile regarda les manches de sa robe de couventine. Aux poignets, le tissu était usé au point de devenir luisant. Il s'agissait pourtant de sa plus belle tenue. Elle en était la seconde propriétaire, sinon la troisième.

— Et puis, le plus drôle, c'est que j'ai su que Xavier a finalement fréquenté l'Université de Boston.

Elle avait lu cela dans une annonce de la banque parue dans le journal, pour annoncer sa venue.

— Jamais je n'aurais prédit ça. Il ressemblait tellement à un grand nigaud.

Cette description tira un sourire à la jeune fille. À ses yeux, le directeur de la banque n'avait rien d'un nigaud. Elle l'avait trouvé élégant, bien élevé – et pas du tout intéressé.

— Maintenant, il se promène avec un habit certainement acheté dans l'ouest de Montréal, ou alors dans les meilleurs magasins de Boston.

Chapitre 2

À la suite d'une histoire de malversation, la prudence exigeait un examen attentif de tous les comptes. Après son retour à la banque, Xavier Blain passa deux bonnes heures penché sur son pupitre, de grands registres sous ses yeux. Un ventilateur électrique permettait de le rafraîchir un peu. Il oscillait, de façon à couvrir tous les angles de la pièce. Malheureusement, pour éviter de voir tous ses papiers s'envoler, il devait le maintenir à la plus basse vitesse.

Aristide Careau vint le distraire de sa tâche en frappant doucement contre le cadre de la porte.

— Monsieur le directeur, je m'excuse de vous déranger. Il y a quelqu'un pour vous.

Il leva la tête, les sourcils froncés, une interrogation dans le regard. Qu'elle le relance encore lui paraissait du dernier sans-gêne. Son interlocuteur comprit tout de suite la cause de son irritation.

— Non, ce n'est pas la même personne. Il s'agit du docteur Turgeon.

Le visage du patron s'adoucit tout à fait.

— Faites-le entrer.

Xavier quitta sa chaise, pour prendre la main du nouveau venu et la secouer avec entrain. Le visiteur n'était pas très grand. Son visage poupin souriant indiquait sa satisfaction envers lui-même, envers son existence.

— Oui, c'est toi. Le Xavier que j'ai connu à Boston. Te voir revenir ici me surprend.

— Et toi, le jeune docteur Turgeon que j'ai connu aussi à Boston. *Long time no see*. La jolie Sophie va bien ? Et ton fils ?

En posant la question, il lui avait désigné la chaise placée devant son pupitre.

— Quand j'ai quitté la maison tout à l'heure, tous les deux se portaient très bien. Et lors de sa dernière consultation médicale, le bébé qui est en route aussi.

Au cours de leur dernière rencontre, durant l'avant-dernière année de la Grande Guerre, la jeune femme était son épouse depuis trois ans et un enfant était né. Cinq ans plus tard, le couple avait décidé de doubler sa descendance.

— Ah ! C'est bien de participer ainsi à la revanche des berceaux.

L'autre lui adressa une petite grimace. À bientôt trente-cinq ans, il encourait plutôt des remontrances de la part de son confesseur. Les porteurs de soutane comptaient les années entre chaque accouchement, et ils se faisaient inquisiteurs s'ils soupçonnaient une stratégie pour les espacer.

— De ton côté ?

— Je suis toujours célibataire. Mais comment as-tu entendu parler de ma présence ici ?

Georges Turgeon portait le plus récent numéro du journal *Le Canada français* à la main. Il l'ouvrit à la seconde page, puis commença à lire :

Monsieur Xavier Blain vient d'arriver à Douceville afin d'occuper le poste de directeur intérimaire de la succursale de la Royal Bank of Canada. Auparavant, il a travaillé dans une banque de la région de Boston, et étudié à l'université de cette ville. C'est après avoir participé à la Grande Guerre, dans l'armée américaine, qu'il est revenu au Canada…

— Arrête, fit Xavier en présentant ses mains ouvertes. Bientôt, tu m'apprendras la taille de mes vêtements et de mes chaussures.

— Le journaliste ne va pas jusque-là, mais presque. Tu lui as envoyé ton résumé, comme on dit aux États-Unis ?

— Non, mais la banque l'a sans doute fait. Dire que je me donne la peine d'écrire à tous les clients pour leur annoncer mon arrivée. J'aurais pu m'épargner cette corvée.

En réalité, il ne le pouvait pas. Rien ne valait, pour un client un peu inquiet des circonstances du départ de son prédécesseur, de voir son nom sur une enveloppe, et ensuite à la première ligne d'une lettre personnelle.

— Je n'ai encore rien reçu.

— Tout à l'heure, à la poste, le commis m'a assuré que la livraison se ferait lundi prochain. Un courrier recommandé.

Le médecin hocha la tête pour signifier son appréciation. Peut-être que lui aussi s'inquiétait du sort de ses quelques économies. Il regarda sa montre.

— Je ne suis pas venu pour te faire perdre ce qui reste de cet après-midi, mais pour t'inviter à souper ce soir.

Le visage de Xavier exprima une petite inquiétude.

— Ce sera l'occasion de rencontrer mon père, un autre client de cet établissement, précisa-t-il avec un clin d'œil, ma mère et ma sœur. Mais dans le cas du mari de cette dernière, je n'ai aucune idée du nom de la banque avec laquelle il fait affaire.

Xavier accueillit l'invitation avec un sourire un peu crispé. Georges était l'un de ses très rares amis au Canada. Souper avec lui et sa femme lui faisait plaisir. Cependant, rencontrer toute la famille l'intimidait.

— Ne t'en fais pas, je suis le moins aimable de la tribu. Les autres sont exquis. Tu ne dois plus connaître grand monde dans cette ville. Ce sera un début. Demain, tu pourras saluer quelques paroissiens sur le parvis de l'église.

— Je ne dérangerai pas ? Tu sais, à cause de mon statut de vieux garçon, ça donne un chiffre impair à table.

— Si ce n'est que ça, ne t'en fais pas. Avec mon fils et les deux enfants de Corinne, vous serez un quatuor de célibataires. Et là, je ne compte même pas la bonne et la cuisinière. Comme tu vois, la majorité des occupants de la maison attendent encore le jour heureux de leur mariage.

— D'accord, je serai là. Auparavant, j'aimerais tout de même passer à la pension. Pour me rafraîchir un peu et me débarrasser de ce carcan.

À nouveau, il passa son doigt à l'intérieur de son col de celluloïd.

— Surtout ne te donne pas la peine d'en mettre un autre. Nous serons entre amis.

Malgré la rareté des clients pendant tout l'après-midi, Xavier se fit un devoir de demeurer dans son bureau jusqu'à l'heure habituelle de la fermeture. La porte ouverte lui permettait d'entendre les conversations dans la section occupée par le personnel. Ulric Rancourt paraissait avoir quelques raisons de se plaindre de ses conditions de travail.

— Nous enfermer ici le jour de la fête des Canadiens français ! Fermer n'aurait rien coûté à la banque.

Le mouvement de revendication d'un congé férié le 24 juin existait depuis le début du siècle. En haut lieu, on n'avait pas encore jugé bon d'obtempérer.

— Ça lui coûterait la frustration des clients qui se cogneraient le nez à une porte close, dit le secrétaire. Ils pourraient aller ailleurs. C'est au gouvernement de passer une loi. Si tout est fermé dans la province, personne ne profitera d'un avantage.

Le commentaire tira un sourire au directeur. De ses deux employés, l'un lui paraissait posséder plus de sens commun que l'autre. À cinq heures, il quitta son siège et se plaça dans l'embrasure de sa porte.

— Messieurs, vous pouvez partir, maintenant. Bon dimanche, nous nous reverrons lundi.

Il leur fallut trois minutes pour ramasser leurs affaires et décamper. Xavier prit son chapeau, puis fit une dernière fois le tour de la banque afin de tout vérifier. Il s'attarda au coffre, s'assura que les fenêtres étaient verrouillées et, en sortant, il ferma à double tour.

À cette heure, le soleil avait beaucoup décliné à l'horizon et la température était plus douce. La distance entre la banque et son domicile était très courte : un pâté de maisons vers l'ouest en empruntant la rue Saint-Georges, la même distance vers le nord, rue Champlain. Dans une vieille bâtisse de brique, un propriétaire avait ouvert un *Boarding House*. Une pension. Il jugeait sans doute que l'écriteau en anglais au-dessus de l'entrée principale faisait infiniment plus chic. Il l'avait trouvée grâce à une annonce parue dans le journal.

Un élément de la publicité avait retenu l'attention de Xavier : « tout le confort moderne ». En bref, cela voulait dire que la douzaine de locataires se partageaient deux salles de bain complètes, plutôt que d'avoir seulement des toilettes et de devoir se rabattre sur un bain public pour tout désir de propreté dépassant le niveau du débarbouillage. L'absence de bail faisait en sorte qu'il pouvait partir avec un préavis d'un mois. Le temps de trouver mieux, si nécessaire.

Au-dessus et des deux côtés de la porte d'entrée, des vitraux donnaient à l'endroit un petit air d'opulence. Il en allait de même une fois à l'intérieur. De sombres boiseries dans le hall et dans le long couloir faisaient penser à un presbytère. Sur sa droite, un salon permettait aux locataires de se réunir. Xavier se tint dans l'entrée pour saluer deux d'entre eux, absorbés dans la lecture des journaux. Il alla ensuite jusqu'à la cuisine, frappa doucement sur le cadre de la porte pour attirer l'attention d'une grosse femme armée d'une louche, les cheveux un peu en désordre.

— Madame Cadieux, ce soir je mangerai à l'extérieur.

Elle le regarda, les sourcils levés, puis répondit, un peu sur la défensive :

— Aucun remboursement n'est prévu, dans ces circonstances.

— C'est bien ce que j'avais compris. J'ai juste pensé que c'était plus délicat de vous en avertir.

— Oh ! Je vous remercie.

Cette fois, elle lui parut un peu embarrassée. L'homme regagna sa chambre au premier, prit son rasoir, des vêtements de rechange, puis se rendit dans la salle de bain, heureusement libre à ce moment.

En quittant la banque, Ulric Rancourt regagna son domicile situé tout près, rue Saint-Jacques. Quand il entra dans l'appartement du rez-de-chaussée, il se dirigea vers la cuisine donnant sur la cour.

— Les enfants sont pas là ? demanda-t-il à Gisèle, sa femme.

— Il y a des activités sportives au parc. Le plus vieux participe, les plus jeunes regardent.

Le couple avait trois enfants. Ulric alla jusqu'à la glacière pour prendre une Molson. Après avoir fait sauter la capsule, il s'affala sur une chaise près de la fenêtre donnant sur la cour.

— Le nouveau boss est un salaud comme les autres. Le gars avant lui était un Anglais, la Saint-Jean y s'en crissait. Blain parle français, mais pas question de nous donner congé. Même pas juste pour l'après-midi.

— Personne n'ose fermer, à cause de la compétition.

— Arrête, j'entends déjà ces niaiseries-là dans la bouche de Careau, mêle-toé pas de ça.

— Si t'es pas capable de parler de façon intelligente, va boire dehors.

Le couple tint un petit duel avec les yeux. Même si Gisèle était toute petite, elle ne s'en laissait pas imposer. À la fin, dans l'attente du souper, Ulric Rancourt préféra aller finir sa bière dans la cour, assis sur une chaise branlante.

En marchant vers le domicile des Turgeon, Xavier Blain se sentait particulièrement intimidé. Dans cette maisonnée, il ne connaissait vraiment que deux personnes : Georges et Sophie. Pourtant, une autre le connaissait aussi… Coquin de sort ! En revenant à Douceville, il redoutait deux rencontres. La première avait eu lieu. Et dans la même journée, il allait vivre la seconde.

Quand il frappa à la porte, ce fut d'ailleurs cette personne qui vint lui ouvrir.

— Bienvenue chez nous, monsieur Blain, dit le docteur Évariste Turgeon. Je suis particulièrement heureux de vous voir.

— Et moi, je me sens particulièrement intimidé.

— Vous avez toutes les raisons d'être fier, plutôt.

Le commentaire fit rougir le visiteur.

— Si vous m'aviez dénoncé à la police, ma vie aurait été irrémédiablement gâchée. La prison, la honte sur ma famille, ma réputation ruinée à tout jamais.

— Vous venez d'énumérer toutes les bonnes raisons que j'avais de me taire. Et aujourd'hui, vous êtes devenu mon banquier.

Tout en parlant, le médecin lui avait tendu la main. Xavier la serra avec chaleur.

— Je vous remercie du fond du cœur. À l'époque, je ne suis pas certain de l'avoir fait.

— Vous êtes le bienvenu. En réalité, vous êtes la preuve que j'ai eu raison. Mettre en prison quelqu'un qui éprouve des difficultés, c'est la même chose que de soigner une brûlure avec un fer rougi au feu. Bon, maintenant que nous en avons fini avec cet échange privé, rejoignons les autres.

Son hôte le précéda dans le couloir. En lui emboîtant le pas, Xavier tira nerveusement sur sa manche gauche, comme pour dissimuler la cicatrice à son poignet. Dans le salon, Georges se leva, la main tendue, tout en disant :

— Tu as fait connaissance avec mon père, maintenant je te présente les autres.

À son entrée dans la pièce, Sophie s'était levée de son fauteuil en s'aidant avec ses mains. Enceinte de cinq mois environ – même pour son époux médecin, ce calcul semblait un peu aléatoire –, elle présentait un ventre vraiment énorme. Au point où Xavier pensa à des jumeaux.

— Je suis heureuse de te revoir. Ça fait cinq ans, n'est-ce pas ?

Xavier prit ses deux mains dans les siennes.

— Un peu plus. Tu es très belle, comme ça.

Il évoquait la grossesse, mais aussi toute son allure. Ses cheveux blonds lui couvraient les oreilles, atteignant presque ses épaules. Sa robe d'un joli bleu ciel lui allait à mi-jambe. Elle était moins timide qu'à l'époque où elle portait encore le patronyme Deslauriers. Tout de même, ce moment de retrouvailles, cette appréciation de son allure lui rosissait les joues.

— Je ne vois pas le petit Oliver.

— Olivier, de ce côté-ci de la frontière américaine. Ma sœur et son mari nous l'ont enlevé pour le conduire au parc, en même temps que leur propre fille, dit Georges. Avec un peu de chance, ils seront juste assez fatigués pour aller au lit après leur retour.

Le jeune médecin lui fit signe de s'approcher du canapé. Délia se leva pour lui tendre la main. Il apprécia l'allure de cette femme allant sur ses soixante ans. Grande et mince, ses cheveux grisonnants ramassés en chignon, elle dégageait une certaine majesté.

— Madame, je suis enchanté de faire votre connaissance.

— Moi aussi. Je rencontre enfin le camarade d'exil de mon fils. C'est vrai que vous l'avez connu par hasard ?

— Tout à fait. J'étais à table dans un restaurant de Boston quand je me suis rendu compte qu'un client ayant appris l'anglais avec les bons curés du collège Saint-Jean avait du mal à se faire comprendre par un serveur venu d'Irlande. Dans les deux cas, l'accent revêtait un certain charme.

— Je venais tout juste d'arriver, se défendit Georges. Sophie n'avait pas encore eu le temps de m'apprendre à prononcer correctement.

Pendant cet échange, Évariste s'était dirigé vers une armoire pour en sortir des bouteilles et verser un verre de sherry, et un autre d'eau minérale. Médecin en avance sur son temps, jamais il n'aurait offert autre chose à une femme enceinte. Même un simple café l'aurait fait sourciller. Délia prit le petit alcool en lui disant merci.

— Monsieur Blain, que voulez-vous boire ?

— La même chose que vous.

L'hôte haussa les sourcils avant de dire :

— Vous vivez dangereusement. Ma grand-mère avait une recette de vin de pissenlit.

— Si c'est bon pour vous...

— Mais aujourd'hui je préfère un martini. Il paraît que c'est l'alcool idéal pour la détente.

Tout en parlant, il était retourné vers son armoire pour prendre une bouteille de gin et une autre de vermouth. Il y avait des glaçons dans un seau et des olives dans une petite assiette. Du bruit dans l'entrée l'amena à se placer dans l'embrasure de la porte pour demander :

— Jules, tu en prends un ?

Il lui montrait le verre triangulaire dans sa main.

— Oui, merci.

— Corinne, comme Sophie ?

Celle-ci portait une gamine de cinq ans dans ses bras, son mari tenait un garçon à peine plus âgé par la main.

— Bon, je suppose que je n'ai pas le choix. Mais j'ai hâte de prendre quelque chose d'un peu plus fort.

— Quelques mois encore, intervint Georges. Tu ne voudrais pas en faire un alcoolique avant son premier anniversaire.

Il évoquait le dernier ajout au clan Turgeon, un garçon né l'année précédente. Son frère continua :

— Venez ici que je vous présente une vieille accointance.

L'instant d'après, Xavier faisait connaissance avec Corinne, une blonde joliment potelée, et vêtue d'une robe blanche garnie de dentelles. Une réplique assez fidèle de sa mère. Et ensuite de Jules Nantel, « avocat à Montréal ». Si Olivier, âgé de six ans, et Flore, un an plus jeune, voulurent bien dire bonjour, le visiteur ne retint leur attention qu'une minute.

— Je vais voir mon bébé, dit Corinne en déposant son verre sur un guéridon après en avoir pris une gorgée.

Le bébé en question avait dix mois. Elle revint bientôt le leur montrer. Quand tous les adultes l'eurent complimentée sur sa bonne mine, elle disparut à l'étage. Si quelqu'un en doutait encore, le motif de son abstinence devenait évident : elle allaitait. Tous les autres trouvèrent une place où s'asseoir. Xavier se tint près de ses amis. Les échanges sur des souvenirs communs permirent de le mettre à peu près à l'aise.

Finalement, les Turgeon s'avéraient d'agréable compagnie. Xavier comprit que le jeune Nantel était le fils du juge siégeant sur le banc du palais de justice de Douceville. La petite agglomération ne pouvait permettre à de très nombreux avocats de gagner leur vie. Une bonne dizaine d'entre eux offraient leurs services dans les pages du journal *Le Canada français*. Trop pour la clientèle disponible. De plus, plaider devant son père aurait fait douter de l'impartialité de ce dernier. Mieux valait que Jules se fasse une clientèle dans la métropole.

Inévitablement, Xavier étant un parfait étranger pour la plupart des convives, dès le second service ce fut à son tour de satisfaire la curiosité des autres.

— Vous avez habité longtemps au Massachusetts ? demanda Corinne.

— Plus de vingt ans.

Son regard se porta un bref instant sur Évariste.

— Je suis parti en 1901.

— Il fallait beaucoup de courage pour partir seul, à cet âge.

— Compte tenu de mes pauvres perspectives d'avenir ici à cette époque, ne pas le faire en aurait demandé encore plus.

De nombreux jeunes gens en quête de réussite économique prenaient ainsi la direction du pays voisin. Il n'avait pas été le premier, ni le dernier.

— Le journal évoquait des études à l'Université de Boston, remarqua Évariste.

Décidément, les distractions manquaient dans la petite ville pour que tout le monde ait lu les « notes sociales » du dernier jeudi.

— L'hebdomadaire a vanté le nouveau directeur avec autant d'enthousiasme qu'il le fait avec le tonique du bon docteur Coderre.

La mixture devait guérir tous les maux. Si cela était vrai, les médecins seraient réduits à la mendicité au cours de la prochaine année.

— J'ai effectivement suivi quelques cours, entre autres sur le droit des affaires. Mais à ce moment-là, j'étais aux États-Unis depuis dix ans déjà, j'occupais une place dans une banque.

— Xavier avait déjà une petite réputation, dit Georges. Pour de bonnes décisions prises pendant la panique de 1907.

L'allusion amena tout le monde à soulever les sourcils. À cette époque la maisonnée se passionnait plutôt pour les amours du curé et les turpitudes de son vicaire, ou pour les premiers émois des adolescents d'alors : Corinne et Jules, Georges et Sophie. Ceux-là avaient montré assez de fidélité à leurs premiers engagements pour s'épouser de nombreuses années plus tard.

Xavier dut évoquer le mois d'octobre 1907, alors que les cours de la Bourse de New York avaient chuté de cinquante pour cent. Le mois de novembre n'avait pas été meilleur. Dans ce contexte, un employé capable d'éviter les pertes les plus grandes à des clients importants avait gravi de nombreux échelons.

— À la fin, le financier J. P. Morgan a pu sauver la mise. Ce fut l'occasion pour le gouvernement fédéral américain de consolider son système financier.

Le sujet risquait d'ennuyer tout le monde, aussi Xavier abrégea ses explications le plus possible. Mais un autre aspect de son existence avait retenu l'attention d'Évariste.

— Toujours selon le même journal, vous avez fait la guerre.

Le visiteur eut un moment d'hésitation, puis précisa :

— Plus exactement, j'étais dans l'armée américaine pendant son implication en 1917 et en 1918. Voyez-vous, nos voisins avaient un impérieux besoin de personnes parlant la langue de leurs alliés français. J'étais en quelque sorte un traducteur en uniforme.

La vérité était un peu plus complexe. Mais Xavier ne désirait pas devenir l'unique sujet de discussion. Aussi demanda-t-il, en regardant Georges :

— De ton côté, tu n'as pas eu d'ennuis au moment de la conscription ?

— Comme je suis revenu au Canada en 1917 avec une épouse et un enfant, recevoir une exemption a été facile.

— J'étais dans la même situation, ajouta Jules.

L'avocat tenait à préciser que ce n'était pas la lâcheté qui l'avait empêché de faire son devoir. Son abstention tenait aux motifs familiaux les plus nobles. Corinne gâcha un peu l'effet recherché :

— De toute façon, cette guerre ne concernait pas les Canadiens français. Les conservateurs n'avaient pas à forcer les jeunes gens d'ici à y participer.

Elle jeta un coup d'œil furtif à son époux, les joues un peu rosies par son audace. Les femmes avaient obtenu le droit de vote l'année précédente, et encore, seulement au fédéral. Les opposants à cette nouvelle mesure – et ils étaient nombreux – soulignaient qu'une femme exprimant des opinions à haute voix pouvait gâcher la paix du ménage.

— D'autant plus que pour les envoyer en Europe, le gouvernement a annulé des milliers d'exemptions accordées dans les règles par nos tribunaux, renchérit Jules.

Frais émoulu de la faculté de droit de l'Université de Montréal à cette époque, il avait même plaidé gratuitement la cause de nombreux camarades figurant dans la catégorie d'âge appelée sous les drapeaux. Corinne le remercia d'un sourire. Comme dans la plupart des foyers, non seulement les Turgeon penchaient-ils pour la participation volontaire, mais ils auraient préféré pas de participation du tout.

Quand le repas fut terminé, tout le monde se déplaça à nouveau vers le salon. Après une demi-heure, Corinne plaida l'obligation de retourner chez les Nantel, « pour coucher mon fils et ma fille ». Elle logeait chez ses beaux-parents pour la fin de semaine. Il y eut un échange de poignées de main, la promesse de se revoir prochainement, puis le couple partit.

Après dix minutes de conversation, ce fut au tour de Sophie de se déclarer un peu fatiguée. Après les au revoir, elle regagna l'escalier avec une main sur l'arrondi de son ventre, une autre sur ses reins. Galamment, Georges lui offrit son bras, tout en disant aux autres : « Je reviens bientôt. » La conversation se languissant, Xavier tenta de se donner une contenance en acceptant un cognac. Il allait se lever pour partir quand Georges réapparut.

— Si j'ai besoin d'une consultation, où pourrai-je te joindre ? demanda le visiteur pour éviter tout nouveau questionnement sur sa propre carrière.

— Papa et moi avons un cabinet rue Richelieu, pas très loin de ta banque. Donne-moi juste un coup de fil, je pourrai te réserver une place juste avant ou après mes consultations.

Pendant un moment, les échanges portèrent sur les perspectives de carrière à Douceville pour un praticien de retour des États-Unis. La petite ligne « Médecin des hôpitaux de Boston » sur sa carte professionnelle lui aurait valu une jolie clientèle à Montréal. À demi-mot, le visiteur comprit que c'était une façon de remercier son père, qui avait payé toutes ses années d'étude. Dans cette petite ville aussi, son expérience américaine devait lui donner un avantage sur les compétiteurs. Maintenant, Évariste profitait de la situation.

Bientôt, Xavier remarqua une légère contraction des mâchoires de Délia, à cause de ses efforts pour maîtriser un bâillement.

— Je suis désolé, dit-il en se levant. Je me rends compte qu'après cette journée très chaude, tout le monde est fatigué. Je vais rentrer.

Si la maîtresse de la maison protesta d'abord, bien vite elle céda devant un argument douteux :

— Je dois me reposer. Demain, je compte me livrer à une petite exploration de mon nouveau milieu de vie.

Pourtant, une heure lui suffirait pour parcourir toutes les rues de la petite ville.

— Je vais te raccompagner chez toi, dit Georges.

— Je ne pense pas me perdre.

— Mais un peu d'air frais après cette journée torride me fera du bien.

Bientôt, dans l'entrée, le visiteur et Évariste échangeaient des poignées de main et des bonsoirs tout en se promettant de récidiver bien vite. Puis Xavier s'engagea vers le sud, flanqué de son vieil ami.

— Tes parents et toi, vous habitez la même maison…

— Oui, depuis près de cinq ans. C'est d'ailleurs la raison pour laquelle nous avons retardé la venue d'un nouvel enfant.

Il ajouta après une courte pause :

— Comprends-moi bien, ils sont parfaitement charmants. Mais même si la maison est grande, la cohabitation de deux familles pose toujours des difficultés. Auparavant, nous recevions des patients dans une section de la maison, à l'arrière. Cet espace a été récupéré l'an dernier, ça rend les choses plus faciles.

Après une pause, le jeune médecin ajouta :

— De nous deux, je suis celui qui risque de te consulter le premier.

Puis il se reprit tout de suite :

— À moins que tu n'aies des motifs d'inquiétude pour ta santé, bien sûr.

— Non, ce n'est pas le cas. Tu as des projets d'affaires ?

— Oui et non. J'aimerais examiner la possibilité de racheter la vieille maison, pour la remettre au goût du jour.

Xavier avait remarqué que le décor faisait plus victorien qu'édouardien… Et on en était déjà au règne de George. Cela convenait peu pour un couple moderne.

— Tu ne souhaiterais pas emménager dans du neuf ?

Georges eut un rire amusé, puis il expliqua :

— Mes parents, eux, préféreraient emménager dans du neuf. Je soupçonne mon père de ne pas vouloir s'engager dans un programme de rénovation à son âge. Il parle de déménager. Et moi je suis attaché à ces vieux murs. Mon côté romantique, je suppose.

Un attachement qui n'allait toutefois pas jusqu'à apprécier le décor trop vieillot de la demeure de la rue de Salaberry. Ils arrivaient devant le *Boarding House*. Les deux hommes se firent face.

— Je te recevrai quand tu voudras, dit le banquier en tendant la main.

— Merci. Pour le rendez-vous à venir, et aussi pour la visite de ce soir.

— J'étais un peu mal à l'aise.

— Mais tu as bien vite remarqué que ça ne ressemblait pas à Daniel dans la fosse aux lions.

— Ta famille ferait envie à tous les vieux garçons du continent.

Tout de suite, Georges passa mentalement en revue les quelques veuves qu'il connaissait pour les lui présenter. Mais à ce jeu de Cupidon, sa sœur Corinne se révélerait bien plus compétente. Elle avait déjà la formation de quelques couples à son actif.

— Allez, bonne nuit, je retourne auprès de Sophie. Je présume qu'elle voudra que je lui masse le bas du dos.

Après un échange de poignées de main, le jeune médecin tourna les talons pour rentrer chez lui. Xavier le regarda s'éloigner. Décidément, Georges avait le chic pour souligner les plaisirs du mariage.

Chapitre 3

Xavier avait bu quelques verres durant cette soirée, assez pour ressentir un léger mal de tête. Cela et les émotions de la journée le tinrent longuement éveillé. L'éclairage des rues lui permettait de voir un peu dans la chambre. Sa patère, à laquelle pendait un complet placé sur un cintre, faisait penser à un intrus dans la pénombre. Ou une intruse venue du passé.

— Bon Dieu ! Comme j'ai été stupide !

Clarisse Gauvin ne quittait pas son esprit… Non, Payant maintenant, lui avait-elle dit. Ses minauderies lui paraissaient tellement vulgaires. Cette façon de le tutoyer, de se présenter comme une vieille amie, son empressement à signaler son veuvage. Pensait-elle vraiment être autre chose qu'une courtisane fanée, devenue très maladroite dans ses manœuvres de séduction ?

Maladroite depuis toujours, en réalité. Excepté l'accumulation des années, cette femme n'avait absolument pas changé. La minauderie racoleuse, le sourire tout à fait faux, l'illusion sur son pouvoir de séduction se trouvaient déjà là, avant 1901. Il n'y avait vu que du feu. À cette époque, il s'imaginait s'engager dans un mariage d'amour, avec la résolution de construire un château à cette princesse de pacotille.

— Me marier avec toi ? avait-elle dit avant de pouffer de rire.

Le jour de la Saint-Jean de 1901, ils avaient regardé la parade et ensuite, ils étaient allés dans le parc afin d'écouter de la musique. Au moment de traverser le pont pour retourner à Iberville, il lui avait fait part de son projet.

— Je vais trouver un emploi, puis nous annoncerons nos fiançailles.

Cela n'avait pas été une véritable demande en mariage. Elle l'avait envoyé paître.

— Je n'ai rien vu, murmura-t-il. Au moment où je fignolais ma demande, elle était engagée auprès de Payant.

Xavier rageait contre sa propre stupidité. Il restait incapable de se pardonner son aveuglement. Il avait voulu mourir après avoir perdu l'amour de sa vie. En réalité, ce refus avait été une véritable bénédiction. Après un mois, il l'aurait trouvée insupportable.

La grande jeune fille, Odile, dans un uniforme scolaire lui semblait être née d'une autre femme. L'avait-elle adoptée ? Ou alors elle ne tenait que de son père. Cela devait être ça.

Odile ne dormait pas mieux, dans l'appartement un peu misérable de la rue Longueuil. Elle se sentait à la fois coupable et honteuse. Coupable de se sentir honteuse, plutôt. La façon qu'avait sa mère de jouer à la femme toujours amourachée la mettait affreusement mal à l'aise.

La famille Payant avait d'abord connu un niveau de vie médiocre, avant de s'enfoncer progressivement dans la misère. Dans ses conversations avec sa mère, un sujet dominait : l'incapacité du pauvre Isidore de remplir ses devoirs d'époux et de père. Tout ça pour l'amener finalement à mépriser profondément l'auteur de ses jours.

Sa mère avait préféré Isidore à ce monsieur Blain? L'image de l'homme élégant, bien élevé, s'exprimant d'une voix posée et respectueuse demeurait dans son souvenir. Odile percevait aussi son dédain pour sa mère. Elle en venait à le partager.

— Elle l'a rejeté!

Comment manquer autant de discernement?

Elle songea ensuite qu'une autre union providentielle pouvait survenir: la sienne. En revanche, trempée de sueur dans son uniforme de laine, elle s'imaginait mal attirer un jeune homme élégant et respectueux. Ou même juste jeune et respectueux. Ou juste respectueux.

Habiter une petite ville apportait son lot de contraintes, dont l'obligation de s'afficher comme un bon chrétien. Les méthodistes et les anglicans avaient leur temple. Les catholiques en avaient deux. Le lendemain matin, Xavier descendit afin de déjeuner avec ses voisins qui étaient allés à la première messe, ou qui renonçaient à communier lors de la seconde.

L'échange de salutations prit un instant. Il plaçait sa serviette sur ses genoux quand la personne assise en face de lui – un avocat en début de carrière – demanda:

— Alors, après avoir vécu à Montréal, vous aimez notre joli havre de paix?

— Je le trouve très paisible, en effet.

— Je n'entends pas beaucoup d'enthousiasme dans votre ton. Pourtant, selon le journal, vous êtes né juste de l'autre côté de la rivière.

— Justement, je suis parti il y a presque vingt et un ans. Si j'avais désiré beaucoup de tranquillité, je serais resté ici.

Son vis-à-vis reporta son attention sur ses œufs et son bacon. Ce fut l'occasion pour un cadre de la manufacture de machine à coudre d'intervenir :

— Aux États-Unis, vous êtes demeuré dans la région de Boston toutes ces années ?

— Oui. Quand je suis arrivé avec cinq dollars en poche, j'ai travaillé dans diverses manufactures. Ça me donnait au moins la possibilité de soigner mon anglais. Après une année, je me suis résolu à chercher mieux. Une petite affiche dans la vitrine d'une banque annonçait un besoin de personnel. J'ai posé ma candidature en me présentant comme un Français.

— Un Parisien ?

— Non, je faisais un peu trop "petite ville" pour ça. Besançon, plutôt.

Sa ruse lui tirait encore un sourire. Pour un Américain, cette origine faisait autrement plus chic que Douceville ou Iberville. Quand il avait enfin révélé la vérité, son employeur s'était amusé de son sens de la mise en marché. Boston demeura le sujet de conversation jusqu'à la fin du repas. Un peu avant dix heures, Xavier et le jeune avocat se dirigèrent vers l'église Saint-Antoine, rue Jacques-Cartier.

Aucun des deux ne possédait un banc. Un dimanche d'été, il était impossible de verser une obole à l'un des gardes paroissiaux de faction près des grandes portes pour en obtenir un pour la durée de la cérémonie. Il se chercha une place à l'arrière un peu à l'écart des confessionnaux, appuya une épaule contre le mur, puis se consacra à l'examen du décor chargé. Le plafond était littéralement couvert de fresques. Sur les bancs, il vit les Turgeon – excepté les enfants –, et aussi Ulric Rancourt avec une femme et trois enfants.

Quand un petit peloton de servants de messe se présenta pour s'asseoir dans le chœur, tous les murmures moururent dans l'assistance. Deux autres garçons suivaient le titulaire de la cure, l'abbé Calixte Lanoue. Son apparition tira un sourire au banquier. Vingt et un ans plus tôt, il s'agissait d'un grand jeune homme efflanqué fréquentant encore le collège de la ville. Maintenant, dans cette paroisse prospère, il présentait un embonpoint rassurant. Personne n'aimait se confesser à un ascète au regard un peu fou. Un gourmand ne serait pas trop sévère pour les fautes des autres.

La cérémonie se déroula avec sa lenteur habituelle. Xavier résista à la tentation de sortir avant le *ite, missa est*, de peur de faire mauvaise impression sur ses clients. Quand il sortit enfin, le soleil le fit cligner des yeux. Il mit son panama pour l'enlever presque tout de suite. Le couple Turgeon arrivait sur le parvis. Une nouvelle fois, il apprécia la beauté de Délia. Pourtant, son choix de chapeau trahissait son âge. Le rebord très large rappelait la fin de la guerre, la mode avait changé, depuis.

— Madame Turgeon, commença-t-il en tendant la main, je vous remercie encore pour votre hospitalité d'hier.

Puis il se tourna à demi pour continuer :

— Et vous aussi bien sûr, monsieur.

— Vous avez apprécié le sermon de notre nouveau curé ? demanda Évariste.

Même si l'esprit de Xavier avait gambadé pendant toute la cérémonie, il se souvenait du long éloge de la grandeur des travaux des champs.

— Vanter la vie rurale, affirmer que les cultivateurs sont plus proches de Dieu, m'a paru un peu indélicat dans une paroisse urbaine.

— La semaine prochaine, son sermon sera sans doute sur tous les dangers de la ville. C'est en quelque sorte la doctrine officielle, dans la province.

Le banquier hocha la tête. Même à Montréal, la glorification de la vie champêtre s'imposait. Et pas seulement chez les catholiques.

— Quant au prêcheur, mon idée était toute faite. Je suis allé à la petite école avec lui. Il s'avérait bien moins pompeux quand nous volions des pommes ensemble.

Il se demanda s'il en avait trop dit. Rappeler les larcins du curé de la paroisse devait figurer dans la liste des péchés mortels. Toutefois, les sourires du couple devant lui le rassurèrent à ce sujet.

— Ce matin, à table, je disais à un voisin que je suis arrivé aux États-Unis avec cinq dollars en poche. Ces cinq dollars, Calixte me les avait donnés. Tout à l'heure, je me ferai le plaisir de les lui rembourser, avec des remerciements sentis.

À ce moment, ce fut au tour de Georges et Sophie de sortir de l'église. Les nouveaux venus se mêlèrent à la conversation.

Clarisse Payant s'apprêtait à quitter l'église par une porte latérale. Puis elle aperçut Xavier en grande conversation avec le couple Turgeon. Quand Georges et Sophie se joignirent à eux, elle grommela entre ses dents :

— Tu l'as vue, celle-là, qui se donne des airs parce qu'elle a marié un docteur.

Comme Odile ne répondait rien, elle continua :

— Avec ses beaux cheveux blonds, sa belle robe, son beau chapeau, ses gants blancs, pis sa grosse bédaine. Ça se présente comme une princesse, alors que c'est juste la fille de notre ancien curé.

Cette fois, la jeune fille demanda :

— Qu'est-ce que tu racontes ?

— T'as jamais entendu parler de ça ? Le curé Grégoire lui a payé sa pension au couvent pendant des années. La fille de sa sœur, qu'il disait. Après ça, une touriste est venue de Boston. Le prêtre est parti avec elle, et pendant ce temps-là, elle vivait chez les Turgeon. Ensuite, elle est allée les rejoindre. À l'époque, t'avais cinq ans, peut-être six.

Voilà qui faisait un excellent résumé des événements survenus des années plus tôt.

— Tu y crois, toi, à cette histoire de spécialisation à Boston ? insista la mère. Pas moi. Il avait déjà eu un amuse-gueule avec la petite gueuse sous le toit paternel, il tenait à consommer tout le repas. Voilà le résultat. Il lui a fait un autre rejeton.

D'un mouvement du menton, la femme sembla désigner l'enfant déjà en route.

— Voyons, les curés n'ont pas d'enfant.

— Sont bien gentilles, les sœurs de la Congrégation, mais un peu innocentes. Qu'il porte une soutane ou pas, quand un homme voit dépasser un jupon, il ne pense pas à dire des *Ave*.

Odile savait être une oie blanche. Malgré ses libertés de langage, sa mère n'avait pas encore trouvé le moment de la mettre au courant des « mystères de la vie ». Cela ne lui manquait pas. Ses amies du collège qui avaient eu droit à LA conversation semblaient étonnées, et même un peu dégoûtées, par ces mystères.

— Nous y allons ? dit-elle dans un murmure.

— Pas tout de suite, je veux lui parler.

Sur le parvis, la conversation se poursuivit pendant quelques minutes, ensuite tous les Turgeon se dirigèrent vers la vieille maison de la rue de Salaberry. Xavier remit son panama, mais il n'eut pas le temps de faire un pas.

— Xavier, quel heureux hasard ! fit une voix féminine.

Que des catholiques se rencontrent à la sortie d'une église après la messe dominicale ne tenait en rien au hasard. Ils n'avaient guère le choix de se trouver ailleurs. Clarisse Payant se dirigeait vers lui d'un pas vif. Il enleva donc son chapeau, comme l'exigeait la bienséance, puis il accepta la main tendue.

— Bonjour, madame Payant.

Elle se retourna à demi pour regarder sa fille.

— Vous vous rappelez Odile ?

— Évidemment. Bonjour, mademoiselle.

— Bonjour, monsieur, fit-elle en rougissant.

Son embarras faisait mal à voir. Cette fois, elle ne portait pas sa robe de couventine, mais une jupe et un chemisier. Ces vêtements paraissaient un peu trop étroits, comme si elle avait grandi depuis leur achat.

Sa mère reprit bien vite la parole :

— Xavier, que comptes-tu faire cet après-midi ? Il fait tellement beau ! Le temps idéal pour une longue marche à la campagne, ou alors une balade sur la rivière. Au Club nautique, on loue des barques.

— Comme vous le savez, je connais bien notre curé. Cet après-midi, je compte sur notre vieille amitié pour faire une confession générale sans recevoir une pénitence trop lourde.

Son interlocutrice demeura bouche bée un court moment, puis elle observa d'un ton plutôt amer :

— Une confession de tout un après-midi ! Décidément, tu en as fait de belles, aux États-Unis…

— Le docteur Turgeon me faisait justement observer que la ville, et encore plus une ville américaine, présentait de grands dangers pour le salut de mon âme. Alors je vous souhaite une belle journée. Moi, si je ne veux pas être en retard, je dois filer.

Il tourna les talons de façon un peu abrupte, au point où, après une hésitation, la femme dut élever la voix pour lui dire « Au revoir », afin d'être entendue. Au moins, elle constata qu'il n'avait pas menti. Il emprunta le trottoir afin d'aller un peu vers l'est, pour ensuite marcher vers le presbytère à une trentaine de verges de là.

Pour mettre fin à cette conversation désagréable, Xavier avait improvisé. Il n'avait aucun rendez-vous avec l'abbé Lanoue, mais sa conversation avec le docteur Turgeon lui avait rappelé son devoir de reconnaissance. Il frappa le heurtoir contre la porte, puis attendit. Une vieille dame vint bientôt lui ouvrir.

— Bonjour madame, vous me reconnaissez ?

Son interlocutrice plissa les yeux, puis un large sourire révéla ses dents jaunies par l'âge.

— Le p'tit Blain ! Xavier, c'est ça ?

Il tendit la main, et elle sa joue.

— Évidemment, que je te reconnais. Tu passais tes journées chez nous, ou Calixte passait les siennes chez vous.

Tout de même, après vingt ans, le timbre de sa voix avait été nécessaire pour raviver ses souvenirs. Elle allait certainement sur ses soixante-dix ans, maintenant.

— Je n'ai jamais eu l'occasion de te le dire. Mes sympathies pour tes parents.

— Merci…

Il jugea nécessaire de justifier son absence lors des services funèbres tenus à deux mois d'intervalle l'un de l'autre.

— En 1918 et pendant la majeure partie de 1919, je me trouvais en Europe… Je l'ai su des semaines plus tard.

— Je sais. J'ai assisté à toutes les messes que tu as fait chanter pour eux. Maudite grippe… On en a enterré une douzaine, juste à Iberville.

Dont les parents de Clarisse Gauvin. La grippe espagnole avait fait beaucoup plus de victimes que la Grande Guerre elle-même.

— Qu'est-ce que je peux faire pour toi ?

— Je voulais juste serrer la main de Calixte. Il y a si longtemps que nous ne nous sommes pas vus.

— Ça sera pas possible tout de suite. Là, il est à table avec tous les marguilliers. Une réunion spéciale pour une fuite dans le toit de l'église.

— Pouvez-vous lui dire que je suis venu ?

La vieille dame hocha la tête pour dire oui.

— Si vous voulez prendre mes numéros de téléphone en note, il pourra me faire signe quand il en aura le temps. Dans une grande paroisse comme ça, il doit avoir beaucoup de travail.

Évoquer la taille de la paroisse, c'était aussi faire allusion à la réussite de son fils. Le sourire maternel témoigna de toute sa fierté.

— Ça, c'est vrai. Monseigneur a toutes les raisons d'être satisfait de lui.

Comme il arrivait souvent, l'abbé Lanoue avait recruté sa mère comme ménagère. Ainsi, la morale était tout à fait sauve : le fils ne pouvait désirer sa mère, et la mère surveillait les relations de son fils pour le garder dans le droit chemin. Et en prime, toutes les paroissiennes rêvaient d'avoir un aussi bon fils.

Elle prit les deux numéros de téléphone en note, puis lui répéta deux fois :

— Ne t'en fais pas, il va te rappeler très vite.

Après un dernier au revoir, il quitta les lieux. Depuis le perron du presbytère, il regarda le parvis de l'église pour s'assurer que Clarisse Payant n'était plus là.

Sur les entrefaites, la mère et la fille avaient regagné une petite maison de la rue Longueuil au toit couvert de bardeaux de cèdre et aux murs faits de planches placées à l'horizontale. Elle paraissait un peu de guingois. Un escalier accroché à son flanc permettait d'accéder à un appartement à l'étage.

— Va mettre ta robe d'uniforme, conseilla Clarisse. Mieux vaut ne pas user celle-là trop vite.

— J'ai l'air un peu ridicule avec ça après la fin de mes études, et pour l'été, c'est trop chaud.

— Enfin ! Tu as trouvé un riche héritier à marier, s'exclama la femme en feignant la plus grande satisfaction, et tu ne me l'avais pas dit ?

Comme l'autre levait les sourcils, elle précisa d'un ton cassant :

— Parce que moi, des robes neuves, je ne peux pas en acheter. Ni à toi, ni à moi. Ton galant devra se montrer généreux, un jour.

— Mais je ne peux plus porter ça ! Les coutures risquent de se défaire ici, et là.

Elle désigna ses hanches et sa poitrine.

— Alors je vais t'apprendre quelque chose d'important. Pour attraper un mari, si tu n'as pas de belles toilettes comme la fille du curé, tu fais mieux de porter du linge un peu trop petit. Aucun homme ne pourra détacher ses yeux de toi.

En parlant, Clarisse avait ouvert la porte de sa glacière. Le repas se composerait d'un œuf dur et d'une tranche de pain. Aucune des deux ne risquait de souffrir d'embonpoint... Tout en mastiquant, Odile pensa aux yeux masculins posés sur elle. Sa plus récente expérience, en ce domaine, datait d'une demi-heure à peine. Xavier Blain l'avait soumise à un examen discret. Sa mère la ramena un peu brutalement au présent.

— Demain, tu ferais bien de commencer à te chercher du travail.

Comme la grande fille haussait les sourcils, surprise, elle continua avec un mélange de colère et de honte :

— Si ton père était toujours là, tu aiderais à l'entretien de la maison et tu recevrais des cavaliers les bons soirs. Tiens, comme la petite Turgeon il y a quinze ans avec le fils du juge.

Visiblement, la famille du médecin alimentait un fort sentiment de jalousie.

— Mais là, si tu ne gagnes pas ta vie, tu vas te marier avec ta robe du couvent.

Cette nuit-là, Clarisse Payant n'arrivait pas à dormir. Xavier s'était moqué d'elle en prétendant vouloir se confesser pendant des heures. Le jeudi précédent, l'annonce de son arrivée lui avait permis de reprendre espoir. Lui qui avait un regard de bon chien fidèle vingt ans plus tôt, se montrait à la limite du mépris, aujourd'hui. Rentrer à nouveau dans ses bonnes grâces s'avérerait plus difficile qu'elle se l'était imaginé deux jours plus tôt.

Aux petites heures, elle s'était levée et s'était couverte d'un vieux peignoir. Dans l'obscurité, il lui avait fallu fouiller pour retrouver une boîte de métal dissimulée sous de vieilles chaussures. En se rendant dans la cuisine, elle s'était arrêtée un instant près de la porte de la chambre d'Odile. Aucun bruit. La grande fille devait dormir. Elle avait allumé la lumière, s'était assise dans la meilleure chaise sauvée de son naufrage financier et avait déposé la boîte sur la table. À l'intérieur se trouvaient les papiers importants : son acte de baptême, celui de son mariage, le certificat de décès de son époux Isidore. Et aussi des billets de banque, trop peu nombreux, et des pièces de monnaie. De quoi manger au cours des quatre prochaines semaines.

Clarisse n'avait pas payé le loyer du mois de juin – deux lettres de rappel du propriétaire se trouvaient dans la boîte. À ce moment précis, elle décida de ne pas verser celui de juillet, ni celui du mois d'août. À terme, le propriétaire en viendrait à la chasser, à saisir ses quelques biens pour se payer. Il fallait donc trouver de l'argent très vite. Mais pour une femme de son âge et de sa condition, les emplois étaient rarissimes. Dans le meilleur des cas, on en voudrait peut-être comme « dame de compagnie ». Une domestique, en fait. Dans une usine, ce serait impossible. De toute façon, son espoir de faire un bon mariage serait définitivement détruit si elle ne tenait pas son rang. Un notaire préférerait une cul-de-jatte borgne, mais au statut respectable, plutôt qu'une bonne ou une ouvrière.

De plus, elle ne pouvait se soumettre pendant dix heures par jour à un effort physique – ou même mental. L'argent ne pourrait venir que d'une source : le travail d'Odile. Évidemment, pour elle aussi ce serait une perte de statut. Une ouvrière épousait un ouvrier, pas un médecin comme Georges Turgeon. Mais enlever toute chance d'un bon mariage à sa fille lui pesait moins que de perdre les siennes. Surtout quand un ancien amoureux pointait son nez.

Clarisse trouva un vieux cahier d'écolier de sa fille et un bottin. Elle lui décrivit de façon détaillée les étapes de sa recherche d'emploi, d'une entreprise à l'autre.

❧

Le lundi 26 juin, Évariste n'avait pas de rendez-vous au cabinet, rien ne l'obligeait à se présenter à l'hôpital Saint-Jean avant le milieu de la matinée. Aussi, après le petit-déjeuner, il se servit un second café puis alla s'installer sur la grande galerie en façade de la maison. De vieux meubles en rotin permettaient d'y prendre ses aises.

Il regarda les voitures – quelques automobiles, dans le lot – passer sous ses yeux. Des piétons le saluèrent au passage, certains échangèrent quelques mots avec lui. Ensuite, Délia vint le rejoindre, elle aussi avec une tasse à la main.

— Sophie va venir ? demanda-t-il.

— Actuellement, son fils semble exiger toute son attention. Le bébé qui naîtra bientôt lui fait craindre de perdre sa place.

— Voilà six ans qu'elle lui consacre toute son attention. Je le comprends de s'inquiéter. Désormais, au mieux, il en recevra la moitié.

— Heureusement, en septembre il commencera l'école. Ça va l'occuper.

Évariste doutait que les religieuses – ou les frères – parviennent à remplacer la belle jeune maman attentive à tous ses besoins. Le sujet les retint un instant, puis l'homme déclara :

— Je suppose que la retraite, ça ressemble à ça : s'asseoir pour regarder passer les voisins.

— Je n'avais pas compris que tu comptais tout arrêter.

Le ton de Délia démontrait que cette perspective ne lui plaisait guère. Sans doute que l'obligation de le distraire pendant les quinze ans à venir ne lui disait rien.

— Réduire mes heures de moitié, ce n'est pas tout arrêter. Mais ça laisse beaucoup de temps à remplir.

Sa femme occupait le fauteuil placé de l'autre côté d'une petite table. Sa robe de cotonnade, ses cheveux détachés et flottant sur ses épaules lui donnaient un air charmant. Avoir plus de temps à lui, cela signifiait aussi multiplier ce genre de conversation.

— Tu tiens absolument à rester ici ?

— Pas du tout. D'ailleurs, tu sais bien que Georges entend acheter la maison. Nous trouverons quelque chose de plus petit, et de très moderne.

— Georges parle d'acheter la maison depuis deux ans, dit Délia. Il risque d'en parler encore pendant deux ans. Tu te rends compte ? Alors que sa petite sœur Corinne, autrefois toute timide et rougissante, est si fière d'explorer Montréal ! Non seulement Georges est revenu à Douceville après son exil, mais dans la maison paternelle.

— Ça ne t'a pas fait plaisir ?

— J'étais heureuse qu'il ne soit plus en exil. J'aimais l'avoir près de moi. Pas juste lui, sa femme aussi. Mais deux maîtresses dans la même maison…

Évariste se surprit de la remarque.

— Sophie a été… indélicate ?

— Sophie ne sera jamais indélicate. Après des années, elle marche toujours sur la pointe des pieds, tellement inquiète de déranger. Comme le jour où nous l'avons recueillie, après la fuite de son père en 1906. Jamais elle n'assumera son rôle de maîtresse de maison avec moi dans ses pattes.

Après une pause, Délia ajouta :

— Elle me demande même conseil sur la façon d'élever Olivier.

— Bientôt Georges va se décider à régler l'achat de la maison. Je ferai de fines allusions.

Délia fixa sur son époux des yeux amusés. Il avait eu de la chance d'élever des enfants aussi faciles.

— Tout à l'heure, quand je t'ai demandé si tu tenais à demeurer ici, je parlais de Douceville, précisa la femme. Tiens-tu à rester dans cette ville ?

— Si tu poses la question, c'est que toi, tu n'y tiens pas tant que ça.

— J'y suis venue avec toi il y aura bientôt quarante ans. Mais je demeure une fille de la ville.

Évariste aussi était né à Montréal. Mais la condition économique de sa famille faisait qu'il ne lui restait pas de souvenir heureux de cette période.

— Tu voudrais y retourner ?

— Tout à l'heure, tu me présentais de belles perspectives d'avenir : t'asseoir et regarder les passants. Tu ne préférerais pas redécouvrir la ville avec moi ?

Au même moment, un homme s'arrêta sur le trottoir et enleva son chapeau pour dire :

— Bonjour madame Turgeon, monsieur Turgeon. Vous allez bien ?

Trente-huit ans plus tôt, Évariste l'avait mis au monde, il avait aussi mis au monde ses enfants, et voilà qu'il lui annonçait que sa fille la plus âgée « attendait un heureux événement ».

— Elle compte venir vous voir cette semaine.

— Qu'elle me téléphone au bureau. Je serai heureux de la recevoir.

Ce voisin continua son chemin sur cet engagement. Délia garda longuement les yeux sur son époux. À la fin, il murmura :

— C'est très touchant. Il vient m'annoncer ça comme si je devenais grand-père en même temps que lui.

— Penses-y. Une grande ville à découvrir ensemble...

Évariste y penserait, longuement. Il comprenait pourquoi Georges trouvait cette situation rassurante. Les mêmes visages, tous les jours. De génération en génération. Mais cela pouvait aussi être terriblement ennuyant.

Chapitre 4

Ce matin-là, Odile se leva vers huit heures. Machinalement, elle ouvrit la penderie pour sortir son uniforme et laissa échapper un long soupir. Non seulement l'année scolaire venait de prendre fin, mais aussi l'ensemble de sa scolarité. Porter ce vêtement la faisait se sentir ridicule. Mais elle n'avait rien d'autre à se mettre, sauf la robe trop étroite portée la veille, et des nippes qu'il valait mieux cacher.

Aussi loin qu'elle se souvenait, l'arrivée des grandes vacances ne lui avait procuré aucun plaisir. Le climat à la maison n'avait cessé de se détériorer aux cours des dix dernières années, au gré des ennuis financiers de son père, et des reproches de sa mère à ce sujet. Dans ces circonstances, la vie feutrée menée entre filles au couvent valait mieux. Contre une soumission parfaite aux préceptes de l'Église – et à leur volonté, à leurs caprices même –, les religieuses affectaient un comportement quasi maternel. Cette existence réglée lui procurait un réel sentiment de sécurité.

Quand elle arriva dans la cuisine, sa mère se trouvait déjà assise à table. En guise de bonjour, elle lui dit :

— Je t'ai dressé une liste des endroits où tu pourras offrir tes services.

Elle poussa dans sa direction la page qu'elle avait arrachée à un cahier d'écolier cette nuit-là. La jeune fille la prit en hésitant. Tout en haut, un titre : « Vêtements ». Il s'agissait certainement du secteur d'emploi où on trouvait le plus grand nombre de femmes.

— Corticelli, la soie, rue Richelieu, lut-elle à haute voix. Puis elle poursuivit : Cluett et Peabody, cols et chemises, rue Saint-Louis ; les chapeaux de paille, rue Saint-Charles.

Odile posa des yeux interrogateurs sur sa mère.

— Je te l'ai répété cent fois, tu ne peux pas rester ici toute la journée. Nous manquons de tout.

— Je n'ai même pas un vêtement pour aller travailler.

— J'y ai pensé. Pour aller offrir tes services, ça convient bien. Les dames patronnesses ramassent le vieux linge. Je vais tenter de te trouver quelque chose pour travailler.

La démarche la couvrirait de honte, mais elle le ferait. La jeune fille devait impérativement gagner de l'argent, sinon bientôt, elles n'auraient même plus de quoi manger.

— J'ai mis aussi les coordonnées de l'usine de moulin à coudre. Ils engagent des filles pour teindre les meubles. Il y a aussi les manufactures de poteries et la fabrique de vinaigre.

Clarisse s'était donné du mal pour faire une liste des endroits de Douceville où des filles étaient employées. Elle avait cependant négligé les endroits où on engageait des commis ou des secrétaires, comme si elle ne pouvait imaginer Odile ailleurs que dans une usine.

— Je pourrais passer l'examen du bureau des examinateurs et devenir institutrice ?

Ayant terminé le cours supérieur des sœurs de la congrégation Notre-Dame, elle serait certainement jugée assez instruite. Un examen réussi lui permettrait d'offrir ses services aux commissions scolaires.

— Tu sais bien qu'à Douceville, on n'embauche pas des laïques pour les écoles. C'est comme ça dans toutes les villes. À moins d'être sœur, tu n'as aucune chance. Dans le fond des rangs, en revanche, ils embauchent des filles de la place, du moment où elles font moins de deux fautes par phrase dans une dictée.

Son exposé de la situation dans l'enseignement était exact. Cependant, les chances de trouver une place n'étaient pas absolument nulles. Une autre raison justifiait son opposition à l'idée :

— Pis moi j'irai pas vivre dans une paroisse de colonisation où les hommes traitent leurs vaches mieux que leur femme.

Dans l'esprit de Clarisse, sa fille était officiellement devenue son poteau de vieillesse. Cela même si elle avait juste un peu plus de quarante ans. Dorénavant, il leur faudrait vivre ensemble, pour profiter du salaire d'Odile. Ou de son mariage, le cas échéant.

Elle ajouta après une pause, comme une arrière-pensée :

— Sans compter que toi, dans un coin perdu, tu ne trouverais aucun garçon qui en vaut la peine.

— Le mariage, je ne pense pas que c'est pour moi.

— Ne dis pas ça. Tous les hommes ne sont pas des ratés comme ton père.

— Je serais mieux de retourner au couvent, pour devenir religieuse.

— T'es pas sérieuse ? Faire vœu de pauvreté, vivre parmi un lot de vieilles filles et t'affubler d'un costume noir toute ta vie ?

— Ça me changerait pas vraiment… Actuellement, le seul vêtement qui me fait encore, c'est mon uniforme de couventine. Noir.

— Je t'ai dit que je m'en occuperais. Pour l'instant, tu devrais manger quelque chose, et te mettre en route.

Comme Odile ne bougea pas, elle ajouta, de l'impatience dans la voix :

— Tu ne t'attends tout de même pas à ce que je le fasse à ta place ?

En matinée, Xavier entendit le téléphone sonner dans la pièce voisine où travaillait son secrétaire, Aristide. Bientôt, ce dernier arriva dans l'embrasure de la porte de son bureau.

— Monsieur le curé souhaite vous parler.

— Je vais le prendre. S'il vous plaît, fermez la porte derrière vous.

Certaines conversations lui paraissaient plus privées que d'autres. Aristide fit comme il lui demandait. Dans l'autre pièce, son collègue Ulric commenta tout bas :

— Les curés ne font pas affaire avec les banquiers, d'habitude. Il veut peut-être emprunter de l'argent, et ensuite rembourser en oraisons. Écoute !

Le secrétaire prit le cornet posé sur son sous-main, mais il le replaça aussitôt sur la fourche. Ce genre d'indiscrétion n'était pas dans sa nature.

— Tu te comportes vraiment comme un bon petit soldat. S'il a commis des péchés mortels, autant le savoir. Son prédécesseur s'emplissait les poches, et à cause de notre discrétion, nous n'avons rien remarqué.

— Ses conversations avec notre curé ne nous regardent certainement pas.

Sur ces mots, il se remit au travail.

— Eh bien, mon vieux, tu as fait une forte impression sur ma mère. Elle a passé la soirée à se remémorer tous nos mauvais coups.

— *Tes* mauvais coups. Dans notre histoire, tu étais l'ami qui exerçait une mauvaise influence.

— Tu sais que la téléphoniste risque de nous écouter ?

— Oh ! C'est vrai…

Puis après une petite pause, il ajouta :

— Chère demoiselle inconnue de chez monsieur Bell, oubliez ce que je viens de dire. J'étais le mauvais garnement et monsieur le curé faisait tout son possible pour me ramener dans le droit chemin. À dix ans, il avait une âme de missionnaire.

À l'autre bout du fil, Calixte éclata de rire. Après toutes ces années, ils avaient retrouvé le ton de leurs dix-huit ans.

— Je suis heureux de constater que tu n'as pas changé. Le même garçon toujours prêt à faire le pitre.

— C'est l'effet que tu me fais. Un voyage dans le temps juste à entendre ta voix. Mais si tu me voyais dans mon rôle de banquier ! Je suis sérieux comme ton marguillier en charge.

La veille, Xavier avait pu apprécier l'air à la fois prétentieux et maussade du président de la fabrique au moment où il faisait la quête.

— Le contraire serait inquiétant pour un banquier. Ça te dit de venir souper à la maison, ce soir ?

— Tu as juste à me dire l'heure, et je serai là.

Très vite, ils s'entendirent pour six heures. « À moins d'une urgence », précisa Calixte Lanoue. En d'autres mots : « À moins qu'un paroissien agonisant décide de me faire venir à son chevet pour une dernière confession, ou les derniers sacrements. »

Quand Xavier frappa à la porte du presbytère à l'heure convenue, Calixte vint lui-même ouvrir.

— Entre, entre.

Le visiteur obtempéra, puis il accepta la main tendue.

— Tu n'as pas changé... Enfin, oui, tu as changé, mais comme on change en vingt ans.

— C'est-à-dire beaucoup.

Évidemment, il comprenait bien le sens de la remarque de son ami : ils avaient vieilli, tout en demeurant les mêmes. Le prêtre montrait trente livres de trop, ses cheveux se raréfiaient sur ses tempes. De plus, la soutane créait un mur entre lui et les autres. Tout de même, le regard demeurait franc, le sourire spontané. On le devinait attentionné et sensible à la misère d'autrui.

Ces qualités dont Xavier pouvait faire la liste, lui-même ne se les reconnaissait pas. Meurtri, il savait que ses blessures avaient laissé des traces sur son visage, et plus encore sur son cœur.

— Je peux t'offrir quelque chose à boire ? dit l'ecclésiastique.

— Tu sais, moi le vin de messe... Le goût m'en est passé.

Ils avaient saisi toutes les occasions pour en boire de grandes goulées quand le curé d'Iberville, trente ans plus tôt, leur tournait le dos alors qu'ils étaient enfants de chœur.

— J'ai mieux. Le bedeau accepte de se rendre à la Commission des liqueurs pour moi. Autrement, ça ferait jaser. Un petit rouge venu de France ?

Le visiteur accepta. Comme madame Lanoue avait terminé la préparation du repas, ils convinrent de s'asseoir immédiatement dans la salle à manger. Bientôt, la vieille femme posa une soupière au milieu de la table. Xavier avait remarqué la présence de seulement deux couverts.

— Madame, quand vous êtes tous les deux, je suis certain que vous ne mangez pas seule dans la cuisine.

Comme elle soulevait les sourcils, sans comprendre, il continua :

— Vous avez mis deux couverts. Moi, je venais autant pour vous que pour lui.

Même si les deux autres ne prirent pas l'affirmation au pied de la lettre, Calixte renchérit:

— Il a raison. Au point où je l'ai soupçonné d'avoir le béguin pour toi.

— Dans ce cas, attendez-moi.

Quand elle revint avec bol, assiette, couvert, le prêtre versa la soupe. Tout le repas s'accompagna de réminiscences du « bon vieux temps ». En réalité, il n'était bon qu'à cause des années en moins. Depuis, tous avaient amélioré leur condition. Heureusement, après le dessert, madame curé eut la bonne idée d'annoncer son désir d'aller au lit très vite. Ils acceptèrent le gros mensonge de bonne grâce. Elle entendait leur laisser tout le loisir de discuter entre eux.

Calixte proposa d'aller dans son bureau. Les confidences des visiteurs devaient se dérouler dans la plus grande discrétion. Devant cette précaution, Xavier devina que son ami entendait parler des aspects les moins agréables du bon vieux temps. Tout de même, le prêtre commença par lui présenter un grand assortiment d'alcools, la preuve que le bedeau devait répéter souvent ses visites à la Commission des liqueurs. Ce fut avec un cognac à la main qu'ils occupèrent les fauteuils placés de part et d'autre d'une lourde table de travail.

— Tu sais que tu t'exposes à la rencontrer souvent, commença le prêtre. J'espère que ça ne te… troublera pas outre mesure.

— Tu t'inquiètes pour moi? Pour mes réactions face à elle?

Xavier releva un peu sa manche sur son bras gauche. La cicatrice marquait le poignet sur toute sa largeur.

— Tu crains que je recommence ? Ne t'en fais pas. Sur cette terre, il n'existe pas une femme qui me mettrait dans un état aussi pitoyable que je l'ai déjà été. Et madame Payant est la moins susceptible de le faire.

Il avait acquis cette certitude au premier regard, deux jours plus tôt.

— Tu l'as revue ?

— J'ai commencé mon nouveau travail jeudi, et samedi elle se pointait à mon bureau. Son premier souci fut de m'apprendre son veuvage. Hier, sur le parvis de l'église, elle semblait déterminée à se faire inviter pour une balade, sur terre ou sur l'eau.

L'ecclésiastique secoua la tête.

— Décidément, cette femme est incorrigible.

Puis, tout de suite il ajouta :

— Oublie ce que je viens de dire.

— Ne crains rien, je ne t'inciterai pas à trahir le secret de la confession. Mais la voir bien vivante devant moi m'a fait honte. Un véritable imbécile. Elle est exactement la même, c'est moi qui étais aveugle.

Depuis son retour à Douceville, il revivait leurs dernières conversations, avant la grande sottise de 1901. Elle était alors, et demeurait encore, vaine, égoïste et sotte. Il continua :

— À l'époque où j'étais jeune et naïf, elle m'a envoyé paître pour un homme nommé Payant ! Ça ne s'invente pas. Maintenant je profite d'une certaine aisance, et elle vient minauder devant moi. Son jeu est limpide.

Calixte esquissa un sourire, heureux de constater que son ami ne risquait plus de vouloir en finir pour les beaux yeux d'une demoiselle – ou d'une veuve.

— Quand j'ai appris ta venue ici, je me suis demandé si ce n'était pas pour… tenter ta chance à nouveau avec elle.

— Je suis venu ici parce que l'ancien directeur a réussi à payer sa jolie petite maison avec l'argent des clients. Je ne me suis pas demandé où la belle brune d'Iberville habitait maintenant. Évidemment, je ne m'attendais pas à la voir devant moi un jour sur deux.

— Dans les villages, ou les gros villages comme Douceville, on ne peut pas vraiment éviter quelqu'un. Ne serait-ce que sur le parvis de l'église.

— Là, tu vas me donner envie de fréquenter Notre-Dame-Auxiliatrice.

Xavier se retint de poser des questions plus précises sur le sort de Clarisse, et Calixte de lui en donner. Aussi, ils passèrent deux heures à évoquer les événements des deux dernières décennies. Le banquier parla plus que son ami. Les études au Gand Séminaire et les trois affectations successives du prêtre avant de se retrouver à Douceville recelaient bien peu d'événements palpitants.

Au moment de partir, Xavier sortit son portefeuille pour étaler cinq billets de dix dollars sur la surface du pupitre de son ami.

— Ce sont les cinq dollars que tu m'as donnés en 1901, en tenant compte de l'inflation et des intérêts.

— Voyons, c'était un cadeau à un ami.

— Alors qu'en réalité ton père était plus pauvre que le mien. À l'époque tu as emprunté l'argent. Si tu ne la veux pas pour toi, donne cette somme à une personne qui en a besoin.

Tous les deux échangèrent un regard ému. Le curé acquiesça d'un geste de la tête et tendit la main pour régler l'affaire. Peu après le visiteur rentra chez lui d'un pas prudent. L'abbé Lanoue avait la main lourde lorsqu'il remplissait les verres…

ꝸ

Mardi matin, Clarisse Payant quitta son appartement la mort dans l'âme et se dirigea vers la rue Saint-Georges. La grande demeure du juge Nantel se dressait juste en face du couvent. Après une longue hésitation, elle frappa à la porte.

— J'aimerais parler à madame, dit-elle à la jeune domestique venue ouvrir.

— Je vais voir si elle est là.

Plus exactement, elle alla demander à sa patronne si elle acceptait de recevoir une visiteuse à cette heure indue. Après un long moment, Floranette vint elle-même à la porte.

— Je m'excuse de vous déranger, madame. Je n'en aurai que pour une minute.

Même si du temps de feu Isidore toutes les deux s'étaient souvent croisées, cela n'en faisait pas des familières.

— Entrez, madame Payant.

Elles se retrouvèrent assises dans un petit boudoir.

— Je vous écoute, dit la maîtresse des lieux.

— Vous savez combien la situation est difficile pour moi, depuis la perte de mon mari.

L'autre acquiesça d'un geste de la tête. En fait, sa déchéance avait meublé plusieurs conversations, à l'heure du thé. Les bourgeoises s'avéraient redoutables pour revisiter la vie des autres et dresser la liste de leurs erreurs.

— Je suis forcée de demander à ma petite d'aller travailler. Quelle honte... Certains hommes sont vraiment indignes de la confiance qu'on leur fait.

Si madame le juge Siméon Nantel voulait bien convenir de cela, elle ne souhaitait guère s'engager sur cette voie. Devant son silence, Clarisse dut continuer :

— Dans vos œuvres, je sais qu'il y a des collectes de vêtements. Pourrais-je avoir une robe, pour elle ?

Les joues lui brûlaient, elle aurait voulu se trouver six pieds sous terre. Son hôtesse aussi ressentait un malaise à la voir demander ainsi la charité. Dire qu'elles avaient déjà siégé aux mêmes comités de bienfaisance et que cela se reproduirait peut-être encore...

— Ces vêtements dont vous me parlez, nous les donnons à la société Saint-Vincent-de-Paul.

— Je ne voulais pas aller là. Ça manque terriblement de discrétion.

— Malheureusement, je ne garde aucun vêtement ici, et c'est certainement la même chose pour toutes nos amies.

Clarisse hocha la tête. Non seulement elle connaîtrait la honte de s'adresser à cette société – comme les « vrais » pauvres –, mais son hôtesse n'avait même pas demandé que l'on prépare du thé. Elle n'était plus quelqu'un avec qui on papotait pour le plaisir.

— Vous savez, c'est un moment de gêne passager, dit-elle. Maintenant que la période du grand deuil est terminée, je pourrai me montrer.

C'est-à-dire rencontrer des gens, accepter des invitations, et éventuellement refaire sa vie.

— Le hasard fait bien les choses, continua-t-elle. Justement, un ancien prétendant vient de revenir à Douceville. Je l'ai croisé par hasard. Il semble être demeuré dans les mêmes dispositions.

— Quelqu'un que vous avez connu avant votre mariage ?

— Oui. Je peux bien vous le dire, à l'époque j'ai même refusé sa demande pour accepter celle d'Isidore.

— Et il serait demeuré à attendre pendant vingt ans ? Je me demande s'il faut appeler ça de la patience.

Cette fois, Floranette ne pouvait s'empêcher de sourire, tellement pareil engouement lui paraissait improbable. Clarisse quitta sa chaise en affectant un air offensé.

— Je vous remercie, madame Nantel.

L'hôtesse se leva aussi pour la reconduire jusqu'à la porte. Leurs souhaits réciproques de bonne journée manquèrent terriblement de chaleur.

À la banque, la journée du mercredi commença par une curieuse parade : celles des hommes d'affaires de la ville et des environs désireux de s'assurer que leur compte n'avait pas été pillé, ou de ceux qui désiraient contracter un prêt avec ce nouveau venu. Xavier devinait que la plupart avaient déjà quémandé la même chose dans tous les établissements bancaires de la ville, y compris à la Royal Bank of Canada, pour essuyer chaque fois des refus. Ils profitaient de l'arrivée d'un nouveau directeur avec l'espoir de le trouver plus conciliant que les autres.

Aristide prenait les rendez-vous, et il introduisait les visiteurs dans le bureau. Toutefois, dans le cas de certains clients, il préférait d'abord consulter son patron :

— Monsieur, hier et aujourd'hui, madame Payant est venue demander à vous rencontrer. Les deux fois, je lui ai dit que vous n'aviez pas une minute de libre.

Le rose montait à ses joues, comme chez quelqu'un qui s'inquiétait maintenant d'avoir trop bien éloigné les gêneurs de l'antre de son patron. Pour se justifier, il expliqua :

— Je n'ai pas eu l'impression que vous feriez affaire avec elle. Mais elle insiste tellement… Tôt ou tard, elle vous attendra sur le chemin de votre domicile.

Xavier s'étonna qu'elle ne l'ait pas fait encore. Il désigna la chaise devant son pupitre en disant à l'employé :

— Expliquez-moi pourquoi je suis peu susceptible de faire des affaires avec cette dame. En tant que veuve, elle s'administre elle-même.

Comme les femmes mariées ne possédaient habituellement rien en propre, elles ne fréquentaient pas les banques. Le cas d'une veuve était différent. Son interlocuteur se troubla encore plus.

— Elle n'est pas cliente ici. Surtout, elle n'a aucun argent.

— Son ex-mari ?

— Il était un avocat sans beaucoup de clientèle. Il a tenté sa chance en affaires avec un partenaire. Dans les assurances.

— Sans succès ?

— Son partenaire en a eu. Sauf qu'Isidore… je devrais plutôt dire monsieur Payant, buvait les profits. Heureusement pour son partenaire, il ne savait pas très bien ficeler un contrat. L'autre a pu l'éjecter. Sa maison était lourdement hypothéquée et, à sa mort, sa veuve a encaissé une misère.

Xavier ressentit un plaisir coupable. Le garçon fraîchement diplômé du cours commercial des frères des Écoles chrétiennes avait été jeté pour un avocat si récemment diplômé que l'encre sur le document n'avait pas encore eu le temps de sécher. La fiancée indélicate n'avait tiré aucun avantage de sa volte-face.

— Son mari faisait donc de si mauvaises affaires ?

— Épouvantables.

Tout de suite il voulut se justifier :

— Vous savez, dans ce village, tout se sait. Même les confessions ne sont pas si secrètes que cela.

Pourtant, le lundi précédent, Calixte s'était montré très prudent.

— Son ivrognerie était de notoriété publique, et sa femme ne se gênait pas pour lui reprocher son piètre sens des affaires devant tout le monde.

Décidément, cette femme lui aurait fait une bien mauvaise compagne. Inconsciemment, il tira sur sa manche gauche pour mieux dissimuler sa cicatrice.

— Bon, comme vous l'avez dit, je la trouverai tôt ou tard sur mon chemin. La prochaine fois, vous lui prendrez un rendez-vous avec moi. J'aime mieux lui parler ici que sur le trottoir, ou sur le perron de l'église.

Quand le jeune homme regagna son bureau dans la pièce voisine, Ulric Rancourt lui demanda :

— Alors, il va la recevoir ?

— Il aime mieux ça qu'une rencontre dans un lieu public.

— En tout, cas, c'est clair qu'elle désire un entretien derrière des portes closes.

— Que veux-tu dire ?

— Seigneur, tu es aveugle ! Elle est venue ici, puis elle s'est précipitée au bureau de poste pour lui parler. Dimanche dernier, c'était sur le perron de l'église. Elle est folle de lui.

— Je ne suis pas aveugle, mais les affaires privées de mon employeur ne me regardent pas. Je ne me tiens pas à l'affût comme une commère.

Tout de même, Aristide se promettait de garder l'œil ouvert, lors de la prochaine visite de la veuve. Toujours célibataire à vingt-cinq ans, les affaires de cœur des autres l'intéressaient. Peut-être pour y trouver une inspiration.

À la fin de la journée, quand Xavier voulut regagner sa maison de chambres, la prédiction d'Aristide Careau se réalisa. Rue Champlain, il reconnut la silhouette de Clarisse Payant.

— Xavier ! s'écria-t-elle alors que trente pas les séparaient encore. Quel heureux hasard !

Elle portait un chapeau de paille en plus de son ombrelle, comme si un peu de hâle sur sa peau pouvait ruiner sa beauté. Sa robe montrait bien qu'au printemps, elle n'avait pas couru les magasins afin de se vêtir à la dernière mode. Ni lors des trois printemps précédents.

— Je suis passée à ton bureau pour te voir. Tu es moins accessible que Sa Majesté George V, à ce qu'il semble.

L'homme fit semblant de ne pas voir la main tendue. Cependant, il ne poussa pas l'impolitesse jusqu'à garder son panama sur sa tête.

— Mon secrétaire m'en a parlé.

— Si tu veux, nous pourrions aller au parc afin de nous asseoir sur un banc et jaser à l'ombre.

— Malheureusement, je ne peux pas. Quelqu'un m'attend déjà. Mais ne vous en faites pas, j'ai demandé à Aristide de vous réserver une petite place entre deux clients. Je vous souhaite une bonne soirée.

Il remit son chapeau et se dirigea vers sa maison de chambres sans plus de cérémonie.

Chapitre 5

Quelques minutes avant la fermeture de la banque, alors que Xavier allait s'assurer que tous les classeurs et le coffre-fort étaient bien fermés, il aperçut une jeune femme assise sur l'une des deux chaises où attendaient ses visiteurs.

— Je peux vous aider, madame ?

— Oh ! Je m'excuse d'être venue de ce côté. Je n'ai pas vu de chaise dans l'autre salle. Ai-je mal fait ?

Elle s'était levée, un peu rougissante, prête à battre en retraite. Cela permit au banquier de voir qu'elle était grande et toute mince.

— Si vous n'avez aucune intention de dévaliser la banque, vous n'avez certainement rien fait de mal. Je me présente, Xavier Blain. Je suis le directeur, ici.

Elle accepta la main tendue.

— Fleurange Vincelette. Je suis la fiancée d'Aristide Careau.

— Je l'ai envoyé au bureau de poste. Il devrait revenir d'une minute à l'autre.

Xavier constata alors l'absence de Rancourt. Il ne lui avait pourtant confié aucune course.

— C'est ce que j'ai pensé.

— Vous travaillez près d'ici ?

Elle portait une robe lilas toute simple, bien coupée, des gants de dentelle et un chapeau de paille. Rien d'assez chic pour faire penser à une bourgeoise, mais elle avait l'élégance d'une travailleuse qui était fière.

— À deux pas, en réalité. Chez Bell Canada.

— Dans ce cas, vous devez connaître toutes les voix de Douceville.

— J'ai reconnu la vôtre sans difficulté.

Au moment de demander une communication, la téléphoniste savait toujours d'où venait l'appel. Et quand quelqu'un communiquait avec lui, l'employée disait nécessairement : « Monsieur Blain, un appel pour vous ».

À cet instant, Aristide Careau passa la porte. Il se troubla un peu en les voyant ensemble.

— Monsieur, j'ai pris la liberté de lui permettre de s'asseoir. Votre prédécesseur n'y voyait pas d'inconvénient.

— Vous avez bien fait, je ne m'y opposerai certainement pas. Si vous désirez partir tout de suite, allez-y. Je vous souhaite une excellente soirée à tous les deux.

La pendule posée sur un classeur indiquait moins dix. Vraisemblablement, il ne viendrait plus personne. Ils le remercièrent tous les deux et lui retournèrent son souhait. Le directeur regagna son bureau en se demandant où était Rancourt.

❧

— Tu as raison, tu as gagné au change avec ton nouveau patron.

Fleurange avait posé sa main sur le pli du coude de son compagnon.

— Comme le précédent est parti avec la caisse, j'aurais difficilement pu tomber plus mal. Sauf sur un véritable voleur de banque, peut-être.

Elle pinça son bras pour mettre fin à la taquinerie.

— Tu as raison, se reprit-il. Il se montre respectueux, attentionné et raisonnable dans ses exigences. Mais quand il est insatisfait de quelqu'un, c'est écrit sur son visage.

— Parles-tu de ton collègue ?

— Tu as vu ses yeux faire le tour de la pièce ? Quelqu'un se fera rappeler l'horaire de travail, demain matin.

— Pourtant, il t'a laissé partir à l'avance.

— Il entend donner lui-même les congés, petits ou grands ; pas se les voir imposer.

C'est sans plaisir que Xavier vit entrer Clarisse Payant dans son bureau le lendemain, en fin de journée. Comme elle se précipita dans sa direction la main tendue, il se leva pour la serrer.

— Xavier, c'est si gentil à toi de me recevoir.

— C'est naturel, voyons.

Les mots sonnaient tout à fait faux. Pourtant, elle ne parut guère s'en rendre compte. La visiteuse occupa la chaise qu'il lui désigna. À ce moment, son visage devint plus sérieux, sa familiarité factice envolée. Elle demeura si longtemps silencieuse qu'il dut demander :

— Que puis-je faire pour vous, madame Payant ?

— Vois-tu, les choses n'ont pas été faciles pour moi, au cours des dernières années. Je me sens un peu serrée…

Il hocha la tête pour l'inviter à continuer.

— Depuis la mort de mon mari, en fait.

Elle cherchait de l'argent. Le contraire l'aurait étonné. Cette fois, il laissa le silence s'installer dans la pièce. À la fin, ce fut avec les yeux dirigés vers le sol qu'elle se lança :

— J'aimerais emprunter un peu d'argent. Juste pour le temps de mettre de l'ordre dans mes affaires.

— De l'ordre ? Vous voulez dire pour payer des dettes ?

La situation ne manquait pas de sel. Son inconfort actuel ne lui déplaisait pas du tout.

— On dit "consolider", n'est-ce pas ?

Il hocha la tête.

— Oui, pour consolider quelques dettes. Tu sais, l'épicier, la couturière, la modiste…

« À en juger par l'âge de tes vêtements, ce sont de vieilles dettes », pensa-t-il.

— Et aussi, j'ai des projets.

— Vous prévoyez des achats importants ?

— Rien d'important. Les choses nécessaires à l'existence.

— Vous avez un montant en tête ?

Clarisse se posait justement cette question. Malgré son entêtement à la vouvoyer, elle sentait une certaine sympathie dans sa voix. De plus, à chaque rencontre, son regard paraissait faire l'inventaire de ses charmes. Comme il s'agissait de la quatrième fois, il devait apprécier ce qu'il voyait. Demander trop peu serait ridicule, s'il se sentait bien disposé. D'un autre côté, une somme importante le rebuterait.

— Mille dollars, murmura-t-elle.

Son interlocuteur ne broncha pas. De nombreux travailleurs ne faisaient pas autant dans une année. Pour le triple, quelqu'un pouvait acheter une très jolie maison bourgeoise à Douceville.

— Je suppose que vous avez des garanties ?

Comme elle souleva les sourcils, il expliqua :

— Quelque chose pour garantir ce prêt. Vous possédez une maison ?

— Il a fallu la vendre après le décès. L'hypothèque…

— Alors des terrains à bâtir ? Une ferme ? Un véhicule moteur que vous pourriez vendre ?

Chaque fois, elle secouait la tête.

— Un héritage susceptible d'arriver bientôt ? Un revenu d'emploi ?

À nouveau, elle fit non d'un geste.

— Accorder un prêt ne relève pas de la charité. La banque s'assure que ses débiteurs seront en mesure de rembourser. Par exemple, grâce à des propriétés que vous pourriez vendre dans ce but, ou que nous pourrions saisir pour nous payer. Ou alors en fournissant la preuve qu'un revenu de travail, ou un revenu de placements, vous permettra de le faire. Vous n'avez rien de cela ?

— Je viens tout juste de devenir veuve. Mon mari m'a laissé… dans une situation délicate. Mais tu me connais, tu sais que je suis honnête.

Elle marqua une pause, puis continua :

— Sinon j'aurais pu te mentir, te parler de l'héritage de mes parents, d'actions possédées par Isidore.

— J'aurais demandé des preuves, j'aurais vérifié chacune de vos paroles.

Le visage de la visiteuse devint un peu plus pâle.

— Tu peux faire un effort. Nous nous connaissons depuis longtemps. Je n'ai qu'une parole.

L'affirmation fit grincer les dents de Xavier.

— Ça ne tient pas à ce que je pense de vous. Ce ne serait pas professionnel. J'applique des règles toutes simples. Si je ne le faisais pas, je ne demeurerais pas dans ce bureau une semaine de plus.

Il exagérait un peu. Son prédécesseur avait sévi pendant quelques années avant d'être découvert.

— Tout de même, si les astres s'étaient alignés différemment, nous serions mari et femme, aujourd'hui. Ça vaut quelque chose, non ?

Devant cette allusion aux événements survenus plus de vingt ans auparavant, l'homme serra les mâchoires à s'en faire mal. Machinalement, il serra son poignet gauche de sa main droite, comme pour empêcher le sang de s'écouler.

— Je n'ai pas l'impression que les astres ont joué un grand rôle dans notre histoire. Quelqu'un avait de l'argent, je n'en avais pas.

« Et aujourd'hui j'en ai, et l'idiot qui t'a emmenée devant l'autel ne t'a rien laissé », compléta-t-il mentalement.

— Tu es décidé à ne rien faire pour m'aider ?

— Ça n'a rien de personnel. Je prends des décisions pour le plus grand bien des propriétaires de la Royal Bank of Canada. Si je vous prêtais de l'argent, je trahirais les intérêts des personnes qui m'emploient. J'essaie de faire mon travail correctement, c'est tout.

Clarisse posa sur lui des yeux chargés de colère.

— C'est ton dernier mot ?

Il hocha la tête, puis se leva pour marcher vers la porte et l'ouvrir.

— Je vous remercie d'être venue nous voir, madame Payant.

Chaque fois qu'il prononçait ce patronyme, sa voix grinçait un peu. La visiteuse resta assise un instant, puis quitta son siège et sortit sans dire un mot, le regard vers le plancher.

⁂

— Dire que son père élevait des vaches… rageait Clarisse Payant.

Elle était revenue à son appartement en fulminant. Sa fille aurait droit à l'expression de sa colère.

— Là, il fait son prétentieux parce qu'il occupe un emploi dans une banque. Après tout, c'est un simple employé.

— Tu es en colère parce qu'il n'a pas voulu te prêter d'argent ?

Voilà qui ne faisait aucun doute. Au cours de la dernière heure, elle avait fait la liste des dettes contractées ici et là dans la ville – auprès du propriétaire, de divers épiciers, et de bien d'autres commerces.

— Pas juste à cause de ça. Maintenant, il me regarde de haut. Pourtant, il n'y a pas si longtemps, la bave coulait sur son menton…

Cette façon de parler de son pouvoir d'attraction troublait toujours Odile. Pour sa mère, l'« amour » se limitait à un marché : exercer un attrait sur quelqu'un pour l'amener à se plier à ses volontés.

— Il ne m'a pas fait cette impression, samedi ou dimanche dernier.

— Tous les hommes sont comme ça. Tu verras… Imagine-toi qu'il m'écrivait des poèmes ! Mauvais, mais tout de même… Il est allé jusqu'à…

Clarisse s'arrêta, comme si, même pour elle, certaines choses ne se formulaient pas à haute voix devant une jeune fille de dix-huit ans, tout juste sortie du couvent. À la place, elle revint sur sa principale préoccupation :

— Et puis, ta recherche d'emploi ? Ça ne progresse pas ?

— Les gens me regardent des pieds à la tête et me disent n'avoir besoin de personne. Je suppose qu'ils me trouvent trop frêle pour ce genre de travail.

— Une grande fille comme toi ! Tu peux certainement en faire autant que les fillettes de douze ans qu'ils embauchent d'habitude.

— Ils me trouvent peut-être ridicule avec mon uniforme scolaire, ou ma robe du dimanche trop petite.

— Bon, dit la mère en quittant son siège, si tu insistes, je vais aller t'en chercher une tout de suite.

Malgré sa démarche du début de la semaine, Clarisse ne s'était pas encore présentée à la société Saint-Vincent-de-Paul. La veuve remit son chapeau et quitta l'appartement.

Lorsqu'elle alla au lit ce soir-là, Clarisse Payant n'avait pas encore décoléré. Elle revoyait Xavier assis derrière son gros pupitre, dans un fauteuil recouvert de cuir couleur tabac, vêtu d'un complet de lin si élégant. Dans son esprit, elle y superposait l'image du maigrichon si timide, si maladroit au tournant du siècle.

Dès la première année, à la petite école, il s'était comporté comme un chevalier servant, lui apportant des pommes et offrant de porter ses livres jusqu'au magasin général des Gauvin. Devenu adolescent, il avait conservé la même attitude. Mais dès qu'il s'approchait d'elle, il rougissait comme une couventine. Clarisse s'était rendu compte très jeune qu'elle avait ce pouvoir sur les garçons. Elle testait ses œillades et même ses mouvements de hanche sur ce grand dadais, et une fois certaine de l'effet produit, elle en faisait profiter d'autres, de meilleurs partis.

Aujourd'hui, dans son beau bureau, vêtu comme un dandy, il lui expliquait qu'un banquier ne faisait pas la charité.

Ce fut dans une robe de toile d'une vilaine teinte brune qu'Odile quitta sa chambre le matin suivant. Un vêtement ayant connu trois ou quatre propriétaires déjà. Du genre de ceux dont une petite bonne se débarrassait avec soulagement quand sa patronne lui tendait son uniforme.

Dans la cuisine, elle trouva sa mère assise à table, une tasse de thé sous les yeux.

— Ça ne durera pas toujours, tu sais. Je ne suis pas si vieille, un homme finira par me proposer le mariage.

Même avant son veuvage, elle évoquait déjà les noms de candidats possibles, des hommes ayant enterré leur femme ou alors des vieux garçons ou d'anciens prétendants dont elle avait repoussé les avances.

— Maintenant, il fait son important, mais je sens qu'il est toujours sous le charme. Autrement, il ne s'entêterait pas à me refuser son aide. Le jour où il aura surmonté sa colère…

La jeune fille mit un instant avant de comprendre l'allusion à Xavier Blain. Pourtant, il n'était pas le premier banquier à refuser de lui prêter de l'argent. En vérité, les deux fois où elle avait croisé cet homme, rien chez lui ne faisait penser à un amoureux transi.

Mais qu'est-ce qu'une couventine pouvait comprendre à ces choses-là ? La mère continua :

— De toute façon, si ce n'est pas moi, ce sera toi. Tu serais une jolie fille, si tu te débarrassais de ton air de sainte-nitouche ou de chien battu.

— Maintenant je dois y aller, dit la jeune fille d'une voix brisée.

— Une manufacture, c'est un endroit comme un autre où rencontrer un garçon…

Odile hocha la tête sans conviction et quitta le petit appartement. En descendant l'escalier extérieur, elle chercha dans ses souvenirs les noms de ces hommes qui auraient poursuivi sa mère de leurs assiduités. Avant la mort de son père, elle se souvenait d'avoir entendu le nom de Blain. Un jour de grande morosité, Clarisse lui avait même montré une photographie de cet homme – un garçon alors – avec pour seule annotation « Affectueusement, XB ». Et son commentaire :

— Celui-là, il était fou de moi. Je me demande ce qu'il est devenu.

Odile soupçonnait qu'il n'y en avait jamais eu d'autre.

Lorsqu'elle s'approcha de la rue Larocque, les prétendants – réels ou imaginaires – de sa mère quittèrent son esprit. Déjà, elle était passée à la manufacture de chapeaux de paille de la rue Saint-Charles et à celle de chemises et de cols, rue Saint-Louis. Chaque refus la déprimait. Elle se sentait bonne à rien puisque des gamines ne sachant ni lire ni écrire semblaient assez compétentes pour manipuler des bottes de paille ou coudre des pièces de cotonnade.

Elle vit au loin sa destination, une immense bâtisse de planches devenues grisâtres à cause des intempéries. À moins de cent verges de ce hangar, longtemps avant qu'elle puisse lire le panneau pendu au-dessus de la porte, une forte odeur de vinaigre lui parvint. En se rapprochant, elle put lire les trois mots : Eureka Vinegar Works. À Douceville, les raisons sociales en français demeuraient rarissimes, même quand l'entrepreneur portait un nom aussi canadien-français que Latulipe.

Quand elle passa la porte entrouverte, l'odeur la prit à la gorge. Ses doigts placés sous son nez ne la soulageaient pas. Sur sa gauche, elle aperçut le patron. Elle le voyait à l'église tous les dimanches. Comme l'homme était penché sur des papiers, elle murmura :

— Monsieur Latulipe…

Avec les bruits venant de l'espace où s'affairaient une trentaine d'employés, surtout des femmes, il n'entendit rien. Elle l'interpella encore deux fois avant qu'il ne lève la tête.

— Mademoiselle… Payant, n'est-ce pas ?

Elle acquiesça.

— Que me voulez-vous ?

— Je cherche du travail.

Avec le niveau sonore ambiant, il devina plus qu'il n'entendit. D'un geste de la main, l'homme lui désigna une chaise.

— Tu sors du couvent ?

Lui-même avait eu une fille chez les sœurs, quelques années auparavant. Elle opina du chef.

— Une fille comme toi sait écrire sans faire de faute, non ? Taper à la machine aussi, sans doute.

— Non, je ne sais pas très bien.

Il hocha la tête et la détailla des yeux. Elle eut l'impression d'être soumise à un véritable examen.

— Ici, c'est dix heures par jour, six jours par semaine, pour un salaire de six dollars.

La jeune fille esquissa un sourire, puis murmura :

— Ça me convient.

Monsieur Latulipe la contempla encore un moment, incapable de réprimer son sentiment de pitié. Puis il se leva.

— Bon, viens avec moi.

Ils passèrent une porte, l'odeur devint écœurante. De grands bassins permettaient la fermentation acétique d'une solution d'éthanol. Un homme se penchait sur l'un d'eux.

— Chrétien ! dit-il suffisamment fort pour couvrir le bruit.

L'employé âgé d'une trentaine d'années se retourna.

— Tu la mets sur l'embouteillage.

Des bouteilles vides arrivaient par camion entier, avec déjà une étiquette.

— Elle a pas l'air d'avoir déjà travaillé avec ses mains.

Comment pouvait-il savoir ? À cause de sa peau sans aucune blessure ? De son teint trop pâle pour avoir déjà besogné dans une ferme ?

— Ben v'là l'occasion pour elle de commencer. Occupe-toé d'elle.

D'une inclinaison de la tête, monsieur Latulipe salua la jeune fille et retourna vers son bureau. Chrétien l'examina lui aussi des pieds à la tête.

— Viens par icitte.

Il la conduisit jusqu'à une longue table couverte de bouteilles, avec une dizaine d'employées de chaque côté. Le faible salaire payé à des jeunes filles permettait d'économiser sur l'achat de la machinerie. Les opérations se faisaient toutes à la main.

— Irène, montre-lui la job.

L'homme savait déléguer. Ensuite, il retourna à ses affaires. La grosse fille devenue responsable de son apprentissage lui donna sa formation en utilisant seulement trois mots, souvent répétés : « Tu fais ça, tu fais ça, tu fais ça... »

❧

À midi, un sifflet indiqua le moment d'arrêter le travail. Vingt minutes devaient suffire à avaler un repas emporté de la maison. Odile n'avait pas pris la précaution de prendre quelque chose, tellement elle était convaincue que la démarche serait vaine. Aussi, elle alla dans la cour arrière, un espace couvert de détritus encore plus malodorants que tout le reste, pour s'appuyer contre un mur dans un coin ombragé. Ses mains et ses avant-bras lui faisaient mal. Si fermer une bouteille ne présentait pas un bien grand effort, répéter le même geste pendant plus de trois heures était épuisant.

— Tu manges pas ? lança Irène en sortant des latrines placées au fond de la cour.

La grosse fille s'approcha en essuyant ses mains sur le tissu de sa robe. Comme Odile ne répondait pas, elle le fit à sa place :

— Ouais, ça pue en crisse. Quasiment pire que là-dedans.

Elle désigna la bécosse d'un geste. La nouvelle employée se dit que dans ce cas, mieux valait se retenir jusqu'après six heures.

— J'ai le cœur au bord des lèvres, consentit-elle.

— Bah ! On finit par s'habituer.

Quand elle entra chez elle un peu après six heures, sa mère demanda :

— Te voilà enfin ! Où étais-tu ?

Odile se précipita aux toilettes sans répondre. Quand elle revint dans la cuisine, elle actionna la pompe à queue pour mettre un peu d'eau dans un bassin de fonte, prendre un minuscule morceau de savon et un morceau de toile afin d'entreprendre une toilette sommaire.

Ce ne fut qu'à ce moment qu'elle répondit :

— Je travaillais. C'est ce que tu voulais, non ?

Le ton trahissait une colère difficilement contenue.

— Tu sais bien que nous n'avons pas le choix.

L'usage du pluriel s'avérait une véritable invitation.

— Tu comptes donc venir avec moi demain ? Je suis certaine que monsieur Latulipe acceptera de te faire une place. C'est un homme charitable.

— Voyons, je suis trop âgée pour ce genre de travail ! Tu ne voudrais pas qu'une personne de mon âge entre à la manufacture ?

« Et moi je suis trop jeune, je pense », se dit Odile. Elle devinait qu'une heure plus tard, tous les muscles de son corps la feraient souffrir.

— Tu ne me demandes pas où ?

La mère eut un rire amusé.

— Tout le monde doit le savoir dans la rue, tu empestes.

Odile frottait ses mains avec énergie. Puis ce fut au tour de son visage. Malgré toute son ardeur, l'odeur ne partait pas. Elle devait avoir imprégné toutes les fibres de sa robe. Quand des larmes coulèrent sur ses joues, Clarisse dit, d'un ton plus conciliant :

— Je comprends que c'est difficile. Ça ne durera pas toujours. Bientôt, tu rencontreras un garçon. Avec ton joli visage, tu peux t'attendre à un bon mariage.

— Tu en connais beaucoup qui n'ont pas du tout le sens de l'odorat ? Du goût aussi, au cas où il se mettrait en tête de m'embrasser…

— Demain je repasserai à la banque. Sa frustration va bien lui passer. Les hommes sont comme ça, ils s'imaginent tous que personne ne leur va à la cheville. Mais si tu savais à quel point il était aguiché, dans le temps.

Cela tournait à l'obsession. Comme le visage d'Odile affichait le plus grand scepticisme, Clarisse alla jusqu'à murmurer très bas, comme si quelqu'un écoutait :

— Quand j'ai refusé sa demande en mariage, il a tenté de se tuer. Avec un couteau, il s'est ouvert, là.

Avec le tranchant de sa main, elle mima le geste sur son poignet.

— C'est le curé qui l'a trouvé. À l'époque, il allait encore au collège. Il lui a attaché sa ceinture sur l'avant-bras, puis il l'a traîné jusque chez le docteur Turgeon. Je ne sais pas comment il y est arrivé. D'Iberville à la rue de Salaberry, c'est quand même une bonne distance, quand on pisse le sang.

La femme semblait tirer une certaine fierté de l'avoir poussé à cette extrémité.

— Tu sais que c'est non seulement un péché, mais un crime de faire ça ? Le juge l'aurait envoyé au cachot pour des mois. C'est pour ça qu'il a pris le train pour les États...

Clarisse Payant n'affichait décidément pas beaucoup de compassion.

— Mais tu vas voir, bientôt il me l'accordera, ce prêt.

— En attendant, moi je n'ai rien mangé depuis ce matin. Alors si je n'avale pas quelque chose, demain, je ne sortirai pas de mon lit pour aller travailler.

Chapitre 6

Comme elle s'y attendait, le lendemain, alors qu'elle sortait du lit, Odile ressentait des douleurs dans tous ses membres. Même dans ses os, lui semblait-il. Dans la cuisine, elle chercha du pain et du fromage. Elle avala la moitié de sa pitance et le reste alla dans son mouchoir, puis dans sa poche.

Quand la jeune fille quitta l'appartement, sa mère ne s'était pas encore levée.

Après trois jours, l'horrible odeur devenait plus tolérable et la douleur dans les muscles s'estompait. Prendre les bouteilles dans une caisse, les remplir, enfoncer un bouchon de liège dans le goulot à l'aide d'un petit maillet de bois ne présentait pas un bien grand effort. Cependant, répéter ce geste le plus vite possible n'était pas si simple. De plus, le vinaigre finissait par lui brûler la peau. Ses doigts demeuraient gourds, rougis, et ses ongles, abîmés.

Les gestes sans cesse recommencés lui permettaient de se perdre dans ses pensées. Petite fille, elle avait entendu sa mère lui répéter sans cesse cette histoire : un jour, elle serait grande et belle comme une princesse, un prince la découvrirait – elle évoquait même le soulier de vair – et l'emmènerait avec lui. Et toujours, dans ce scénario, sa mère habitait la même demeure que les nouveaux mariés.

Quelle imbécile elle avait été de croire à ces sornettes ! Même à douze, à treize, à quatorze ans. Et plus son père buvait, plus les engueulades devenaient insupportables. Le thème était toujours le même : il était incapable de subvenir aux besoins de sa famille, il ne mettait pas assez de cœur au travail, il prenait des décisions d'affaires catastrophiques, il buvait tous ses revenus.

De sept heures le matin à six heures l'après-midi, en incluant les quelques pauses, Odile passait en revue ses dix-huit ans d'existence par le menu, cherchait les raisons de sa malchance. Une foi insuffisante en sa bonne étoile ? En sa bonne fée ?

Le samedi suivant, largement après cinq heures, monsieur Latulipe vint se planter au milieu de son grand hangar, quelques enveloppes à la main. Tout le monde abandonna son travail pour se réunir autour de lui.

— Bon ben, v'là la paye. Aubut…

Une fille s'avança, tendit la main pour recevoir son dû.

Il y eut une Boulanger, puis un Chrétien. Odile reçut son enveloppe. Sous ses doigts, elle sentit des billets et des pièces.

— Bon, allez-y maintenant, dit Latulipe après avoir terminé sa distribution.

Les travailleuses et les quelques travailleurs lui emboîtèrent le pas. Odile regarda ses compagnes et dit :

— Je ne pense pas qu'il soit six heures.

— Ben si tu veux continuer, continue, fit Irène en allant chercher le sac de toile lui ayant servi à apporter son repas de midi.

Quand elle se dirigea vers la porte, la nouvelle la suivit. Chrétien, le contremaître, adapta son pas au sien.

— Le samedi, lui dit-il, le boss nous laisse partir un

peu avant l'heure. C'est pas un gros cadeau. Dix ou quinze minutes.

Après un long silence, alors que toutes les autres s'étaient dispersées, il ajouta sur le ton de la confidence:

— Tu sais, t'es pas vite vite… Le patron voulait baisser ta paye. J'lui ai dit de pas faire ça, que t'arriverais à rejoindre les autres la semaine prochaine.

Odile se doutait bien qu'elle avait du mal à suivre le rythme.

— Je vous remercie. Vous êtes gentil.

L'homme demeura près d'elle, à l'entretenir de la douceur du temps et de son intention de louer une barque le lendemain pour faire une longue promenade sur le Richelieu. Ce n'était pas vraiment une invitation, mais une fille plus dégourdie aurait compris que si elle passait par là, il voudrait bien la prendre à bord.

Chrétien fit une centaine de mètres avec elle. Quand ils se quittèrent, elle prit le chemin de la rue Longueuil. Un peu curieuse, elle ouvrit l'enveloppe pour regarder l'argent. Deux dollars et soixante-quinze cents. Il avait soustrait les heures manquées le premier jour. Au moment d'entrer dans l'appartement, la jeune fille déposa l'enveloppe sur la table de la cuisine, puis alla vers sa chambre pour se changer.

Quand elle revint pour se laver un peu, Clarisse ne lui offrit pas un cent « pour ses petites dépenses ».

Parmi les devoirs d'un bon prêtre, il y avait celui de recevoir tous les enfants de Dieu avec la même ouverture, le même amour. Quand sa mère lui avait appris que Clarisse Payant l'attendait à la porte de son bureau, le curé Lanoue avait tout de même eu un peu de mal à accrocher un sourire à son visage.

Pourtant, un instant plus tard, il se levait de sa chaise pour recevoir la veuve. Il lui désigna le siège devant son pupitre, attendit qu'elle soit assise avant de reprendre le sien.

— Madame Payant, que puis-je faire pour vous aujourd'hui ?

— C'est à propos de ma fille…

— Odile ? Elle vous fait des misères ?

Sa voix trahissait une certaine incrédulité.

— Des misères, non… Vous savez dans quelle situation je me trouve ?

Le curé hocha la tête.

— Elle vient de commencer à travailler à la manufacture de vinaigre. Ça ne lui plaît pas, je le sais, mais je ne peux pas me passer de son travail.

— Je peux m'informer. Il existe certainement un endroit où vous-même pourriez travailler.

La femme présenta un regard horrifié.

— À mon âge, vous n'y pensez pas ?

Puis elle reprit, d'un ton plus mesuré :

— Vous savez, je ne suis pas si forte. Puis j'ai comme une bosse ici.

Clarisse porta sa main à son bas-ventre, un peu sur la droite. Comme tous les porteurs de soutane, il ne voulait rien savoir des bosses des femmes, surtout à des endroits cachés par des vêtements.

— Je compatis de tout cœur, madame.

— Si je viens vous voir aujourd'hui, c'est qu'Odile m'inquiète un peu. Elle a parlé de se faire religieuse, il y a quelque temps. Mais c'est impossible.

— Si elle a la vocation, je suis sûr qu'elle pourra être reçue. Elle pense à la congrégation Notre-Dame, je suppose ?

Très souvent, les jeunes filles rêvaient de prendre l'habit de celles qui les avaient éduquées.

— Je ne veux pas qu'elle soit reçue chez les sœurs ! s'exclama Clarisse. Je viens de vous dire que j'ai besoin de son salaire. Déjà, je n'avais pas vraiment les moyens de la laisser au couvent pour la dernière année.

— Mais si elle entend l'appel de Dieu ?

— Le seul appel qu'elle devrait entendre, c'est celui de ses devoirs envers sa mère. Les enfants se doivent de soutenir leurs parents. Jamais je ne lui permettrai de faire une sœur. Elle ne peut pas le faire sans ma permission, n'est-ce pas ?

Le regard de la visiteuse contenait un véritable défi.

— Non, elle ne le peut pas, admit-il.

— Bon, c'est ce que je pensais. Si elle vient vous voir à ce sujet, je compte sur vous pour le lui rappeler.

À contrecœur, le prêtre opina du bonnet. Clarisse afficha un sourire de soulagement et retrouva son ton aguicheur pour lui demander :

— Et vous, monsieur le curé, j'espère que vous vous portez bien.

— Oui.

« Excepté quand je vois certaines paroissiennes qui me donnent la migraine », songea-t-il.

∞

Si Xavier Blain avait consacré ses premières journées à recevoir de bons clients inquiets de leurs affaires, il renoua ensuite avec la routine de banquier : accorder des prêts à des personnes solvables et faire des rappels auprès des mauvais payeurs qui s'étaient faufilés parmi elles.

Puis, à la mi-juillet, Georges Turgeon lui rendit la visite annoncée dès le jour de la Saint-Jean. En le voyant dans l'embrasure de la porte de son bureau, il quitta sa chaise pour venir vers lui la main tendue.

— Alors, le paternel s'est laissé gagner à l'idée de vendre sa grande maison ?

Tout en parlant, Xavier avait désigné la chaise placée devant son pupitre, puis fermé la porte.

— Oui, il veut bien me la vendre. Mais il m'a réservé une surprise.

Le banquier retrouva son siège et ouvrit un tiroir pour en sortir une bouteille de whisky et deux verres.

— Seigneur ! s'exclama le visiteur. Ton travail comporte des avantages.

— Tu vas me dire que tu n'en as pas une dans tes tiroirs ?

— Seulement pour les moments de grands drames.

— Ici, c'est toujours pour les moments fastes. Personne ne veut trinquer à sa faillite.

Xavier remplit les deux verres et revint au début de la conversation :

— Donc, le bon docteur Turgeon t'a réservé une surprise ?

— J'ai toujours imaginé qu'il souhaitait se trouver un petit bungalow moderne. Mais il y a quelques jours, il a évoqué un déménagement à Montréal.

Le banquier écarquilla les yeux.

— Lui, aller vivre à Montréal ? Je le voyais comme une institution de Douceville. Comme l'usine de moulins à coudre et les manufactures de poteries sanitaires.

— Moi aussi. Voilà la preuve que l'on ne connaît jamais vraiment quelqu'un.

— Une idée de la très élégante madame Turgeon ?

— Peut-être que les deux aimeraient profiter de l'existence trépidante de la grande ville pendant qu'ils peuvent encore le faire.

— Et ça remet en question tes projets d'acheter sa maison ?

— Je ne renonce pas, mais disons que j'entends bouger plus lentement.

La présence des deux docteurs Turgeon dans le même cabinet générait un bon achalandage. En irait-il toujours de même avec un seul médecin ? De son côté, Xavier comprenait avoir raté une occasion d'affaires : il ne signerait aucun contrat de prêt hypothécaire ce jour-là. Bon prince, il emplit les verres à nouveau. Il en serait quitte pour une conversation entre amis.

— Retournes-tu à Boston, parfois ? demanda-t-il.

— Plutôt à Merton, un peu au nord. Les parents de Sophie habitent toujours la même maison. Nous partirons d'ailleurs sous peu pour une semaine. De ton côté ?

— Je n'y ai pas laissé de grands amis. En vérité, mes seuls vrais amis sont revenus à Douceville. En plus, actuellement, avec les problèmes récents à la banque, le moment ne se prête pas aux grandes vacances.

Ils évoquèrent des souvenirs communs pendant encore une quinzaine de minutes, puis de petits coups contre la porte attirèrent leur attention.

— Ça doit être Sophie, remarqua le visiteur.

Effectivement, Aristide fit rentrer l'élégante femme. Xavier se leva pour lui serrer la main et l'invita à s'asseoir. Peut-être inconsciemment, elle caressait son gros ventre du bout des doigts.

— Tu en veux un ?

Xavier désignait la bouteille.

— Il noie le deuil de ses projets d'achat de la maison paternelle ? dit la jeune femme avec une petite moue.

— L'ajournement ! protesta Georges.

— Dans ce cas, l'heure n'est pas assez grave pour que je risque ma réputation avec une haleine empestant l'alcool.

Sans compter que ma fille n'apprécierait sans doute pas.

Déjà, elle avait décidé du sexe de l'enfant à naître. Après tout, elle avait la moitié des chances d'avoir raison. Sa réflexion eut pour conséquence de ramener les hommes à plus de sobriété. Au milieu de l'après-midi, sentir l'alcool serait du plus mauvais effet. La discussion porta sur le voyage que le couple entreprendrait deux jours plus tard. Ensuite, ils partirent. Par la porte de son bureau laissée ouverte, le banquier entendit une remarque :

— Pour la fille d'un curé, c't'une crisse de belle femme.

Ulric Rancourt devait être passablement impressionné, à en juger par le ton enthousiaste. L'allure de Sophie le justifiait.

— Ne dis pas des choses comme ça en public.

C'était la voix du secrétaire, Aristide Careau.

Quelques minutes plus tard, alors que le secrétaire venait lui faire signer un lot de lettres, Xavier lui fit signe de fermer la porte et de s'asseoir.

— Je viens d'entendre quelque chose d'intrigant. Madame Turgeon serait la fille du curé.

Le jeune Careau rougit un peu. Le patron lui demandait de « rapporter », de trahir son collègue. Après une hésitation, il commença :

— Moi, je ne connais pas vraiment cette histoire. J'avais dix ans à l'époque. Mes parents en parlent parfois. Le curé payait les études d'une fille, au couvent. Sophie Deslauriers.

— Bien des curés font la même chose. Le curé actuel de Douceville a eu ses études payées par celui d'Iberville. Diriez-vous qu'il s'agit de son fils ?

— Ce n'est pas pareil.

En effet, les prêtres payaient les études de garçons qui deviendraient prêtres à leur tour. Pas de charmantes jeunes filles. Pour la première fois, Xavier entendit parler de l'abbé Alphonse Grégoire, de la visite d'une Franco-Américaine, Clotilde Serre, et du départ de ces deux-là. Et du long moment où Sophie avait habité chez les Turgeon.

Il comprit pourquoi Georges se montrait si discret sur les circonstances de leur rencontre. Cependant, il les entendait parfois faire une remarque qui permettait de comprendre qu'ils s'étaient connus bien avant l'obtention de son diplôme de médecin de l'Université de Montréal. Pourtant, quand Xavier avait connu Georges, peu après son arrivée dans la région de Boston, son ami plaçait le début de leur histoire d'amour à la fin de ses études.

— Que ce Grégoire soit parti vers les États-Unis, et que cette Clotilde Serre soit retournée chez elle à la même époque ne constitue aucunement une preuve de paternité.

— Moi, je vous ai dit ce qui se raconte. Je ne dis pas que je le crois, ni que c'est vrai.

— Juste avant la fermeture, vous viendrez tous les deux dans mon bureau.

L'autre accusa le coup. L'irrévérence à l'égard du clergé pouvait coûter cher. Peut-être autant pour celui qui les entendait que pour celui qui les formulait.

Un peu avant six heures, les deux employés vinrent frapper à la porte de Xavier. Il leur désigna les chaises, puis commença sur le ton d'un maître d'école devant des élèves récalcitrants :

— Tout à l'heure j'ai entendu une remarque sur madame Sophie Turgeon.

Ulric Rancourt jeta un regard noir à son collègue. Ils auraient certainement une conversation orageuse peu après.

— Ce genre de discours, répété ailleurs, peut nuire à nos affaires. Ici, c'est encore pire. Je ne veux pas entendre de commérage dans la bâtisse.

— Il n'y avait personne… commença le commis.

— Toute parole prononcée à haute voix est susceptible d'être entendue. J'ai entendu. Alors ne prononcez pas un mot qui pourrait heurter la sensibilité des amis ou des ennemis de l'Église, d'un parti politique, de la monarchie britannique, ou de la tarte aux pommes. Parce que ça peut nuire à la banque. Bon, maintenant, vous pouvez partir. Bonne soirée.

Si l'un ou l'autre répondit à son souhait, il n'en entendit rien. Toutefois, il crut discerner un « mon tabarnak » murmuré.

Au moment de rentrer à la maison, Rancourt effectua un long arrêt dans une taverne de la rue Richelieu. Assez pour dépenser tout ce qui lui restait de sa dernière paye. Son tempérament, déjà explosif, ne s'améliorait guère avec l'alcool. Il habitait au rez-de-chaussée d'un immeuble de deux étages de la rue Saint-Jacques, un logement plutôt minable.

En entrant, il buta sur le pas de la porte et laissa échapper un chapelet de jurons.

— Pas devant les enfants, dit Gisèle.

Son épouse se tenait près d'un évier de fonte, occupée à faire la vaisselle. Une toute petite femme, pas même cinq pieds, maigre à faire soupçonner une maladie chronique.

— Les enfants savent comment j'parle. Pis y z'ont pas à juger leur père.

— En plus, ils vont répéter ça à l'école. Ça leur fera une belle réputation auprès des maîtres et des maîtresses.

— Comment tu penses qu'y parlent, eux z'autres, quand ils enlèvent le crucifix dans leur cul ?

Deux enfants de sept et huit ans étaient attablés, un jeu de cartes dans les mains. Un autre assis près d'une fenêtre regardait les pages destinées aux enfants du numéro de *La Presse* du samedi précédent.

Gisèle préféra abandonner ce sujet pour s'épargner d'entendre des insanités. De toute façon, étant donné l'état de son époux, un autre s'imposait à son esprit.

— Ton arrêt à la taverne, c'était pour célébrer quoi ?

— La promotion que j'aurai pas grâce au tabarnak de Careau.

— T'attendais une promotion ?

Non seulement son épouse paraissait en entendre parler pour la première fois, mais son scepticisme ne faisait pas de doute.

— Crisse ! Y a pu de directeur à la banque et le trou d'cul de Montréal retournera chez lui. Pis moé, chus là depuis avant la guerre.

— Tu penses qu'ils vont te nommer directeur ?

— Y vont nommer qui d'autre ?

« N'importe quel homme qui a un peu de compétence et de savoir-vivre », songea-t-elle.

— Qu'est-ce que fait Careau dans ton histoire ? Tu penses qu'il va devenir directeur ?

— Ben, ça doit être pour ça qu'y essaie de ben se faire voir. T'à l'heure, y est allé bavasser au boss. Bin j'te l'dis, si j'ai pas la job, j'prends mon douze pis j'le tire.

— Bavasser quoi ?

L'homme se troubla un peu.

— La fille du curé est venue au bureau.

— Tu répètes encore cette histoire idiote ?

— Sacrament, tout le monde la connaît !

Gisèle Rancourt secoua la tête. À entendre son mari, les prêtres trahissaient leurs engagements avec des paroissiennes – ou même des paroissiens –, tous les conseillers de la ville magouillaient sur des histoires de terrains, et à la banque, tous les gros volaient les petits.

— … Pis celle du vicaire Chicoine avec des paroissiennes. Nous autres, y nous font marcher au pas, pis eux autres, y font tout c'qu'y veulent.

⁂

Parce qu'il recevait parfois des clients à l'heure des repas, Xavier devait devancer un peu le sien. Ce jour-là, il avait quitté la banque à onze heures trente. À peine avait-il passé la porte qu'Ulric Rancourt quittait son mutisme des trois dernières heures pour dire à son collègue :

— Hier, t'es allé trop loin.

Comme Aristide levait la tête de sa machine à écrire, sans sembler comprendre, il précisa :

— À propos de la jolie madame Turgeon. La fille du curé. Aller rapporter comme le chouchou du professeur. Franchement…

— Je n'ai rien rapporté, il a entendu. Je suis cependant d'accord avec le patron. Répandre ce genre d'imbécillité ne peut que nuire aux intérêts de l'entreprise qui nous embauche.

— Mais c'est vrai !

— Comment sais-tu ça ? Tu tenais la chandelle, quand monsieur le curé enfilait une paroissienne ?

— Quelqu'un me l'a dit.

Cela lui valut un éclat de rire de la part de son collègue.

Rancourt tenait cette histoire du parent d'une cousine d'un homme ayant livré du charbon au presbytère. Voilà qui illustrait éloquemment la difficulté d'habiter une toute petite ville.

— De toute façon, c'est pas ça, le plus important. Blain va retourner d'où il vient quand il aura remis les livres en ordre. Ça fera bientôt douze ans que je travaille ici. Le poste de directeur me revient.

— Parce que tu as vieilli debout derrière le comptoir, les varices, les hémorroïdes et la promotion viennent ensemble ?

La colère de son collègue monta de plusieurs crans.

— En tout cas, si j'ai pas cette promotion, je saurai à cause de qui. Tu vas en manger une crisse de bonne.

Au moins, il n'avait pas évoqué son calibre 12...

Devant la longue table, Odile et ses compagnes de travail s'affairaient au remplissage des bouteilles depuis dix heures, maintenant. Une petite coupure sur l'index la faisait grimacer chaque fois qu'un peu de vinaigre entrait en contact avec la plaie. C'est-à-dire en permanence.

Depuis une dizaine de minutes, Chrétien, le contremaître, tournait autour d'elle. Il le faisait assez régulièrement depuis son embauche. Au début, elle s'imaginait que c'était pour regarder sa robe de pauvresse. Puis, comme aucune jeune fille n'était plus élégante qu'elle dans la manufacture, elle supposa que c'était le contenu du vêtement qui suscitait son intérêt.

— Maintenant, tu vas aussi vite que toutes les autres.

La remarque tira un ricanement à Irène.

— Ça prend pas la tête à Papineau pour remplir des bouteilles.

— Ouais ! Pourtant on en crisse dehors régulièrement.

Odile remarqua tous les regards des employées posés sur elle. Elle eut l'impression qu'elles supputaient la date de son renvoi. Sa maigre pitance dépendait du bon vouloir de ce type.

❧

Depuis sa dernière visite à la banque, Clarisse Payant s'était faite discrète. Xavier s'imaginait que sa démarche un peu pathétique lui avait fait ressentir une honte suffisante pour qu'elle tienne ses distances, dorénavant. C'était compter sans sa détermination.

Au moment où il quittait la banque à l'heure du lunch afin de se rendre dans un petit restaurant de la rue Richelieu, elle apparut dans son champ de vision, un peu essoufflée. Les chances d'une rencontre fortuite étant plutôt minces, elle avait dû se mettre à l'affût dans les environs.

— Xavier !

— Bonjour, madame Blain.

— Je suppose que tu allais manger.

— Plusieurs personnes font ça vers midi…

Ou le ton moqueur échappa à son interlocutrice, ou elle savait en faire abstraction.

— Écoute, si tu m'invitais, ce serait une bonne occasion d'évoquer le bon vieux temps.

Le banquier se raidit.

— Madame, je ne pense pas partager avec vous le moindre bon temps. Vieux ou récent.

— Voyons, que dis-tu là ? Bien sûr, la fin n'a pas été celle que tu voulais, mais avant d'en arriver là… Toutes nos rencontres, les marches au clair de lune, les petits mots que tu m'écrivais.

— Alors si vous voulez m'excuser, je dois continuer mon chemin. J'ai des rendez-vous tôt en après-midi.

Sur ces mots, il remit son chapeau, puis s'éloigna rapidement, laissant derrière lui une femme rageuse.

Chapitre 7

Tôt ce matin-là, Sophie, Georges et leur fils Olivier montèrent dans le train à la gare du Grand Tronc pour un long voyage qui les mettrait à l'épreuve. Pour une femme enceinte, chacun des mouvements du wagon était un supplice pour son ventre et ses reins.

— Je pense que je vais accoucher en chemin, murmura-t-elle après avoir roulé pendant une heure.

Il lui en restait encore plus de dix.

— Je ne pense pas, sinon je ne t'aurais pas laissée partir. Si nécessaire, je te masserai le bas du dos.

— Dans ce train ? Tu feras les premières pages des journaux.

— Pas si nous allons dans les toilettes.

Elle eut un petit rire amusé.

— Et lui ?

Des yeux, elle désignait Olivier. Le garçon collait son front contre la vitre pour regarder le paysage défiler. Heureusement, la section du haut de la fenêtre s'ouvrait. Sinon, la chaleur aurait été accablante. L'air circulait dans le wagon, assez vif pour menacer la stabilité des chapeaux sur la tête des femmes.

— Nous pourrons le confier à l'une de ces dames, là-bas. Elles paraissent tellement respectables.

— Ton offre est gentille, mais je ne laisserai la garde de mon fils à aucune étrangère.

— Papa, est-ce qu'on arrive bientôt ?

— As-tu envie que je te lise ton livre ?

Au fil des heures, la proposition serait accueillie avec une mauvaise grâce croissante.

À onze heures du soir, la petite famille Turgeon descendit du train à Merton. Georges tenait la main de son fils. Heureusement, Olivier avait dormi pendant quelques heures. Cela leur avait épargné les cris et les crises de larmes. Sa femme inquiétait le médecin. Elle marchait comme un automate, une main sur les reins, une autre sous le ventre.

Quand ils entrèrent dans la gare, ils entendirent une exclamation, et deux mots : « Les voilà ! » Clotilde Serre, devenue successivement Donohue et Deslauriers par ses deux mariages successifs, agitait sa main dans les airs, pour signaler sa présence. Une précaution totalement inutile, dans le hall désert. À ses côtés, l'ancien curé Alphonse Grégoire, devenu Deslauriers grâce à la magie d'une identité inventée, leur adressait un grand sourire.

La mère se précipita pour prendre sa fille dans ses bras. Il s'agissait d'une femme assez grande, aux cheveux bruns parcourus de fils blancs, dans la mi-cinquantaine. En se reculant un peu, elle lui posa les deux mains sur le ventre.

— Était-ce bien prudent de voyager dans cet état ?

— Tu m'as suppliée de venir dans une demi-douzaine de lettres et au téléphone.

— Je sais, je sais. C'était sans doute très égoïste de ma part. J'aurais dû me déplacer, plutôt.

— J'imagine la réaction des anciens paroissiens de papa.

En disant cela, elle s'était dirigée vers l'homme pour l'embrasser et se laisser enlacer. Si Clotilde et Alphonse firent un bon accueil à Georges, les retrouvailles ne s'accompagnèrent pas de grands épanchements. Cependant, dans le cas d'Olivier, ce fut le traitement royal : baisers, mains dans les cheveux, et les classiques : « Comme tu as grandi ! Tu es devenu un homme ! » Le garçon se laissa faire, mais il aspirait surtout à un bon lit.

Un porteur arriva avec un chariot chargé des valises de la petite famille.

— Nous avons réservé des voitures, dit Alphonse. Venez.

D'autorité, il prit la main de son petit-fils. Pour un ancien prêtre, avoir une descendance représentait un accomplissement bien peu prévisible. Dehors, ils trouvèrent les deux taxis réservés pour faire le trajet jusqu'au domicile des Deslauriers. Clotilde décréta qu'il y aurait une voiture pour les hommes, une autre pour les femmes. Cela lui donnerait l'occasion d'une première conversation avec sa fille.

— Tout à l'heure, je ne parlais pas d'aller te voir à Douceville, évidemment. Nous aurions pu louer une chambre à Montréal, et y passer quelques jours ensemble.

— Ça aurait peut-être mieux valu. Nous y penserons pour une prochaine fois.

Il y eut un silence, puis Clotilde dit encore :

— Tu sais que j'aime beaucoup Georges. Impossible de trouver un époux et un père plus dévoués. Mais je lui en veux de t'avoir ramenée là-bas.

— Nous en avons déjà parlé…

— Je ne veux pas dire au Canada. Tous les deux, vous ne vous êtes pas faits aux États-Unis. Mais choisir Douceville…

Il y eut un long silence. Puis Sophie dit tout doucement :

— Il adore la vie là-bas. Et moi aussi.

Ces derniers mots sonnaient faux. Heureusement, bientôt les voitures freinèrent devant l'édifice de trois étages au revêtement de pierre de la rue Forest. Quand ils furent sur le trottoir, Clotilde demanda :

— Oliver, tu te souviens que tu es déjà venu ici ?

Le garçon ne se souvenait pas vraiment. Cependant, il trouva plus gentil de répondre par l'affirmative.

Xavier Blain s'étonnait de la vitesse à laquelle le temps passait. Son séjour à Douceville devait être court, pourtant des semaines s'étaient écoulées. La nomination du nouveau directeur de la succursale ne pressait sans doute pas, pour les décideurs de Montréal. Son intérim s'allongeait.

Il avait reçu une invitation pour une réunion tenue dans la salle aménagée à l'étage de l'édifice du marché, une bâtisse accueillant des commerces permanents, comme une boulangerie et une boucherie.

Aussi, quand il accéda à cet espace situé sous les combles, il porta les doigts à ses narines. Des effluves de fruits et de légumes pourrissants, ou de viandes plus très fraîches, montaient jusque-là. Immédiatement, il reconnut des visages familiers, dont ceux de Georges Turgeon et de son père. Il les rejoignit pour les saluer, puis demanda :

— Alors, ce grand projet essentiel à une ville moderne a-t-il rallié vos suffrages ?

L'avis de convocation publié dans le journal *Le Canada français* contenait exactement ces mots.

— Je me demande comment nous avons pu nous en passer jusqu'à présent, dit Évariste. Après l'invention de la roue, celle du golf vient tout de suite dans les grands moments de l'histoire de l'humanité.

Car il ne s'agissait que de cela : le maire souhaitait voir la municipalité se doter d'un beau « dix-huit trous ».

— Et comment ! Quand papa s'occupait de politique municipale, il s'intéressait à des bagatelles. La viande avariée vendue dans les boucheries et le lait empoisonné responsable de la mort de nombreux enfants tous les ans sont des questions terriblement secondaires.

— C'est vrai, monsieur Turgeon ? Vous vous êtes mêlé de politique ?

— Il a même été maire pendant quelques années ! précisa Georges.

— Pourtant, à en juger par les odeurs nauséabondes qui ont flotté au-dessus de la ville depuis le début de l'été, on dirait que tout demeure à refaire.

Le vieux médecin paraissait découragé par l'attitude de ses concitoyens. Un décès d'enfant sur deux était facilement évitable. Toutefois, si pour prévenir pareille catastrophe il fallait augmenter les taxes municipales de cinq pour cent, la majorité de la population s'y opposait.

Autour d'eux, la salle se remplissait lentement. Les trois hommes passèrent un long moment à serrer des mains. Xavier reconnut plusieurs de ses clients parmi les commerçants et les industriels. Il devint bien vite évident que l'anglais serait la langue des conversations. Parce que les Canadiens anglais contrôlaient les plus importantes entreprises de la ville, mais aussi parce que le golf se répandait lentement chez les francophones. Il eut l'occasion de saluer ses compétiteurs immédiats, les directeurs des succursales de la Merchant's Bank, et des banques de Commerce et Nationale.

Quand il y eut accalmie dans ces rencontres, il revint vers le vieux docteur Turgeon pour remarquer :

— Vous n'êtes pas tenté de reprendre du service à la mairie ?

— La fonction comporte un inconvénient: quelle que soit la position adoptée par le Conseil de Ville, quatre citoyens sur cinq y paraissaient complètement opposés. Je me fais beaucoup moins souvent contester sur mes diagnostics.

— Sans compter que selon Georges, l'idée d'aller vivre à Montréal vous attire.

Son interlocuteur hocha la tête.

— Mon fils vous a parlé de ça?

Ce fut au tour de Xavier d'opiner du chef.

— J'ai peur de l'avoir pris totalement par surprise. Il m'impliquait tout naturellement dans ses projets professionnels. Pourtant, ma femme et moi sommes de Montréal.

Le banquier soupçonna que c'était surtout l'élégante Délia qui espérait renouer avec les spectacles et l'agitation de la grande ville. Sans compter la proximité de sa fille, de sa petite-fille et son petit-fils. Ses enfants avaient été au cœur de son existence, elle demeurait encore tout aussi attentive à leur sort.

— Vous espérez prendre votre retraite?

— Si ce projet se réalise, ma retraite sera remise de quelques années. La vie est plus chère à Montréal que dans notre petite bourgade ensommeillée.

Presque trois mois après son arrivée, Xavier ne contesterait pas ce portrait de Douceville. Son interlocuteur continua:

— Je devrai avoir un cabinet là-bas. Mais comme la population paraît augmenter sans cesse, je ne devrais pas avoir de mal à m'y faire une clientèle.

— Votre décision semble irrévocable.

— Si monsieur le maire ne fait pas de moi un golfeur acharné d'ici la fin de la soirée, ce déménagement surviendra sans doute.

En faisant allusion au premier magistrat, Évariste porta son regard sur celui-ci. Une table avait été placée sur une estrade au bout de la salle, la majeure partie du Conseil municipal occupait déjà des chaises. Bientôt, le maire tapa avec un petit maillet sur un disque de bois. Il avait apporté les symboles de son pouvoir avec lui.

— Messieurs, la plupart de ceux dont nous attendions la présence sont ici ! Nous pouvons commencer. Vous le savez bien, la majorité des villes dynamiques possèdent un golf. Cela s'impose d'autant plus à Douceville, dont la population augmente du tiers tous les étés grâce aux estivants.

La vente des villas sur les bords du Richelieu lui paraissait intimement liée aux petites balles blanches, aux fers et aux bois. Sans compter toutes les transactions d'affaires susceptibles de se conclure dans le *club house*.

Xavier écoutait d'une oreille distraite. La déception de Georges, devant les projets paternels, le navrait. Le médecin avait continué de bavarder avec d'anciens camarades de collège même après le début de l'intervention du maire. Quand il revint vers eux, Xavier murmura :

— Demain, est-ce que je pourrais te voir un moment à ton cabinet ?

— Quelque chose ne va pas ?

— Non, je vais bien. Enfin, je le crois. Juste une question que je veux aborder avec toi.

Georges proposa un rendez-vous un peu avant six heures, « à moins d'une urgence ». Dans son métier comme dans celui du curé, il fallait toujours compter avec cette possibilité, exactement pour la même raison. Sur l'estrade, le maire avait terminé la présentation de son grand projet. Diverses questions vinrent de la salle. Bientôt, un gros bonhomme rougeaud leva la main pour demander :

— La Ville veut dépenser l'argent du public pour que des richards poussent une balle dans un trou ?

Horace Pinsonneault, maire de la ville une quinzaine d'années plus tôt, tenait à faire connaître sa présence. Son credo politique demeurait le même : éviter les dépenses, toutes les dépenses, afin de conserver les taxes au plus bas pour les commerçants. Son opposant d'alors, Évariste, esquissa un sourire.

— Pas dépenser, dit le maire en exercice, mais investir. Une ville moderne attire les investisseurs, pas les gros villages arriérés.

Il y eut des ricanements dans la salle. Le marchand de charbon occupait un siège de conseiller grâce à l'appui des petits commerçants canadiens-français. Ceux-ci ne risquaient guère de lui retirer leur appui s'il les privait d'un terrain de golf. La discussion se poursuivit un moment. Puis les personnes favorables furent invitées à signer un registre. Les deux médecins Turgeon acceptèrent de le faire, tout comme les directeurs de succursales bancaires.

Xavier sortit en même temps que les médecins. Sur le trottoir, il leur donna la main pour leur dire bonsoir avant d'ajouter :

— Messieurs, j'aimerais vous inviter, vous et vos épouses, à souper un soir prochain. J'ai pensé au restaurant du Club nautique. Septembre renvoie les vacanciers à leur travail, il sera donc facile d'y avoir une bonne table.

Il entendait ainsi leur rendre l'invitation reçue peu après son arrivée dans la ville. Les deux autres acceptèrent de bonne grâce. Xavier poussa la gentillesse jusqu'à étendre l'invitation à monsieur et madame Nantel – Jules et Corinne – si ceux-ci projetaient un séjour à Douceville dans un futur proche.

Le lendemain, quand Xavier Blain se dirigea vers le cabinet des docteurs Turgeon, il constata que le soleil se trouvait déjà bien bas à l'horizon. La belle saison durait si peu de temps... Bientôt, il monta quelques marches jusqu'au cabinet situé au-dessus d'un commerce de vêtements pour hommes.

Il trouva la porte donnant accès à l'antichambre ouverte, tout comme celle du cabinet proprement dit. Il frappa doucement sur le cadre et entra quand il y fut invité, tout en prenant la précaution de refermer derrière lui.

— Ta demande m'a pris par surprise. Vouloir me voir ici, mais pas pour un souci de santé...

— Je sais, ça fait un peu mystérieux.

Le visiteur occupa une chaise placée devant le pupitre, puis continua :

— Je voulais juste le faire sans témoin. Dans un restaurant, dans un bar d'hôtel, chez toi, et même dans mon bureau, la discrétion n'est pas assurée.

« Surtout dans mon bureau », songea-t-il en pensant à Ulric Rancourt.

— Là, tu commences à vraiment m'inquiéter.

Xavier eut la conviction que son interlocuteur savait précisément ce dont il serait question, à en juger par la grimace sur son visage. Il n'était pas le genre à tolérer d'avoir plusieurs cadavres dans son placard. Il en avait un seul... Un seul cadavre dont un ami voulait lui parler, privément.

— Alors je vais cesser de tourner autour du pot. Deux personnes de mon entourage ont appelé Sophie la fille du curé. L'un d'une façon vraiment méprisante, l'autre pour tenter de faire taire le premier.

Le sujet avait encore alimenté une conversation entre ses employés deux jours plus tôt. Georges ferma les yeux et s'adossa contre sa chaise.

— Je peux te dire de qui il s'agit, et témoigner, si tu veux le poursuivre.

— Non…

— Je suis certain qu'il y a là un motif valable pour engager des procédures. Dans cette province, une histoire pareille porte vraiment préjudice aux personnes qui en sont l'objet. Tu peux vérifier auprès de ton beau-frère, mais je suis certain que tu le mettrais sur la paille.

Le jeune médecin secoua la tête, cette fois avec impatience. Puis il dit d'une voix blanche :

— Je ne poursuivrai pas, parce que cette histoire est véridique.

Le silence pesa un long moment dans la pièce.

— Aller devant un tribunal, ce serait m'exposer à voir des témoins se succéder pour dire être au courant de ces événements.

Il avait dit « être au courant », pas d'en avoir la preuve. Mais dans ce genre de situation, la rumeur seule suffisait à ruiner une réputation.

— J'ai déjà entendu des histoires de ce genre, dit le banquier. Après tout, les prêtres connaissent intimement leurs paroissiennes. Ça peut conduire à des… débordements. Mais les gens aiment tellement inventer des récits scabreux, surtout sur les personnes jouissant d'un certain statut.

— Pourtant, tu viens de décrire exactement les faits. Au Massachusetts, un prêtre a séduit une paroissienne au siècle dernier. Elle a eu une fille, qu'il a prise sous son aile en la présentant comme sa nièce. Dix-sept ans plus tard, la mère est venue le relancer ici. Depuis, ils vivent comme mari et femme en banlieue de Boston. Sous un autre nom.

« Deslauriers », songea Xavier. Aristide lui avait déjà raconté cette histoire.

— Quand vous avez fait des projets de mariage ensemble, elle ne pouvait garder cette histoire secrète. De plus, je reconnais bien là ta générosité. On ne peut reprocher à personne les péchés de ses parents.

Aux yeux du banquier, voilà qui ressemblait à Sophie. Le genre de femme à ne pouvoir s'engager dans une union en traînant un si gros boulet. Et Georges n'aurait jamais repoussé un être aimé pour cette raison.

— Mais je ne l'ai pas su l'année précédant notre mariage. Plutôt juste avant son départ aux États-Unis, en 1907. Dans ma famille, nous connaissions les événements, mes parents l'ont même accueillie à la maison. C'était une amie de Corinne, je m'en suis entiché.

La tolérance semblait héréditaire, dans cette famille.

— En réalité, j'étais fou d'elle. Tellement qu'à vingt-cinq ans, je suis allé à Boston juste pour avoir l'occasion de la revoir. Tu sais combien la convaincre de m'épouser a été difficile. Aux États-Unis, tout le monde se foutait éperdument de son histoire, mais l'idée de replonger là-dedans en revenant ici l'effrayait.

Au point où Xavier avait servi d'intermédiaire pour ramener Sophie à de meilleurs sentiments, sans connaître les dessous de l'histoire, évidemment. Le médecin conclut :

— Un vrai roman-feuilleton.

Son interlocuteur hocha la tête. Oui, il s'agissait d'une histoire larmoyante à souhait.

— Toute ta famille est au courant ?

— Tout comme la belle-famille de Corinne.

Évidemment, elle aussi était du genre à dire la vérité. Quoique là, ça devait être plus facile. Il s'agissait du péché des parents d'une autre.

— J'en ai entendu parler pour la première fois l'autre jour, quand Sophie est venue te rejoindre à la banque.

Mon commis, Ulric Rancourt, a émis un commentaire après votre départ.

Mieux valait lui dire clairement d'où venait la menace. Georges eut un sourire mauvais :

— Si jamais ce gars vient me consulter parce qu'il a la syphilis, je vais lui injecter du jus de citron dans la queue…

— Mais comment peut-il savoir ?

— Pense à ce qu'est la vie ici, les longues soirées d'hiver, l'ennui. Monsieur le curé paie les études d'une parente chez les sœurs de la Congrégation, une belle Américaine arrive en ville, quelques semaines plus tard, elle retourne d'où elle vient, et le curé disparaît. Ensuite, peu de temps après, l'adolescente va le rejoindre.

Oui, il ne fallait pas avoir un pouvoir de déduction extraordinaire pour imaginer un tel scénario. Il suffisait simplement de ne pas croire que les curés, sous leur soutane, étaient à l'abri de toutes les tentations.

— Pourtant, vous êtes revenus ici.

Pour le banquier, cela paraissait le comble de l'imprudence. Après une longue hésitation, le praticien admit :

— Je m'en veux tellement de l'avoir ramenée à Douceville. Je pensais que le respect dû aux prêtres et les années passées empêcheraient quiconque d'évoquer ces soupçons.

Le même respect qui amenait les paroissiens à prêter des pouvoirs surhumains aux personnes consacrées. Une longue période sans pluie se traduisait par des soirées de prières et des processions dans les rues pour implorer le ciel. Après une invasion de sauterelles dans une ferme, le même sorcier ensoutané venait bénir le champ, ce qui faisait fuir les bestioles chez un voisin mécréant.

Pour un homme comme Xavier, croire en leur capacité de réaliser ces prouesses était plus difficile encore que de les imaginer respectant absolument leur engagement au célibat.

— Je regrette que la bouteille d'alcool que je garde pour remonter le moral de certains patients soit vide, dit Georges. Je calerais quelques verres avec toi pour me donner le courage de retourner à la maison pour une conversation avec Sophie.

— Nous pouvons aller ailleurs. L'hôtel National est à deux pas.

— Non. Elle mérite d'être mise au courant tout de suite, et par un homme à jeun.

Pendant quelque temps, le contremaître avait évité de s'adresser directement à Odile. Elle ne lui était pas apparue suffisamment reconnaissante pour ses paroles encourageantes. Ou alors, cela se limitait à : « Toé, la nouvelle, tu retardes les autres. » Ce travail qu'elle détestait, elle risquait de le perdre. Ses dix cents de l'heure gagnés si péniblement leur permettaient, à elle et sa mère, de mettre un peu de nourriture sur la table. Alors si elle les perdait…

Puis Chrétien était revenu commenter son travail, positivement. Elle s'efforçait alors de lui sourire, de le remercier pour toutes ses remarques, comme s'il venait de lui apprendre le sens de la vie. Un jour, en fin de journée, il lui demanda :

— Ça te tenterait de venir souper dans un petit restaurant de la rue Richelieu ?

— Pauvre Anatole, intervint la grosse Irène, ta femme a *jumpé* ? A s'est tannée de toé ?

— Toé, ma tabarnak !

Il tourna les talons pour aller embêter quelqu'un d'autre. Odile garda ses yeux sur sa collègue. Quand leurs regards se croisèrent, elle demanda :

— Il s'appelle Anatole ?

— Oui, pis en plus, il a marié une de mes cousines. Chez nous, on a l'esprit de famille.

Pour la première fois, elle se sentit un peu moins étrangère dans ce milieu.

⁂

Après avoir bouleversé son ami et sa femme, Xavier ressentait le besoin d'avertir quelqu'un d'autre de la situation. Après tout, il s'agissait du devoir de tous les bons citoyens de prévenir le scandale. Le médecin venait tout juste de prendre le chemin de sa demeure quand il décida de passer à la banque pour donner un coup de fil à l'abbé Lanoue. Cela lui paraissait plus discret que le faire de la pension.

Madame curé se montra tellement insistante au moment de l'inviter à souper qu'il se sentit obligé d'accepter. Aussi, il se rendit directement chez le seul ami qui lui restait de sa jeunesse.

⁂

Après le souper, les deux hommes se réfugièrent dans le bureau du prêtre, un verre à la main. Xavier commença en disant :

— Je n'ai pas osé dire non à ta mère, mais je ne voudrais pas devenir une nuisance dans ta vie. Après tout, je suis un invité moins intéressant que le président des Ligues du Sacré-Cœur de la paroisse. Une rencontre d'une vingtaine de minutes aurait tout à fait suffi. Là, je t'accapare pour la soirée.

— Je ne jurerais pas que tu es moins intéressant que le président des Ligues du Sacré-Cœur. En plus, je me dis que si tu désires faire une confession générale, nous aurons tout le temps nécessaire.

— Désolé de te décevoir, mais je réserverai mes confessions au curé de Notre-Dame-Auxiliatrice. Je ne doute pas de ta compétence, mais je serais plutôt mal à l'aise avec quelqu'un qui me connaît depuis la petite école.

— Dans un confessionnal, je ne suis l'ami de personne.

La formule ne lui parut pas la meilleure. Il se corrigea :

— Plutôt, je suis l'ami de tout le monde. Alors, si tu ne veux pas te confesser, qu'est-ce qui me vaut le plaisir de ta visite ?

— Je ne pense pas que ce sera longtemps un plaisir.

Après une longue hésitation, il se lança à l'eau :

— L'un de mes employés raconte que Sophie Turgeon est la fille d'un ancien curé de la paroisse.

— Franchement, ce genre de calomnie est scandaleux.

— Ce n'est pas de la calomnie, mais de la médisance. Georges m'a dit que c'était vrai ; il m'a raconté les circonstances de la naissance de sa femme.

— Qu'est-ce qui lui a pris ? Ce paroissien aura droit à de longues remontrances. Certaines histoires, vraies ou fausses, ne peuvent être répétées ou simplement admises, sans pécher gravement.

— Lui et sa femme sont des amis. Je pense qu'au moment où je lui ai appris qu'une rumeur de ce genre circulait, il a été suffisamment décontenancé pour ressentir le besoin de se confier à une personne fiable, qui ne la répéterait à personne, sauf à son curé.

Lanoue esquissa un sourire.

— Bon, alors je retiendrai ma juste colère. Tu as bien fait de venir me voir. Et je parie que ton employé qui répand cette histoire s'appelle Rancourt.

Tous les curés de campagne connaissaient les travers de leurs paroissiens, et de ceux des localités voisines, depuis au moins trois générations.

— En te disant ça, ajouta Lanoue, je ne trahis pas le secret de la confession.

La précision valait d'être faite. Ce sacrement demeurait le meilleur moyen de tout connaître sur tout le monde. Xavier se promit de ne pas entrer dans un confessionnal avant son retour à Montréal.

Chapitre 8

Alors qu'il se dirigeait vers sa pension, Xavier continuait de rager contre Ulric Rancourt. Que l'histoire de Sophie soit vraie ne calmait pas sa colère. La jeune femme n'avait rien à se reprocher, mais c'est son existence qui risquait d'être gâchée, pas celle de son père.

Une part de sa mauvaise humeur allait aussi vers Georges. Pourquoi diable était-il revenu à Douceville? Si une métropole comme Montréal lui faisait peur, la province comptait des dizaines de petites agglomérations où un médecin pouvait gagner décemment sa vie. Cela tenait certainement à un attachement sentimental au lieu de ses origines. Un sentimentalisme devenu coûteux.

Devant lui, il remarqua l'abondance de badauds qui sortaient du Théâtre Royal. La projection venait tout juste de se terminer. Et parmi la petite foule, un couple s'arrêta pour le regarder approcher. En arrivant à leur hauteur, il tendit la main à la jeune femme.

— Mademoiselle Vincelette, je suis heureux de vous revoir.

Qu'il puisse la nommer ainsi, sans la moindre hésitation après une seule rencontre survenue des semaines plus tôt, fit plaisir à la demoiselle. Après avoir serré la main de son secrétaire, il suggéra:

— Vous venez de voir la dernière production de Hollywood?

— Monsieur Blain, j'entends une petite moquerie dans votre voix.

— Parce qu'en voyant la publicité dans le journal, je me suis souvenu de l'avoir vu en 1920.

Pendant un moment, ils discutèrent du temps que mettait un film à faire le trajet de la Californie au Québec. Une année pour atteindre Montréal, une autre pour arriver à Douceville.

Même si pendant la journée l'ensemble de ses occupations détournait Xavier de ses malheurs passés, une fois étendu sur son lit, des souvenirs lui revenaient. Clarisse en première année, avec une robe blanche lui allant aux genoux et un ruban de même couleur dans les cheveux. Et son joli sourire, sa façon d'incliner la tête sur le côté quand elle lui parlait. Puis en sixième année, toujours avec une robe blanche, mais plus longue – les grandes filles cachaient leurs jambes. Toujours souriante et minaude.

Ensuite, elle avait fréquenté le couvent les sœurs de la Congrégation Notre-Dame, lui l'académie des frères des Écoles chrétiennes. Tous les deux externes, il portait souvent ses livres jusque chez elle, pour continuer ensuite jusqu'à la ferme de ses parents. Et puis il y avait les conversations sur le parvis de l'église, à la patinoire, et partout où se regroupaient les jeunes gens. Et, à dix-huit ans, cela faisait déjà au moins dix ans qu'il en était follement amoureux.

Parfois, il mettait jusqu'au matin avant de conclure pour la millième fois qu'elle n'avait jamais rien eu de charmant. Tout cela n'avait existé que dans son aveuglement.

À la mi-septembre, les deux docteurs Turgeon et leurs épouses se rendaient au Club nautique pour rejoindre Xavier Blain. Ils avaient troqué les chapeaux de paille pour des feutres, les complets de lin ou de coton pour d'autres en serge ou en laine. Quant aux femmes, les tissus plus épais ne gâchaient en rien leur élégance.

— C'est très aimable à vous de nous avoir invités, dit Délia en lui tendant la main.

— Cela me paraît être la moindre des choses, après votre accueil si charmant.

Quand Xavier serra la main de Sophie, l'échange de paroles convenues ne dissimula pas leurs émotions respectives. La tristesse dans les yeux de la jeune femme faisait peine à voir. Pourtant, elle s'obligeait à sortir, à mener une vie normale – agir autrement aurait donné du crédit à ces rumeurs.

Le banquier constata que son accouchement ne tarderait plus. Sur un corps mince et élancé, son énorme ventre faisait penser à un postiche. Cela aussi devait encourager les commentaires, et même les reproches. Les femmes dans sa condition s'emmuraient chez elles, d'habitude. Cet état rappelait à tous l'existence des rapports intimes. Ceux-ci demeuraient tabous, même dans le mariage.

Le faible achalandage, un vendredi de septembre, leur permit d'occuper une table près d'une fenêtre donnant sur la rivière. Un serveur vint leur offrir un apéritif. Quand il fut reparti avec les commandes, Georges remarqua :

— Dommage que Corinne et Jules ne soient pas là. Nous sommes venus ici quelques fois en 1907. En particulier pour un bal de fin d'année scolaire. L'année où nous nous sommes connus.

Ses yeux se fixaient sur sa compagne. Ce rappel de jours heureux lui valut l'esquisse d'un sourire. Toutefois, ce même été, elle apprenait l'identité de ses parents. Heureusement, Évariste amena la conversation sur un autre terrain.

— Alors, monsieur Blain, avez-vous pu mettre de l'ordre dans les affaires de la banque ?

— Au prix de beaucoup d'additions et de soustractions, oui.

Afin de mesurer l'ampleur des prévarications de son prédécesseur, il avait revu les opérations des trois dernières années.

— Ce qui veut dire que je quitterai cette jolie petite ville d'ici quelques semaines pour regagner Montréal, continua-t-il.

— Et que se passera-t-il à la banque ? demanda Délia.

— Quelqu'un de plus jeune prendra la relève.

Ou plutôt, une personne recevant un traitement moins généreux que le sien. Une toute petite succursale ne générait pas tant de profits. Le serveur revint bientôt avec un plateau portant des apéritifs. Chacun se consacra à l'étude du menu, le temps qu'il revienne prendre les commandes.

— Dans quel quartier de Montréal habitez-vous ? demanda ensuite Délia.

— Rue Sherbrooke, tout près de l'Université McGill.

C'est-à-dire dans l'ouest de la ville, comme il convenait pour quelqu'un employé dans une grande banque canadienne-anglaise.

— Évariste vous a dit que nous songions nous-mêmes à déménager ?

— Oui. Honnêtement, j'en ai été surpris.

Xavier eut un sourire moqueur pour ajouter :

— Après tout, vous êtes quelque chose comme la famille royale de cette ville.

Délia rit de bon cœur.

— Seigneur, je devais dormir le jour de mon couronnement !

— De toute façon, remarqua Évariste, vous ne connaissez pas encore tout le monde. Madame le juge Siméon Nantel prétend certainement à ce titre.

— J'ai eu l'occasion de la voir à l'église Saint-Antoine. Cette dame transpire la respectabilité. Mais ce n'est pas tout à fait la même chose. D'ailleurs, madame sait de quoi je parle, malgré ses dénégations.

Oui, elle le comprenait. Sa posture bien droite, ses cheveux parfaitement coiffés, les vêtements élégants, toujours polie, mais jamais familière, elle attirait le regard. La femme remarqua :

— Dans un gros bassin, je redeviendrai un petit poisson parmi les autres. En admettant que j'aie été autre chose ici…

Pour elle, le déménagement n'était pas un vague projet. Il se ferait, et son époux l'acceptait de bonne grâce. D'ailleurs, il en donna le motif avec candeur :

— Il y a plus de trente ans, j'ai entraîné Délia à Douceville. Justement parce qu'à Montréal, en tant que médecin, j'aurais été un petit poisson dans un océan de compétiteurs. Ici, au moins, j'étais un minuscule poisson dans un tout petit étang.

Tout en faisant son exposé, l'homme regardait son fils. Ce rappel de ses raisons était surtout destiné à Georges.

— Ce qui me donne des motifs de réflexion, admit celui-ci.

Pour lui, et surtout pour sa femme, les six cent dix-huit mille habitants de la grande ville – sans compter les banlieues – offraient une promesse de discrétion bienvenue.

Pendant le repas, les Turgeon passèrent en revue chacun des quartiers de Montréal, pour demander l'appréciation de Xavier, comme s'il était un agent immobilier. Quand Sophie manifesta le désir de se « rafraîchir un peu », Délia prit son bras. Les hommes la regardèrent se déplacer à petits pas.

— Est-ce bien prudent pour elle de sortir ainsi ?

Au moment de faire les invitations, Xavier n'avait pas pensé que l'accouchement était aussi proche. Évidemment, demander la date prévue pour l'heureux événement aurait été un peu indélicat.

— Sa santé est bonne, dit Georges. Et si d'aventure le prochain Turgeon décidait de pointer son nez ce soir, il aurait deux médecins pour lui souhaiter la bienvenue.

— Vous savez, monsieur Blain, renchérit Évariste, dans les paroisses voisines, il y a des femmes qui travaillaient aux récoltes aujourd'hui et qui accoucheront demain.

« Je sais aussi qu'au moins un bébé sur quatre n'atteint pas l'âge adulte, dans cette province, songea Xavier, et que la même proportion de femmes meurt en couches. » Il ne lui revenait pas de rappeler ces données à deux praticiens compétents. De toute façon, il n'en aurait pas eu le temps. Un homme sortit du bar à ce moment, fixa les yeux sur eux, puis se dirigea vers leur table.

— Je m'excuse, messieurs, dit-il tout de suite. J'ai profité de l'absence des dames pour venir vous déranger. Si vous me le permettez, j'aimerais dire un mot à monsieur Blain.

Comme s'ils auraient pu s'y opposer. Celui-ci s'était levé en le voyant approcher. Ils se serrèrent la main et se dirigèrent à l'autre extrémité de la grande salle. La conversation dura un moment, puis l'inconnu quitta le Club nautique. Les deux dames Turgeon sortaient des toilettes à ce moment. Sophie murmura un mot à l'oreille de Délia et alla directement vers Xavier.

— Je saisis l'occasion pour te dire à quel point je suis mal à l'aise. Cette histoire que tu as entendue au travail…

En disant ces mots, son teint de blonde vira au cramoisi. Même si le geste paraissait terriblement familier, son interlocuteur tendit la main pour la poser sur son avant-bras. Déjà, des rumeurs circulaient sur elle, alors certains voudraient peut-être l'accuser de jouer la tentatrice avec ce nouveau venu en ville. Que ce soit sous les yeux de son mari agiterait encore plus les mauvaises langues.

— Sophie, me considères-tu comme un ami ?

Lentement, elle hocha la tête tout en le fixant dans les yeux.

— Alors crois-moi sur parole : rien de ce que je peux entendre ne réduira l'estime que j'ai pour toi, ou pour Georges. Et tous ceux qui vous connaissent auront la même attitude.

Sophie sourit, elle porta les doigts sous son œil gauche pour essuyer une larme. C'est en s'appuyant sur le bras de Xavier qu'elle effectua les quelques pas la séparant de la table. Après un instant, Georges décida de donner libre cours à sa curiosité.

— Cet homme, tout à l'heure, semblait pressé de te parler. Pourquoi ? Bien sûr, si je ne suis pas indiscret.

— Pas du tout. Une firme de courtage me… courtise. Il voulait juste m'offrir un peu plus.

Il disait cela sans fausse modestie. Des clients avaient profité de ses conseils, le mot s'était passé jusqu'à atteindre cette entreprise.

— Tu quitterais la banque ?

Xavier secoua la tête de droite à gauche.

— Non. Mon emploi me convient, et les perspectives d'avenir y sont meilleures.

Peu après, le groupe se dispersa. Il devenait évident que Sophie avait présumé de ses forces. Heureusement, des voitures se trouvaient toujours dans les parages pour reconduire des fêtards à la maison. Le jeune couple entendit en profiter. Si la plupart des voitures étaient tirées par des chevaux, il y avait aussi deux automobiles Ford. Au moment de s'asseoir sur la banquette arrière, la jeune femme déclara :

— Aujourd'hui, j'apprécie vraiment ces machines. Je ne me verrais pas grimper dans un fiacre.

Délia et Évariste vinrent dire « À tout à l'heure » aux enfants. Ils marcheraient jusqu'à la maison. Xavier serra les mains des plus jeunes et murmura :

— Vous me tenez au courant ?

— Sans faute, dit Georges. Bientôt, je distribuerai des cigares.

Quand la Ford s'éloigna dans une pétarade malodorante, le banquier revint vers le vieux médecin et sa femme.

— Je sais que ce n'est pas mon métier, mais je la garderais près du feu jusqu'à l'heureux événement.

— Tout de même, ce n'est pas la grippe, dit Délia en riant.

— Je crois que je serais du genre inquiet et protecteur, dans ces circonstances.

Cela parut une évidence à ses interlocuteurs. Il marqua une pause, puis ajouta :

— En réalité, je m'inquiète déjà, et pour plus d'une raison. Je suis au courant, pour Sophie. Croyez-vous que ça puisse leur porter un réel préjudice ?

— Pour la majorité des gens, je suppose que non, dit Évariste. La plupart sont imperméables à ce genre d'histoire. Soit parce qu'ils ne peuvent croire à la faute d'un prêtre, soit parce qu'ils ne font pas peser le poids des péchés des parents sur les épaules de leurs enfants.

— La plupart des gens, mais pas tous, précisa Xavier.

— Vous semblez très attaché à Sophie, remarqua Délia.

— Savez-vous que Sophie s'est montrée réticente à voir Georges, dans les mois suivant son arrivée à Boston ?

La femme secoua la tête.

— Maintenant, je comprends pourquoi. L'idée de revenir dans ce petit monde mesquin l'effrayait.

Avec un beau synchronisme, Délia et Évariste acquiescèrent d'un mouvement de la tête.

— Et votre rôle, dans cette histoire ? insista l'épouse.

— Il a dû s'imaginer qu'un banquier avait l'habitude des négociations. J'ai accepté par amitié, sans me sentir très compétent. Elle a refusé de le revoir, au début. Je l'ai rencontrée à quelques reprises, je leur ai finalement organisé un tête-à-tête.

— Avec quel argument ?

— J'ai dit à Sophie que si un homme était prêt à passer des années dans un pays étranger juste pour avoir l'occasion de renouer avec une femme, il méritait au moins une conversation. Elle a accepté, Georges a fait le reste.

« Et là, je regrette un peu d'avoir participé à son retour ici », songea-t-il. Délia hocha la tête, puis elle tendit la main en disant :

— Il avait raison, vous êtes un négociateur exceptionnel. Bonne nuit, monsieur Blain.

Quand le couple eut marché une centaine de verges, Délia dit doucement :

— Voilà un homme bien sensible. Tu me parais le connaître depuis très longtemps. En fait, je sais que je ne me trompe pas. Crains-tu que je trahisse le secret professionnel ?

Évariste eut un petit rire.

— Je suppose qu'après toutes nos années de mariage, si tu étais indiscrète, je l'aurais déjà remarqué. Reste que je trouve sa situation plus difficile que celle de mes clients avec une chaude-pisse.

— Tu n'as jamais abordé des cas semblables avec moi. Tu dois te tromper d'interlocutrice.

— Alors tu devrais comprendre pourquoi je cherche mes mots. Surtout que nous croiserons sans doute souvent cet homme, s'il est lié à Georges et Sophie. Il y a une vingtaine d'années, il a fait la grande demande à une femme. Non seulement elle a refusé, mais elle l'a fait d'une façon méprisante. Il a tenté de se suicider. Il avait dix-huit ans, il venait de terminer son cours commercial.

— Seigneur! Voilà pourquoi il a accepté de servir de messager à un amoureux transi: l'amour par procuration.

Délia comprenait mieux l'attachement de son fils et sa belle-fille envers cet homme. Ses blessures à l'âme ne lui avaient rien enlevé de sa sensibilité. De plus, imaginer un banquier jouant à Cupidon lui tira un sourire ému.

— Elle avait raison de craindre de revenir ici, dit Évariste en se rappelant les confidences de Xavier. Mais pourquoi donc n'est-il pas allé s'établir à Montréal, ou dans une autre ville?

— Par attachement pour Douceville, pour nous. Après tout, il s'agit du garçon qui est allé jusqu'à Boston pour retrouver un amour de jeunesse. Ensuite, il est revenu vers sa famille. Et elle l'aimait assez pour revenir ici.

Le couple arrivait à la demeure de la rue de Salaberry quand elle demanda:

— Je connais la femme dont Xavier était tellement entiché?

— Tu la rencontres toutes les semaines à l'église. Clarisse Payant.

— Seigneur, le pauvre homme. Tomber sur elle... J'espère qu'aujourd'hui, il mesure la chance qu'il a eue d'essuyer un refus.

— Peut-être est-il revenu pour elle. Pour essayer de renouer le contact. À la Royal Bank of Canada, plusieurs employés ont sans doute la compétence pour venir mettre de l'ordre dans la succursale de Douceville. Que cela tombe sur lui ne tient peut-être pas totalement au hasard.

Comme tous les dimanches depuis son arrivée dans la ville, Xavier assistait à la grand-messe à l'église Saint-Antoine, debout à l'arrière du temple. Au moment du prône, dans ses plus beaux habits ecclésiastiques, le curé Lanoue grimpa les quelques marches conduisant en haut de la chaire.

Son visage était très grave. Comme les récoltes promettaient d'être bonnes, qu'aucun cours d'eau ne sortait de son lit, qu'aucune épidémie ne ravageait la population, les paroissiens comprirent qu'il fustigerait le péché et les pécheurs. Ils en eurent la certitude quand il commença par évoquer les nouvelles de la paroisse – de la promesse de mariage entre un ouvrier de la manufacture de moulins à coudre et une employée d'un commerce de vêtements de la rue Richelieu à l'annonce que Jos Montour souhaitait vendre des petits cochons. Car, à Douceville, des gens pouvaient garder une truie dans leur arrière-cour, et en vendre la portée après le sevrage. Les acheteurs élèveraient le cochonnet qui remplacerait la volaille lors du repas de Noël.

Ces questions venaient d'habitude après le prône. Pas cette fois.

— Vous savez tous que la diffamation peut conduire quelqu'un devant un tribunal civil, et calomnier, devant le tribunal divin. Les deux mots sont des synonymes…

Xavier chercha les bancs des Turgeon, placés l'un derrière l'autre. La distance ne lui permettait pas d'identifier les émotions sur le visage de Georges, mais il les devinait sans peine. La colère – poussée jusqu'à la rage –, et certainement aussi la peur. L'abbé Lanoue prit bien le temps de définir la calomnie, sans dire un mot de la médisance. Puis il conclut avec une voix tonitruante, qui ne devait rien céder à celle de Moïse quand il était descendu de la montagne avec les tables de la loi dans les bras, pour trouver son peuple en pleine adoration du veau d'or.

— Présentement, une personne, ou quelques personnes de notre paroisse répandent les histoires les plus horribles sur certains de leurs voisins. Des histoires qui sont susceptibles de nuire à ces paroissiens, et à la Sainte Église catholique. Je connais leur identité. S'ils ne confessent pas leurs fautes avec le ferme propos de ne jamais recommencer, je leur refuserai l'accès à la Sainte Table. Et je n'hésiterai pas à les dénoncer du haut de cette chaire.

Le ton devait inciter tout le monde à croire qu'il n'hésiterait pas, s'il le fallait, à aller jusque-là. Sur le banc de la famille Rancourt, Ulric serrait les mâchoires. « Le crisse de salaud », ragea-t-il. Spontanément, il soupçonna Aristide d'avoir « rapporté » au curé. Ensuite, il se corrigea : Xavier Blain se présentait comme un ami du curé. Pour obtenir cette menace du haut de la chaire, il avait dû intervenir auprès de lui. Il se retourna discrètement pour regarder le banquier.

Quand la messe se termina, les ouailles sortirent de l'église en murmurant. Les gens devaient dresser la liste de toutes les histoires un peu croustillantes venues à leurs oreilles ces dernières semaines, pour identifier celle qui leur valait cette sainte colère.

Xavier demeura appuyé contre le mur jusqu'au moment où sortirent les Turgeon. Il adapta son pas au leur pour les aborder sur le parvis.

— Madame, messieurs, j'espère que vous allez bien.

— Aussi bien que possible, dans les circonstances.

Ils semblaient avoir perdu leur équanimité habituelle. Le sermon du curé était une arme à deux tranchants. Tous ceux qui n'avaient rien entendu de cette « calomnie » risquaient maintenant de vouloir l'apprendre à tout prix.

Xavier se sentait un peu coupable : sans son intervention, l'abbé Lanoue n'aurait sans doute rien dit.

— Je constate que Sophie n'est pas avec vous. J'espère que tout va bien pour elle.

— Pas très bien, dit Georges, mais cela ne tient pas à son état physique.

Il baissa la voix au point de devenir presque inaudible :

— Le curé nous a annoncé le sujet de son sermon à l'avance. Elle a préféré ne pas venir.

Une décision parfaitement compréhensible. Les Turgeon le saluèrent, puis poursuivirent leur chemin. Il n'avait pas encore descendu la première des trois marches conduisant à l'allée quand Xavier entendit :

— Quel plaisir de te revoir !

Clarisse Payant avait parlé suffisamment fort pour être entendue à la ronde. Délia se retourna pour la regarder, sa mine montrant un certain dégoût.

— Madame.

Il n'allait certainement pas lui dire que le plaisir était réciproque. Son regard se porta sur la jeune fille qui se tenait un pas derrière, et il la salua d'un geste de la tête. Il lui sembla que la robe un peu trop étroite qu'elle portait déjà fin juin était maintenant tout à fait ajustée. Le vêtement n'avait pas été agrandi, le travail à la manufacture la faisait maigrir.

— La journée promet d'être belle. L'occasion serait parfaite pour une promenade. J'aurais tellement de choses à te dire.

L'homme eut l'impression que les joues d'Odile étaient en feu. Elle avait honte de sa mère.

— Malheureusement, le travail à la banque ne me laisse aucun répit.

— Mais nous sommes dimanche !

— J'ai la permission de l'abbé Lanoue. Un peu comme un cultivateur à qui le curé permet de travailler à sa récolte le jour du Seigneur, quand la pluie menace de tomber.

— Toi, je te soupçonne de récolter des dollars…

Elle lui adressait un sourire qui se voulait de connivence, comme s'il faisait la fourmi pour leur intérêt à tous les deux.

— Certains hommes récoltent, d'autres perdent même leur semence.

L'allusion limpide aux insuffisances de feu monsieur Payant joua sur l'humeur de Clarisse.

— Je t'ai vu en grande conversation avec les Turgeon, tout à l'heure. C'est curieux, quand j'ai entendu le curé parler de rumeurs tout à l'heure, j'ai pensé à eux.

— Monsieur le curé a parlé de diffamation et de calomnie. Des fautes pour lesquelles il existe deux tribunaux. En bon chrétien, jamais je n'écoute les rumeurs. Bonne journée.

Chapitre 9

À cause de son travail assidu six jours sur sept, Xavier ne voyait pas passer l'été. On était déjà dans la seconde moitié de septembre. Lorsqu'en fin de journée il se dirigea vers un petit restaurant, il aperçut une silhouette vaguement familière. Une jeune fille marchait dans sa direction. Elle était à vingt verges quand il reconnut Odile Payant. Le regard de la jeune fille se porta de l'autre côté de la rue, comme si elle souhaitait éviter à tout prix la rencontre. Elle s'abstint de la traverser, jugeant sans doute que ce serait se couvrir de ridicule.

Le banquier retira son feutre au moment de la croiser.

— Bonjour, mademoiselle.

Elle retourna son salut d'une voix si faible qu'il n'entendit rien. L'homme regarda les cernes sous les yeux, le visage un peu émacié. Il sentit aussi l'odeur prenante de vinaigre.

— J'espère que vous allez bien.

— Très bien, merci.

— On ne dirait pas. Si vous voulez, nous pourrions nous asseoir quelque part un instant.

— Non, non. Je dois rentrer. Ma mère m'attend.

— Vous pourriez lui téléphoner.

Odile eut envie de dire « Nous n'avons pas le téléphone », mais la honte l'en empêcha.

— Habillée comme ça… Et puis l'odeur ! Je sais bien qu'elle vous importune.

— Disons que j'ai deviné que vous aviez trouvé un emploi à la manufacture Eureka.

Le rouge lui monta aux joues.

— Venez, nous allons nous asseoir dans le parc.

Comme elle hésitait encore, il ajouta :

— Je ferai en sorte que le vent souffle dans votre direction.

Cette fois, elle eut un véritable sourire, montrant un alignement de dents parfait.

— Vous acceptez ?

La jeune fille répondit d'un geste de la tête. L'homme remit son chapeau, puis la laissa marcher du côté des maisons. La rue Longueuil débouchait sur le palais de justice. Le parc municipal avait été aménagé juste derrière. Comme la plupart des citadins se trouvaient à table pour le souper, ils purent facilement trouver un banc où s'asseoir.

— Vous travaillez là depuis longtemps ?

— Fin juin, début juillet.

Puis elle précisa, comme pour s'excuser :

— Je n'ai pas vraiment le choix. Mon père nous a laissées dans la gêne.

— J'avais compris ça. Vous n'avez pas à vous en excuser. J'ai aussi connu les emplois minables, les salaires de famine.

L'allusion à la misère lui fit penser que son interlocutrice ne paraissait pas très bien nourrie. La pensée de l'inviter dans un restaurant lui vint à l'esprit.

— Justement, j'ai un peu faim. Que diriez-vous si j'allais nous acheter quelque chose à manger ?

De la tête, il désigna un petit kiosque. Elle allait protester, il la prit de vitesse.

— Ne bougez pas, j'en ai pour une minute.

Au moment de s'éloigner, il songea : « Si elle ne s'esquive pas en douce, c'est qu'elle est affamée. » Tout en commandant, il la surveilla du coin de l'œil. Elle fit mine de se lever, pour se raviser ensuite.

Bientôt, il revenait vers elle avec deux hot-dogs dans une main, un cône de frites dans l'autre.

— J'ai préféré ne pas mettre de vinaigre là-dessus, dit-il en le lui tendant pour qu'elle se serve.

Cette fois, elle pouffa de rire. « Si Clarisse avait accepté de m'épouser, elle pourrait être ma fille », songea-t-il. C'était une façon d'interpréter sa sympathie pour elle.

— Vous avez étudié au couvent ?

La bouche pleine, elle acquiesça de la tête.

— Jusqu'au terme du programme ?

Un autre hochement pour répondre par l'affirmative.

— Pourquoi ne pas avoir cherché un emploi dans une banque, comme secrétaire dans une entreprise, ou même comme téléphoniste ?

Elle présentait un joli minois, s'exprimait trop souvent par signes, mais cela ne trahissait pas une faiblesse de son vocabulaire. Au contraire, sa voix douce aurait plu à tous les clients demandant une communication téléphonique. Cette fois, il lui fallait y aller de quelques mots. Après avoir dégluti, elle commença :

— Vous me voyez aller travailler à votre banque comme ceci ?

Du geste, elle désignait sa robe, son fichu. Effectivement, si le vêtement convenait dans une usine, ou pour faire le ménage, la jeune femme ferait une bien mauvaise réclame dans un emploi qui la mettrait en contact avec la clientèle.

— Vous ne pouvez pas avoir mieux ?

— Nous avons du mal à manger tous les jours.

— Je comprends.

Après cela, Xavier ne sut comment redonner un cours normal à la conversation. Pourtant, ils restèrent dans le parc encore une dizaine de minutes à bavarder de choses et d'autres. À son tour, Odile réussit à le mettre très mal à l'aise.

— Maman m'a raconté, pour vous deux.

Après une pause, elle continua:

— Ces quelques minutes en votre compagnie m'ont permis de constater combien elle manquait… et manque encore de discernement.

Ensuite, aucun des deux ne sut comment poursuivre. Agréable d'abord, le silence devint insupportable. La jeune fille annonça:

— Je dois rentrer, maintenant.

— Je vais vous raccompagner.

— Non, ce n'est pas nécessaire.

— Je ne m'engagerai pas dans votre rue.

Ils passèrent devant la prison et longèrent le mur du palais de justice. Au coin de la rue Longueuil, Xavier lui dit:

— J'aimerais vous revoir.

Odile haussa les sourcils.

— Comme ça, le temps de manger un peu, ou juste d'avoir une conversation.

Elle hocha la tête pour accepter. En guise de salut, il toucha très légèrement son bras, à la hauteur du coude. Puis il la regarda traverser la rue Saint-Charles et marcher jusqu'à la petite maison couverte de planches.

Odile monta l'escalier très lentement, comme si ce retour dans sa réalité lui pesait. Au moment où elle passait la porte, sa mère l'accueillit en disant:

— Où étais-tu? J'étais à la veille de partir à ta recherche.

Pourtant, elle était bien assise à table, sur sa chaise préférée, en train de faire une réussite.

— Quelqu'un m'a offert de quoi manger.

Présenté comme cela, c'était évoquer un geste charitable. Mais Clarisse ne le vit pas du tout de cette façon.

— Je savais qu'un garçon te remarquerait. Sois gentille avec lui.

— Voilà un conseil que tu aurais dû te donner à toi-même il y a des années. C'est monsieur Blain qui a eu pitié de moi. Comment as-tu pu l'envoyer promener ? Si j'avais pu choisir mes parents…

En dix-huit ans d'existence, jamais elle n'avait formulé le moindre mot de révolte. Sa propre audace l'effraya. Elle se précipita dans sa chambre.

Peu après, à la suite d'un bref passage dans la salle de bain, Odile enleva sa vilaine robe pour l'accrocher sur un cintre, puis enfila sa chemise de nuit. La déchirure sur le flanc lui tira un soupir lassé. Son univers se composait de vieilles guenilles qui se dégradaient chaque jour, ou devenaient trop petites. Elle regagna son lit. Très mince, le matelas la protégeait mal des lames métalliques du sommier. Tout dans l'appartement, dans la pièce, dans son lit, dans ses vêtements, criait sa misère.

Étendue sur le dos, les yeux grands ouverts, la jeune fille repensa à sa rencontre avec Xavier Blain. Pour la première fois, elle se faisait une idée précise de cet homme. En présence de sa mère, il se montrait distant, contrarié, soucieux de mettre fin à la conversation le plus vite possible. Pourtant, en tête à tête, elle l'avait trouvé attentionné et respectueux. Au point d'alléger un peu son sentiment de honte. Honte de son odeur, de sa robe, de sa mère.

De façon machinale, sans y penser, elle frottait ses mains l'une dans l'autre. Le vinaigre se révélait un peu corrosif. Il laissait sa peau rugueuse. Pour faire disparaître l'odeur, tous les soirs, elle les frottait longuement avec du savon, ce qui accentuait encore leur sécheresse. Surtout, un léger picotement ne la quittait plus. Des mains de vieilles, à dix-huit ans.

À ressasser ses malheurs, elle ne trouvait pas le sommeil. À la fin, seul l'épuisement lui permit de sombrer dans l'inconscience. Elle revint à elle au moment où l'aube blanchissait un peu la fenêtre. Une seconde plus tard, lui sembla-t-il. Après avoir allongé la main pour bloquer la sonnerie du gros réveil Big Ben placé sur une chaise, la jeune fille s'assit sur le rebord du lit.

Il lui fallait trois minutes pour se préparer, le temps d'enfiler sa robe et de passer à nouveau dans la salle de bain pour s'essuyer vigoureusement le visage avec une toile passée sous l'eau froide. Un morceau de pain devrait lui fournir l'énergie pour passer à travers la matinée, jusqu'au lunch, composé d'un morceau de pain encore, et d'un morceau de fromage. Clarisse apparut dans la cuisine en réprimant un bâillement. La mère contempla sa fille avant de lui faire remarquer :

— S'il t'a payé à souper, c'est sans doute parce que tu lui as fait bonne impression.

— Plutôt parce que je lui ai fait pitié.

— Voilà qui n'est pas plus mal. S'il ne veut pas m'aider, peut-être aura-t-il un geste pour toi. Je vais retourner le voir aujourd'hui.

Cette attitude écorchait toutes les règles du savoir-vivre, au point sans doute de nuire à sa propre réputation. Dans la toute petite ville, que pensait-on de Clarisse ? Rien de bien, sans doute. Et certainement, rien de meilleur au sujet de sa fille. Des mères devaient dire à leur fils: «La petite Payant? Tiens tes distances. Le fruit ne tombe jamais loin de l'arbre.»

Juste pour ne plus avoir sa mère sous les yeux, pour ne plus entendre son babillage, Odile quitta la maison un peu plus tôt que d'habitude. Pour ne pas lui dire ce qu'elle en pensait, aussi. Elle aurait voulu lui crier: «Vieille folle! Repousser un jeune homme à l'avenir prometteur, avec des qualités de cœur évidentes, pour épouser un raté.» Que ce raté soit son propre père ajoutait à son malheur.

Le lendemain matin, Xavier pensait encore à la charmante jeune fille avec qui il avait parlé une petite heure. «Elle pourrait être ma fille», se répétait-il toujours. Une curieuse réaction. S'il avait été son père, ce serait une tout autre personne, avec une autre hérédité.

Il en était encore à ces réflexions quand des coups contre la porte attirèrent son attention. Aristide Careau entra et referma dans son dos pour dire:

— Monsieur Blain, madame Payant demande à vous voir.

Spontanément, il pensa à Odile, avant de se rendre compte que sa présence, pendant son horaire de travail, était hautement improbable.

— Elle a dit ce qu'elle désire?

— Elle a dit que c'était personnel.

— Évidemment. Bon, faite-la entrer.

Quand Aristide regagna son poste, son collègue Rancourt murmura:

— Paraît que les deux se sont déjà fréquentés.

— Tu sais qu'il n'aime pas le mémérage. Ici, ou ailleurs.

— Là j'parle pas de la fille du curé. Mais si tu vas encore me *stooler*…

S'il ne formula pas sa menace à haute voix, il lui montra son poing.

Clarisse s'assit devant lui sans qu'il l'invite à le faire. Son sourire se voulait aguichant, il la trouvait surtout ridicule et vulgaire. De qui Odile tenait-elle son côté timide et réservé ? Isidore présentait peut-être des qualités humaines faisant défaut à sa compagne.

— Ma fille m'a dit combien tu avais été gentil de lui avoir offert à souper.

— On parle de dix cents.

— Quand même ! Elle a été touchée.

L'argument ne sembla pas l'atteindre au cœur. Aussi Clarisse alla plus loin :

— Elle est allée jusqu'à me dire que j'aurais dû te choisir, à la place d'Isidore.

Cette fois, il eut l'esquisse d'un sourire.

— Pour tout t'avouer, je pense qu'elle a raison, continua la visiteuse. Tu sais que nous sommes dans une situation difficile… J'ai du retard avec le loyer, j'ai du mal à payer la nourriture. Même si c'est juste pour elle, tu devrais faire un effort.

Un peu de sympathie exprimée à l'égard de la fille, et la mère revenait quémander à nouveau, pour tirer profit de sa compassion.

— Vous venez me demander la charité ? Vous auriez plus de chance auprès de monsieur le curé. Il a ses bonnes œuvres.

Cette fois, le sourire de la visiteuse se figea.

— Pas la charité, mais un prêt.

— Depuis votre première visite, quelque chose a changé dans votre situation économique ?

Comme elle ne répondait pas, il ajouta :

— Occupez-vous un emploi, par exemple ?

La remarque contenait une allusion indirecte au sort de la jeune fille. Cette fois, la visiteuse perdit tout à fait son sourire.

— Je ne peux pas, voyons ! Ma santé ne me le permettrait pas.

— Alors, comment pourriez-vous rembourser un prêt ?

— Tôt ou tard, je me remarierai. Et si ce n'est pas moi, c'est Odile qui se mariera.

Xavier serra les bras de son fauteuil à s'en blanchir les jointures. Il respira longuement avant de dire :

— Écoutez, comme le dit le dicton, on ne prête qu'aux riches. La raison en est toute simple : les pauvres sont de mauvais payeurs.

Le silence dura longtemps. Clarisse ne baissa pas les yeux, comme pour le défier. Elle ne partirait pas d'elle-même.

— Maintenant, madame Payant, je dois vous chasser, dit-il en se levant. Mon travail m'appelle.

Il marcha jusqu'à la porte, l'ouvrit.

— Je vous souhaite une bonne journée.

« Devrai-je appeler la police pour la sortir d'ici ? », se demanda-t-il. Heureusement, ce ne serait pas nécessaire puisqu'elle finit par sortir. Dans la pièce voisine, Ulric Rancourt la suivit des yeux. Quand son patron eut refermé sa porte, il glissa entre ses dents : « Ils ne se remettront pas ensemble, on dirait… »

La dernière visite de Clarisse préoccupa Xavier pendant les deux jours suivants. Plus il y songeait, plus la situation de la jeune fille lui faisait pitié. À cause de la pauvreté, mais aussi pour avoir cette femme pour mère. L'expérience devait être cruelle. Le vendredi, il décida d'attendre à un angle d'un édifice de la rue Saint-Jacques. Odile était susceptible de passer par là au moment de faire le trajet jusque chez elle. S'il la voyait avec des camarades de travail, il n'aurait qu'à rester dissimulé.

Après quelques minutes, il la vit venir, petite silhouette vêtue de la même robe brune. En quelques enjambés, il alla se planter sur le trottoir de bois. En l'apercevant, la jeune fille ralentit le pas. Un instant, il craignit de la voir traverser la rue, ou tourner les talons. Pourtant elle s'avança, et s'arrêta devant lui.

— Bonjour, mademoiselle.

— Bonjour, monsieur Blain.

Un sourire timide sur les lèvres, elle paraissait fixer son regard sur son épingle de cravate.

— Pourriez-vous me faire le plaisir de m'accompagner à nouveau pour le repas ?

— Je ne sais pas.

— Votre mère est passée me voir il y a deux jours. J'aimerais vous parler de cette rencontre.

— Il fait un peu froid pour s'asseoir dans un parc.

— Sans compter que la pluie menace, remarqua-t-il. Allons dans un restaurant.

— Je reste toujours aussi malodorante, et vêtue comme une quêteuse.

— Comme quelqu'un qui travaille dans une manufacture. Ce qui ressemble fort au costume d'une fille de ferme. Si nous allons près du marché, vous passerez inaperçue.

À nouveau, il songea qu'une réponse positive témoignerait surtout de sa sous-alimentation. Les cernes sous les yeux et sa maigreur indiquaient que son ordinaire n'avait pas subi une embellie, récemment. Après un geste d'acquiescement, ils se mirent en route.

Après quelques minutes de marche rue Saint-Jacques, ils atteignirent la rue Longueuil. Le marché se trouvait à quelques dizaines de verges vers le sud, derrière l'hôtel de ville. Des petits restaurants donnaient sur la place. Xavier choisit le plus modeste. Avant d'entrer, il dit :

— Si vous enleviez ça ?

Du doigt, il désigna le fichu. Il servait essentiellement à tenir les cheveux en place et à les protéger de la saleté. Elle le glissa dans l'une des poches de sa robe. La jeune fille lui adressa un sourire timide. Vêtue autrement, avec quelques livres en plus, il l'aurait trouvée tout à fait jolie.

Ils entrèrent dans un établissement bas de plafond, où la fumée de cigarette, de pipe et même de cigare de mauvaise qualité ressemblait à un brouillard bleuté.

— Je comprends que dans un endroit pareil, l'odeur de vinaigre devienne moins perceptible, dit Odile après un petit rire chargé d'autodérision.

Un serveur vint tout de suite prendre leur commande. Comme la première fois, Xavier décida pour tous les deux, demandant deux pièces de viande accompagnées de pommes de terre. Et deux bières.

Quand le serveur se fut éloigné, elle murmura :

— Je n'ai jamais bu de bière. À mon âge…

— Après dix heures dans une fabrique de vinaigre, je crois que vous êtes assez grande pour une bière de prohibition.

Lors de l'adoption d'une loi interdisant la vente d'alcool dans la province, les brasseurs avaient offert un produit peu alcoolisé, afin de rallier à la fois les pouvoirs publics et les autorités religieuses. Et les associations syndicales avaient défilé dans les rues pour qu'on ne leur enlève pas cette consolation après de longues heures de travail.

Quand les brocs furent déposés sur la table, Xavier prit le sien en disant :

— Je suis certain que vous avez faim. En plus, après toutes ces heures à la manufacture, vous devez mourir de soif.

La jeune fille se laissa convaincre. La première gorgée lui tira une grimace. Pourtant, elle en prit une autre, puis une troisième.

— C'est âcre.

— La prochaine fois, nous pourrions prendre un verre de Coca-Cola, si nous allons dans une pharmacie. Vous connaissez ?

Elle secoua la tête de droite à gauche.

— Du sucre et de la caféine. Selon la publicité, c'est merveilleux pour la digestion.

Quand les assiettes furent devant eux, de nouveau, son empressement à tout avaler lui inspira de la pitié. Quand elle reposa sa fourchette, il commença :

— Votre mère est revenue à la charge, pour obtenir un prêt.

— Je sais. Elle ne m'épargne pas le récit de ses démarches.

La jeune fille jugea de son devoir d'informer cet homme des ruses maternelles.

— Elle s'imagine que vous allez succomber à nouveau. Elle m'a dit, pour la tentative de suicide…

— Votre mère, c'est comme la variole. Quand on l'a eue une fois, on est immunisé.

— Même si je sais que c'est impossible, ça semble une possibilité pour elle. Sa seconde solution, pour régler ses problèmes, c'est que moi je me marie.

— Et qu'en pensez-vous ?

— Le seul homme à l'usine qui a exprimé un petit intérêt à mon égard a déjà une épouse.

— Dans une contrée catholique, c'est un gros obstacle.

Encore une fois, la répartie la fit sourire.

— Il y a une autre solution. Je compte aller voir le curé Lanoue afin de lui demander s'il peut m'aider à entrer au couvent.

L'endroit où les jeunes filles malheureuses allaient cacher leur peine. Pour échapper à la pauvreté, ou à une déception amoureuse, ou à des parents abusifs. Une tunique en guise d'armure pour se protéger des aléas de la vie.

— Dieu vous a appelée ?

Cette façon d'évoquer la vocation religieuse lui paraissait si ridicule. Comme si la compagnie Bell avait une ligne directe avec le paradis. Son interlocutrice rougit une nouvelle fois. Il le devina plus qu'il ne le vit, dans ce restaurant mal éclairé et enfumé. C'était sa réaction habituelle dans toutes les situations où elle ressentait un inconfort.

Il eut envie d'ajouter : « Ne faites pas ça juste pour lui échapper, ça ressemble trop à s'ouvrir les veines. Je veux bien vous donner cinquante dollars et payer votre billet de train jusqu'à l'un des petits Canadas de la Nouvelle-Angleterre. » C'est-à-dire l'une de ces villes manufacturières où des Canadiens français allaient chercher une vie meilleure. À la place, il proposa :

— Il existe de meilleurs emplois que chez Eureka. Je crois que vous pourriez en dénicher un. Je suis même prêt à en parler à quelques personnes.

— Tout à l'heure, vous me disiez que je ressemblais à une fille de ferme. Pourtant, je dois être la plus mal habillée ici.

Parce que passé six heures, les filles de ferme s'occupaient de la traite des vaches. La partie féminine de la clientèle du restaurant se composait sans doute d'ouvrières, invitées là par un galant. Toutes étaient passées par la maison pour mettre une meilleure robe.

— Si c'est la seule raison qui vous retient, je suis prêt à vous payer une robe.

Elle haussa les sourcils, certaine qu'une proposition indécente suivrait. Toutes ses amies, et même sa mère, disaient que les hommes se faisaient toujours payer leurs largesses.

— Ne me prêtez pas des intentions. Je vous offre une robe, rien d'autre.

Quoique toujours sceptique, la jeune fille hocha la tête.

— Je ne connais rien du travail de bureau, alors que j'ai fréquenté le couvent pendant dix ans. Je connais la vie religieuse.

Xavier fit signe qu'il comprenait. Celle-là ne prendrait sans doute pas un billet vers les États-Unis pour échapper à sa mère. Elle souhaitait demeurer dans un endroit familier. Après cela, il chercha des sujets de conversation anodins. Bientôt, il paya l'addition et l'accompagna jusqu'à l'intersection de la rue Longueuil.

— Je vais rester ici pour être certain que vous entrerez chez vous sans encombre.

« Et ça me donnera l'occasion de savoir où vous habitez. »

— Je vous remercie. Vous êtes très généreux avec moi.

— Je ne sais pas pourquoi, mais vous m'incitez aux bonnes actions. Mon offre tient toujours. Aujourd'hui, ou plus tard.

Pendant tout le trajet pour retourner à l'appartement, Odile avait imaginé l'accueil de sa mère. Cela ne pouvait manquer, elle la reçut avec un ton qui trahissait de multiples émotions : la colère, la jalousie, le dépit pour le temps qui passe.

— Je suppose qu'il t'a encore invitée à souper sur un banc du parc ?

— Non, il m'a emmenée dans un restaurant, cette fois.

L'initiative laissa sa mère muette quelques secondes.

— Décidément, le voilà très attentionné. Jusqu'où ça va aller ?

Comme Odile ne répondait pas, elle continua, d'une voix de mégère :

— Méfie-toi, tu n'es pas encore rendue au pied de l'autel. À la première contradiction, il risque de tenter de se tuer.

— Tu te trompes de sentiment. Il ressent de la pitié pour une fille dont les parents n'ont pas été capables de lui offrir une vie décente.

— Ça, c'est à cause de ton père.

— Vraiment ? En tout cas, lui, c'est un homme généreux. Il est prêt à me payer une robe pour que je puisse chercher un travail de vendeuse ou de commis.

Sur ces mots, elle retraita prudemment dans sa chambre. La fatigue et la honte l'empêchaient de taire sa frustration à l'égard des insuffisances de ses parents. Trouver de la considération chez un pur inconnu, après des années auprès de parents indifférents, la chamboulait.

Chapitre 10

Le lendemain, Xavier était arrivé songeur à la banque. Il s'arrêta devant le pupitre d'Aristide Careau pour demander :

— Quelque chose pour moi, ce matin ?

— Non, mais je ne suis pas encore allé à la poste. Je pensais y aller tout à l'heure.

— Très bien.

Ensuite, le directeur passa dans son bureau. Il avait à peine refermé la porte dans son dos qu'Ulric Rancourt rompit la grève du silence à laquelle il se livrait depuis leur échange sur ses aspirations professionnelles.

— Je comprends qu'il ait l'air un peu mêlé. Là, il courtise la mère et la fille.

Devant les yeux écarquillés de son collègue, il expliqua :

— La belle madame Payant…

— Il ne la courtise pas. C'est elle qui tourne autour de lui.

— Franchement, des fois tu me donnes l'impression d'avoir douze ans. Il joue un jeu pour se faire désirer.

Comme une coquette jouant à l'indifférente pour faire grimper le désir d'un prétendant. « Je me demande qui a douze ans… », songea le secrétaire. Il attendit la suite.

— Hier soir, il a soupé avec la fille. Elle se nomme Odile. Ce n'est pas un gars dédaigneux, j't'assure. Elle est laide comme un pichou et habillée comme la chienne à Jacques. En plus, elle pue.

Aristide fronçait les sourcils. Il se souvenait d'avoir vu Odile Payant une fois à la banque, mais aussi dans les rues, et parfois sur le parvis de l'église, quand il accompagnait sa fiancée à la messe à Saint-Antoine. L'adolescente était bien un peu ridicule dans son uniforme scolaire. Ridicule, mais pas laide du tout…

❧

Le curé Lanoue faisait des confessions tous les dimanches, avant la grand-messe. Quand Odile avait dit à sa mère qu'elle souhaitait partir à l'église un peu plus tôt que d'habitude, celle-ci avait accueilli la demande avec un sourire ambigu.

— Y a-t-il des choses que tu me caches ? Les invitations répétées de Xavier te donnent-elles des idées ?

Pour elle, deux fois, c'était répété. La femme paraissait à la fois jalouse parce que sa fille était devenue plus attirante qu'elle, et satisfaite parce qu'une autre solution lui permettrait peut-être de régler un problème pécuniaire de plus en plus grave.

— J'ai pris l'habitude de me confesser tous les mois au couvent, et maintenant septembre vient de commencer.

— Bien sûr, le salut de ton âme est menacé.

Les mots contenaient la plus grande ironie. Tout de même, elle décida d'accompagner sa fille. Bientôt, Odile se plaçait derrière les quelques personnes qui attendaient leur tour. Quand elle s'agenouilla dans la boîte de chêne, après les banalités d'usage – l'envie, la jalousie… heureusement, la gourmandise ne figurait pas sur la liste –, elle en vint au cœur du sujet :

— Mon père, je m'accuse d'éprouver de la colère.

— Contre quoi ? Contre qui ?

— La vie. Mes parents. Mon père m'a laissée dans la misère, ma mère passe ses journées à ne rien faire, alors que moi je me crève dans une manufacture.

— Père et mère tu honoreras.

— Je n'y peux rien. Je passe dix heures tous les jours à me brûler les doigts dans la manufacture de vinaigre et elle, elle ne fait rien.

— Dieu vous a placée dans cet état. Vous ne pouvez vous révolter contre Sa volonté.

Ce Dieu s'avérait donc un très mauvais plaisantin. Ce genre d'échange se continua encore deux ou trois minutes, puis l'abbé Lanoue lui donna trois *Je vous salue Marie* en guise de pénitence. Une peine légère, pour qui écorchait le quatrième commandement de Dieu. Il lui reconnaissait certainement des circonstances atténuantes. Avant que le prêtre ne referme le guichet, Odile dit rapidement :

— Monsieur le curé, j'aimerais vous parler.

— Vous pouvez le faire tout de suite.

— Non, pas ici.

— Bon, cet après-midi, après le dîner.

Sur cet engagement, elle retraita vers l'arrière de l'église, afin d'effectuer sa pénitence. Quand il arriva, Xavier lui adressa un salut de la tête. Clarisse Payant le prit pour elle.

Le curé avait dit « après le dîner ». Le repas d'Odile lui demanda à peine quinze minutes. Dans le grand presbytère, elle devinait que les choses devaient aller moins rondement. Elle attendit donc après une heure avant de quitter la maison. Quand elle sortit, sa mère demanda :

— Qu'est-ce que tu lui veux, au curé ?

— Lui parler de mon avenir.

Sa mère lui jeta un regard un peu inquiet. Elle devait être la seule à Douceville à craindre que sa fille ne devienne novice dans une congrégation religieuse.

Le presbytère se trouvait à seulement quelques minutes de marche. Quand Odile monta l'escalier conduisant à la porte, le trac ralentit son pas. Madame curé vint répondre. Le bureau se trouvait tout près, sur sa gauche. Le prêtre y était déjà.

— Calixte, dit la vieille femme, mademoiselle Payant désire te parler.

L'ecclésiastique leva les yeux de son bréviaire. S'il n'avait pas établi le lien entre la jeune fille en colère dans le confessionnal et cette couventine qu'il avait confessée tous les mois pendant des années, maintenant c'était chose faite. Il se leva, s'avança la main tendue et désigna une chaise tout en regagnant la sienne. Après une minute de silence, il demanda :

— Qu'est-ce qui vous amène, mademoiselle ?

— J'aimerais entrer au couvent.

Puisque l'abbé Lanoue restait coi, elle craignit que son mouvement de colère, dans le confessionnal, ait gâché toutes ses chances. Personne n'entrait dans une congrégation sans être chaudement recommandé par son curé.

— Vous croyez que Dieu vous y appelle ?

Le fameux appel. Quand, deux ans plutôt, elle avait demandé à son enseignante comment cela se passait, la réponse était venue sans une hésitation : « S'Il t'appelait, tu le saurais. » Un argument imparable.

— Oui, bien sûr.

Comme il ne répondait rien, elle jugea utile d'ajouter :

— Tout à l'heure, j'étais excédée. Je suis fatiguée après soixante heures à la manufacture. Je suis une bonne chrétienne, vous me connaissez.

Ses confessions, sincères, ne contenaient aucun péché grave. Enfin, rien qui concernait l'impureté. Cela lui paraissait la seule faute vraiment incompatible avec le vœu de chasteté.

— Oui, je vous connais. Donc, je connais aussi votre histoire. Entrer en religion pour échapper à la pauvreté, cela peut sembler facile. Mais ce choix engage toute l'existence.

Pourtant, neuf personnes sur dix cherchaient d'abord la sécurité dans les ordres ou dans les congrégations. Lui-même était passé de fils d'un cultivateur un peu miséreux, dont le curé payait les études, au statut le plus respectable de la ville.

— J'ai terminé le cours supérieur. Je pourrais commencer à faire la classe immédiatement.

— Oui, je sais.

— Je pourrais tout aussi bien entrer comme novice à l'hôpital. Ça, je n'y connais rien, mais je me tuerais à l'ouvrage pour apprendre.

De toute façon, elle le faisait déjà. Elle se sentirait seulement moins misérable de le faire dans une tâche utile.

— Je pense que tu y arriverais. Toutefois, je ne suis pas certain que ce soit ta place.

— Pourquoi ? Parce que mes parents ne pourraient pas payer la dot ?

Traditionnellement, au moment de son mariage, les parents de la fiancée versaient une dot – un trousseau pour la maison ; pour les plus riches, une somme d'argent ou une terre – afin d'aider le nouveau ménage à démarrer dans la vie. Ou, dans le cas d'une entrée en religion, pour couvrir la pension de la postulante.

— De nos jours, les congrégations ne demandent plus de dot, même si elles ne les refusent jamais.

— Alors rien ne m'empêche de le faire.

— Mais ta mère a besoin de toi.

— Ce sont les parents qui sont censés s'occuper de leurs enfants…

— Et les enfants, de leurs parents dans le besoin. L'Église, tout comme le Code civil, l'exige.

Odile hocha la tête docilement. Prendre soin des descendants, ou des ascendants. D'habitude, en effet, les enfants prenaient soin de leurs parents devenus vieux. L'usage lui paraissait tout naturel dans des conditions normales. Mais pas pour une jeune fille devant soutenir une femme de quarante ans en bonne santé.

L'abbé Lanoue devait avoir déjà eu cette conversation, car il dit avec un parfait à-propos :

— Dans toutes les manufactures, des enfants travaillent pour remettre leur paye à leurs parents. Et souvent dès douze ou treize ans.

Un peu plus et il lui disait de se compter parmi les chanceuses, puisque cette obligation lui était tombée dessus à dix-huit ans.

— Je n'en peux plus. C'est trop difficile pour moi.

Elle allongea ses mains gercées et rougies pour le lui prouver.

— L'habitude viendra. Tous les enfants vivent la même chose.

L'orgueil l'empêcha d'éclater en sanglots. Elle balbutia un « Merci » – mais pourquoi diable ? –, puis s'enfuit. Au moment de sortir, elle claqua la porte si fort que madame curé sortit de la cuisine.

— C'était quoi, ce bruit ?

— Une paroissienne gravement déçue de son curé. Et elle a bien raison.

Depuis quelques jours, Xavier Blain n'avait plus eu de nouvelles des Turgeon. Puis un matin, il entendit des éclats de voix, des coups contre sa porte.

— Monsieur, dit Aristide en ouvrant avant d'entendre le "Entrez". C'est le docteur Turgeon…

Ce dernier entra dans la pièce. À son air jovial, le banquier comprit qu'il apportait de bonnes nouvelles.

— Xavier, aujourd'hui, tu dois apprendre à fumer.

Le secrétaire referma pour les laisser seuls. Dans la salle du personnel, Ulric Rancourt remarqua :

— La fille du curé a enfin acheté. Une chance, elle était sur le point d'exploser.

On utilisait aussi cette expression pour parler du vêlage des vaches. Aristide Careau jeta sur lui un regard sévère.

— Quoi ! protesta l'autre. À l'église, il y a deux semaines, elle ressemblait à un ballon dirigeable.

Dans le bureau, Georges avait donné un cigare à son ami. Celui-ci n'avait pas vraiment envie de commencer une carrière de fumeur. Il le glissa dans sa poche en disant :

— Ici, le règlement l'interdit. Je le garde pour plus tard.

— Je ne sais pas pourquoi, mais je pense que tu n'es pas tout à fait honnête.

Le médecin fixait un gros cendrier de verre des yeux.

— Ça, c'est pour les clients. L'interdit concerne seulement le personnel. Je devine que tu viens m'apprendre un heureux événement.

— Me voilà le père d'une magnifique petite fille. Vraiment jolie. Elle ressemble à sa mère.

— Je me disais, aussi.

Le sujet de la beauté de la fillette et de la mère les retint un moment.

— Sophie se porte bien?

— Maintenant, oui. Je ne te cache pas que pendant les derniers jours, j'ai été inquiet. Tu sais, avec cette histoire…

Xavier se souvenait très bien de la mine catastrophée de la jeune femme pendant le souper au Club nautique. Il hocha la tête.

— C'est mon père qui s'en est occupé. Moi, je me sentais trop nerveux. Si jamais il était arrivé quelque chose, à elle ou au bébé…

Son ami devina que le vieux docteur aussi aurait été dévasté par un scénario catastrophe.

— La naissance a eu lieu cette nuit?

— Hier. Je suis resté près d'elle depuis, pour être certain.

La voix du visiteur se brisa sur les derniers mots.

— Tu imagines, si je la perdais?

Oui, Xavier imaginait. Amoureux d'une jeune fille rencontrée à dix-sept ans, Georges en avait été séparé pendant plusieurs années. Quelques lettres échangées au fil des mois avaient maintenu un lien très ténu. Par la suite, avec son diplôme en poche, le garçon était parti pour Boston avec l'espoir un peu fou de reconquérir une femme devenue une véritable Américaine. Et la coqueluche de Merton. Cette belle blonde était susceptible d'attirer l'attention des meilleurs partis de cette petite ville de banlieue. Georges avait dû user de tout son charme pour regagner son affection.

Le médecin reprit la parole pour demander:

— J'espère que tu pourras assister au baptême dans deux jours.

— Je suppose que oui. Je ferai mon possible.

En réalité, l'idée de participer à une rencontre si clairement intime le mettait mal à l'aise.

— Tu ferais mieux de faire plus que ton possible. Car nous voulons que tu sois son parrain.

Xavier demeura interdit.

— D'habitude, le rôle revient à un couple de parents. Du côté du père pour un garçon, du côté de la mère pour une fille.

— Toi, tu peux me nommer des parents de Sophie ? Tu imagines l'abbé Grégoire jouant le grand-père et le parrain tout à la fois ? Et Clotilde ?

Il avait entrevu ce couple banal aux États-Unis, sans se douter de son histoire. Mais à Douceville, cela ne se pouvait pas.

— Ne t'imagine pas que tu seras là par défaut. Si je n'étais pas tombé sur toi là-bas, penses-tu que ce mariage aurait eu lieu ?

Le banquier savait bien que non. Il avait été son seul ami, celui qui l'avait aidé pour l'apprentissage de l'anglais et dans la recherche d'un appartement. Et quand Sophie s'était montrée hésitante, il avait servi d'intermédiaire. Un homme romantique au point d'écrire des poèmes à une fille de marchand vingt ans plus tôt, pour vouloir mourir après avoir été rejeté, savait trouver les mots.

— Elle y tient, et moi aussi.

Il hocha la tête tout en portant ses doigts à ses yeux. La délicate attention l'émouvait au plus haut point. Il lui fallut un moment avant de retrouver sa contenance. Tout de même, sa voix demeurait éraillée quand il demanda :

— Et la marraine ?

— Délia.

— Alors le parrain devrait être…

— Papa a accepté ta candidature avec le sourire. Tu m'as servi de grand frère à Boston et ma mère a recueilli Sophie quand son père a décidé de jeter sa soutane pour les beaux yeux de Clotilde.

La combinaison ferait jaser. Mais le jeune couple n'en était pas aux premiers qu'en-dira-t-on. Plutôt que de se dissimuler, il avait décidé de se montrer. Comme des gens qui n'ont rien à se reprocher.

— Quel est le prénom de la jeune beauté dont je dois devenir le parrain ?

— Clémence.

Xavier fut tout de suite convaincu que le choix venait de la jeune femme. Car c'était la clémence qu'elle attendait pour les fautes de son père.

— Je serai là, quoi qu'il arrive. Mais si vous pouviez tenir la cérémonie un samedi, ça m'arrangerait.

— Comme tu es un ami de l'abbé Lanoue, il acceptera certainement.

— Bon, dit Xavier en ouvrant l'un des tiroirs de son pupitre, si je ne fume pas, je veux bien partager un whisky.

Il posa la bouteille sur la surface du pupitre, remplit les deux verres. Quand il en tendit un à son ami, il dit avec émotion :

— Souhaitons que cette petite Clémence vive cent ans.

Avec l'approche de l'automne, les activités bénévoles revenaient à l'ordre du jour. En après-midi, des bourgeoises quittaient leurs demeures pour se rendre chez madame la juge Siméon Nantel. Son grand salon permettait de recevoir une douzaine de personnes. Quand des domestiques apportaient des chaises de la salle à manger, on pouvait doubler ce nombre.

Délia Turgeon arriva parmi les premières. La maîtresse des lieux vint l'accueillir elle-même. Après une étreinte, la visiteuse dit :

— Alors Floranette, comment vas-tu ?

La femme du médecin était la seule à utiliser son véritable prénom, plutôt que Flora. Si cette habitude l'avait agacée au début, maintenant qu'elles étaient les grands-mères des deux mêmes petits-enfants – dont une Flore –, elle s'en amusait.

— Moi je vais bien. Mais c'est à toi qu'il faut poser la question. Comment vas-tu ?

— J'ai été très inquiète pendant plusieurs jours. Sophie paraissait perdre le moral. Finalement, elle a fait ça comme une grande. Évariste ne l'a pas quittée de l'œil pendant tout ce temps.

— La petite va bien ?

— Clémence va bien.

Le prénom tira un sourire à l'épouse du juge. Comme elle connaissait les secrets de la belle-famille de son fils depuis des années, le sens de ce prénom ne lui échappa pas.

— Tant mieux. J'irai bientôt lui rendre visite. Allons rejoindre les autres.

Dans le salon, toutes les femmes présentes posèrent les mêmes questions sur la nouveau-née et sa mère. Délia répéta ses réponses, mais sans faire allusion aux états d'âme de sa bru. Au moment de serrer la main de madame Horace Pinsonneault, le marchand de charbon, elle se raidit un peu.

— J'espère que des membres de sa famille viendront la voir, dit la femme en lui adressant l'un de ces faux sourires dont elle avait le secret.

— Pourtant, vous savez bien que sa seule famille, maintenant, c'est celle des Turgeon.

Si en 1907 Sophie était allée rejoindre son « oncle », l'abbé Alphonse Grégoire, à son retour à Douceville quelques années plus tard, le présenter comme mort valait mieux que d'évoquer un prêtre défroqué et marié civilement à une Américaine.

— Ça doit être bien difficile pour elle. Je sais bien que vous en prenez soin, mais tout de même, sans père ni mère depuis sa naissance, et maintenant privée de son oncle…

— Nous faisons de notre mieux.

L'arrivée de quelques autres dames patronnesses permit à Délia de mettre fin à cette conversation. Il y eut des poignées de main, de nouvelles questions sur la dernière naissance. Parmi elles se trouvait Clarisse Payant. La voir fit une curieuse impression à Délia. Si la dame ne se montrait guère généreuse – après tout, la petite coterie servait à faire la charité –, jamais elle n'aurait raté le thé, les biscuits et le papotage.

La maîtresse de maison et une jeune domestique firent le service. Puis, quand ce fut fait, madame Nantel se tint debout au milieu du salon.

— Mesdames, autant régler nos petites affaires dès maintenant. Ensuite, nous serons libres de reprendre nos babillages. Nous avons tellement de confidences à nous faire après ce long été !

La femme du juge s'était arrogé le rôle de présidente de ce petit groupe, et personne ne le lui avait disputé.

— Avec la loi de l'Assistance publique du premier ministre Taschereau, les gens s'imaginent que la charité privée n'a plus sa place. En réalité, le soutien du gouvernement provincial ou celui de la municipalité ne suffisent pas à faire fonctionner l'hôpital. Nous allons organiser une partie d'euchre dans deux semaines.

L'annonce fut accueillie avec des ricanements. Délia habitait Douceville depuis plus de trente-cinq ans maintenant, et depuis toutes ces années, les parties de cartes se succédaient. Les paroissiens les plus nantis payaient une certaine somme pour le droit d'y participer. Les notables offraient des prix pour les vainqueurs. L'activité était si connue, tout comme le rôle de chacune, que la planification ne leur prit que quelques minutes.

Ensuite, les conversations reprirent. Soudain, madame Pinsonneault interpella Clarisse Payant :

— C'est une bonne fille que vous avez là, madame.

— Je sais. Mais pourquoi me dites-vous cela ?

— Je la vois parfois lorsqu'elle se rend au travail ou en revient. C'est bien, chez Eureka ?

L'autre hocha la tête. En trois phrases, madame Pinsonneault venait de lui signifier qu'elle n'avait plus sa place dans ce petit aréopage. L'épouse appauvrie d'un avocat raté pouvait se joindre aux autres sans susciter d'opposition. Pour une mère subsistant grâce au travail d'une ouvrière indigente, ce n'était pas certain.

Ensuite, la femme du marchand de charbon orienta la conversation dans une nouvelle direction.

— Tout de même, elle a de la chance. Cet homme est beaucoup plus âgé qu'elle, mais il a une excellente position.

— De quel homme parlez-vous ?

— Le directeur de banque, Xavier Blain.

Madame Pinsonneault n'en était pas à ses premiers efforts pour révéler des histoires potentiellement salaces. Des années plus tôt, elle avait attiré l'attention sur le fait que Georges et Sophie, visiblement attachés l'un à l'autre, vivaient sous le toit des Turgeon.

— Je ne sais pas ce que vous voulez dire. J'ai bien connu monsieur Blain, au cours de ma jeunesse. Nous étions même très liés.

Délia suivait l'échange, fascinée. Cette Pinsonneault représentait un véritable danger. Pour tout le monde. Sa décision de déménager à Montréal prit un caractère irrévocable à cet instant.

— Pourtant, c'est à la petite qu'il paie à souper, non ?

Une nouvelle fois, elle prouvait l'efficacité de son réseau d'informateurs. Au moins un des convives du restaurant de la place du marché devait acheter son charbon chez son époux. La ville offrait peu de loisirs, la vie des autres devenait un spectacle permanent.

Madame la juge n'appréciait guère les conversations risquant de dégénérer. Aussi, elle demanda avec un faux ton de connivence :

— Chère madame Pinsonneault, que devient votre aîné ? Il s'appelle Félix, n'est-ce pas ?

— Il songe à partir pour la Saskatchewan.

— C'est vrai, renchérit Délia, voilà longtemps que nous n'avons pas entendu parler de lui. Ni de cette jeune fille. N'a-t-il pas été question de mariage ? S'agissait-il encore d'une domestique, cette fois ?

Le malaise avait changé de camp. Le beau Félix avait eu les plus grandes ambitions. En amour, en politique, en affaires. Toutes déçues. Au point où un changement de décor s'imposait.

Madame Pinsonneault était neutralisée. Les conversations purent se poursuivre sur un ton plus léger.

Chapitre 11

Le samedi après-midi suivant, les Turgeon au grand complet étaient regroupés près du chœur de l'église Saint-Antoine. Même Corinne et son mari étaient venus de Montréal pour le baptême. Dans la nef, quelques curieux regardaient la cérémonie pour tuer le temps. Les mêmes avaient assisté à des funérailles en matinée.

Calixte Lanoue, dans ses plus beaux habits sacerdotaux, demanda à Georges :

— Quel nom avez-vous choisi pour votre enfant ?

— Marie Clémence Délia.

Madame Turgeon aussi s'était mise en frais pour la cérémonie. Un manteau léger sur une robe blanche garnie de dentelles, un joli chapeau cloche sur la tête. Elle adressa un sourire reconnaissant à son fils. Plusieurs petites filles portaient le prénom de leur marraine et de leur grand-mère. Clémence évitait ainsi d'en avoir un quatrième.

— Que demandez-vous au nom de Marie Clémence Délia, à l'Église de Dieu ?

— Nous demandons aujourd'hui le baptême…

Xavier entendait à peine les formules d'usage. Il se tenait très raide à côté de la marraine, les yeux fixés sur l'enfant. Il s'était extasié sur sa beauté, car c'était la chose à faire. En réalité, au mieux, le petit visage fripé était un espoir.

— Et vous qui avez accepté d'être le parrain et la marraine de Marie Clémence Délia, vous devrez aider ses parents à exercer leurs responsabilités. Êtes-vous disposés à le faire ?

Comme il ne dit rien d'abord, Délia lui donna un petit coup de coude.

— Oui, nous le sommes.

Ils ne répondaient pas à l'unisson, mais l'abbé Lanoue ne leur en voulut visiblement pas. Délia avait l'expérience des baptêmes. Elle déplaça la couverture de laine afin de dégager la tête de l'enfant. Le prêtre traça une croix sur son front. Le parrain et la marraine renoncèrent à Satan et à ses œuvres en son nom.

Lanoue versa un peu d'eau en disant : « Marie Clémence Délia, je te baptise au nom du Père et du Fils et du Saint-Esprit. Amen. » Il en versa encore à deux autres reprises. Clémence ne résista pas à ce dernier outrage. Son cri résonna dans le temple. La signature du registre prit encore un instant. Puis le prêtre serra toutes les mains.

Quand le groupe se retrouva sur le parvis de l'église, Délia dit à Xavier :

— Maintenant, vous allez la porter.

— Je ne saurai pas… Je pourrais la laisser tomber.

— Voyons, vous ne ferez pas ça à votre filleule ! Je vous ai vu signer le registre, c'est maintenant que vous commencez votre rôle de parrain en la ramenant à sa mère.

Quand elle lui tendit Clémence, il n'eut d'autre choix que de la prendre.

— Gardez sa tête au creux de votre coude. À son âge, son cou est trop faible pour la supporter.

Tout de même, la grand-mère allait le tenir sous une étroite surveillance. Ils formèrent une petite procession jusqu'à la rue de Salaberry. Évariste ouvrit la porte, puis laissa passer le parrain le premier, la marraine juste après.

Xavier marcha jusqu'au salon où Sophie était assise dans un grand fauteuil. Il remarqua immédiatement son visage un peu pâle, mais elle lui adressa un sourire heureux.

— On dirait que tu as fait ça toute ta vie.

La voix moqueuse le rassura sur son état de santé.

— Dans ce cas-là, je la garde.

Quand elle tendit les bras, il la lui remit tout de même avec un certain soulagement. Ensuite il s'assit sur ses talons pour demander :

— Tu vas bien ?

— D'après les deux médecins de la famille, oui.

— Mais toi, qu'en penses-tu ?

Avant de lui répondre, elle eut un bout de conversation muette avec sa fille.

— Là, je parle à un vieux garçon, alors je ne sais pas si je peux être explicite. Je dirai seulement que j'ai un peu mal quand je suis assise, mais c'est pire si je suis debout, et horrible si je marche. Le trajet jusqu'à l'église me paraissait très long, quand je me suis levée ce matin.

— Avec un peu d'imagination, je pense que je peux me faire une idée. J'ai déjà regardé les gros livres de Georges, pendant mes visites chez lui.

Ce dernier intervint pour proposer :

— Tu prends un verre ?

— Comme toi.

— Alors tu auras un martini, comme tout le monde.

— Tu veux dire pour moi aussi ? dit Corinne en entrant dans la pièce.

Elle avait laissé sa fille aux bons soins d'une domestique, à Montréal, et son fils à une autre domestique à Douceville. Olivier était maintenant appuyé contre le fauteuil de sa mère, les yeux sur la petite fille. Visiblement, il se préoccupait de son rôle futur dans cette maison. Grand frère lui paraissait moins avantageux que fils unique.

Ces réunions familiales entraînaient toujours un certain vague à l'âme chez le banquier. Depuis le petit buffet, Georges commenta :

— Les mamans doivent pratiquer l'abstinence. Mais je trouverai une boisson de jeune fille à vous offrir.

Ce soir-là, Xavier s'attarda peut-être un peu trop longtemps chez les Turgeon. Revenir dans sa maison de chambres ne lui disait rien. Son célibat lui pesait.

&

Pendant longtemps, les soirées consacrées aux parties d'euchre s'étaient déroulées dans une salle du couvent ou de l'hôpital. Pour avoir un meilleur achalandage, celle-là se déroulerait dans la grande salle au-dessus du marché. Cela signifiait un escalier à gravir et la présence d'une odeur plutôt désagréable.

Xavier Blain était déjà là, en train de discuter avec des clients. Quand il vit ses amis, il les salua d'un geste de la tête. Le docteur Turgeon aussi trouva des collègues ou des voisins avec qui il convenait de faire un bout de conversation. Après quelques minutes, le couple entendit une voix familière :

— Bonsoir, monsieur Blain !

Clarisse Payant avait utilisé le salaire de plusieurs heures de sa fille pour payer le droit d'entrée. Évidemment, elle ne fournissait aucun objet susceptible d'attirer la convoitise des joueurs.

— Madame, répondit le banquier avec une légère inclinaison de la tête.

Il reprit sa conversation, mais elle ne bougea pas d'un pouce. À la fin, un gérant de l'usine de moulin à coudre eut la gentillesse de vouloir l'inclure dans la conversation.

— Je ne crois pas vous connaître, madame.

— Quelqu'un me connaît bien, ici. Il devrait me présenter.

— Messieurs, voici madame Isidore Payant, dit Xavier du bout des lèvres.

— Madame veuve Isidore Payant, crut-elle essentiel de préciser.

À trois pas, Délia Turgeon murmura à l'intention de son mari :

— Nous devrions aller à son secours.

Tous les deux s'approchèrent du petit groupe. Il ne s'agissait plus d'une discussion d'affaires, maintenant. Le directeur d'un bureau de courtage demanda :

— Vous voulez dire le Payant qui vendait des assurances ?

— Oui, c'était lui.

Maintenant, tout le monde pouvait faire le lien avec l'avocat, puis l'homme d'affaires raté. Le visage de la veuve montrait son malaise.

— Dieu l'a rappelé à lui. Le Tout-Puissant devait avoir un dessein, puisqu'au même moment, il ramenait à Douceville un très, très bon ami. S'il n'était pas parti pour les États-Unis, à l'époque…

— Madame Payant, comment se porte votre fille ?

L'effort de Délia pour faire dévier la conversation n'eut aucun succès. La veuve continua :

— … Il n'y aurait pas eu de madame Payant, je pense.

— Oh ! Vous étiez amis à ce point ?

L'échange prenait les allures d'une conversation de taverne. Aucune femme n'évoquait comme ça, en public, des amours passées. Surtout en donnant l'impression que son choix, finalement, n'avait pas été le bon.

— Messieurs, commença Xavier d'une voix rauque, madame Payant fait un récit erroné de notre passé commun.

Un problème de mémoire, peut-être. Je ne suis pas parti en l'abandonnant. Je l'ai demandée en mariage, elle a refusé avec une grossièreté que vous pouvez deviner. En parfait imbécile que j'étais, j'ai tenté de me tuer, alors que j'aurais dû faire chanter dix messes. Je suis parti ensuite à Boston. Je ne peux pas me tromper sur ces événements, j'en porte la cicatrice.

Tout en parlant, il avait défait le bouton de sa manchette pour retrousser un peu sa chemise. Il y eut un silence, un malaise à la limite du supportable. Puis Évariste le rompit d'une façon qui horrifia d'abord sa femme.

— Aujourd'hui, considérez-vous madame Payant comme une très, très bonne amie ?

Délia serra son bras, pour lui adresser un reproche. Le banquier esquissa un sourire.

— Dès la première fois où je l'ai vue, à mon retour, j'ai mesuré combien je m'étais trompé, il y a vingt ans. Elle était exactement comme lors de notre première rencontre dans la petite école d'Iberville. Elle n'était pas plus une amie alors qu'elle ne l'est aujourd'hui.

Clarisse demeurait bouche bée. Désormais, toute la ville savait, pour la tentative de suicide. Avec un à-propos parfait, Floranette Nantel monta sur la petite estrade pour annoncer d'une voix haut perchée :

— Je pense que nous devrions commencer à jouer.

L'intervention providentielle permit de mettre fin au malaise. Les gens se dispersèrent pour occuper des tables.

— Vous, venez avec nous, dit Délia en prenant le bras de Xavier.

Il la suivit sans se faire prier. Bientôt, ils étaient trois à occuper une table. Il manquait un quatrième joueur. Ulric Rancourt arriva près d'eux.

— Je peux me joindre à vous ?

Le banquier parut déconcerté par l'apparition de son employé.

— D'habitude, les équipes se composent de deux hommes et de deux femmes, dit Délia.

Dans un milieu comme Douceville, la réputation de chacun était faite. Elle venait d'inventer cette règle pour la circonstance.

— D'ailleurs, je vois madame Nantel…

Elle leva la main pour attirer l'attention de celle-ci en lançant « Flora ! » un peu trop fort. Quand la femme du juge s'approcha, Rancourt battit en retraite. Évariste se leva pour déplacer la chaise libre et aider Flora à s'asseoir.

— Je suis heureuse de me joindre à vous.

— Tu nous as permis d'éviter une présence inopportune.

Madame Nantel esquissa un sourire voulant dire : « À notre prochain tête-à-tête, tu m'expliqueras. »

— Mais tu n'as pas encore rencontré monsieur Blain, je crois, continua Délia.

Il y eut un échange de poignées de main, accompagné de quelques informations biographiques. Ensuite, Évariste commença à distribuer les cartes. Xavier gardait ses yeux fixés sur une autre table. Ulric paraissait avoir beaucoup à dire à Clarisse Payant. Était-ce sur une demande en mariage, une tentative de suicide ou les péchés d'un curé ?

Xavier se dirigea vers la manufacture Eureka, pour se dissimuler au même endroit que la fois précédente. Quand il se fit voir, la jeune fille lui parut accélérer le pas et il remarqua l'ombre d'un sourire sur ses lèvres.

— Bonjour, dit-il en tendant la main.

Elle attendit si longtemps avant de faire de même qu'il ajouta tout doucement :

— Je pense que c'est moins compromettant. En restant immobiles l'un en face de l'autre, nous ressemblons à des amants timides.

Finalement, elle lui offrit la sienne.

— À la manufacture, quelqu'un m'a dit nous avoir vus au restaurant.

— Qu'avez-vous répondu ?

— Rien. J'ai rougi comme une idiote.

— La prochaine fois, dites que je suis l'ancien prétendant de votre mère.

Elle eut un rire amusé, découvrant toutes ses dents.

— Je ne suis pas certaine que ça vaille un lien de parenté, comme justification.

— Moi non plus. Nous allons manger ?

Elle acquiesça. Comme s'ils avaient déjà leurs habitudes, ils se dirigèrent vers le même restaurant que la fois précédente. Tout en marchant, Odile enleva son fichu et le glissa dans sa poche. Jusqu'au moment où le serveur posa les plats sur la table, la conversation porta sur le temps assez frisquet du mois de septembre.

— Avez-vous pensé à mon offre de l'autre fois ?

— Pour la robe ? Pas vraiment.

En réalité, le sujet l'avait tenue éveillée à quelques reprises.

— Comment pourrais-je expliquer ça à ma mère ?

— Je pense qu'elle comprendra très bien. Ce que vous portez maintenant, on vous l'a donné, n'est-ce pas ?

Odile déposa sa fourchette et porta la main à son visage pour cacher sa honte. Xavier remarqua le tremblement de sa lèvre inférieure.

— Je ne voulais pas vous blesser, murmura-t-il. Je suis souvent maladroit…

Elle acquiesça tout doucement de la tête pour lui donner raison et posa les yeux sur lui en reniflant un peu.

— Ça vient de la société Saint-Vincent-de-Paul.

— Si vous préférez, vous pourrez dire à votre mère que la robe vient du même endroit.

— C'est trop gênant. Accepter la charité d'un inconnu...

— Je comprends.

Après quelques instants, elle recommença à manger. La faim pesait plus lourd que sa fierté.

— Ce travail, est-ce que vous vous y faites ?

— Je suppose qu'on se fait à tout. En revanche, je ne sens plus vraiment le bout de mes doigts.

Elle les lui montra. Ils avaient une vilaine teinte et les ongles étaient si rongés que le sang devait parfois couler.

— Vous avez maigri ?

— Au point où mon unique jupe présentable et mon chemisier me font très bien. Si je continue, je rentrerai bientôt dans ma robe de communion solennelle.

Son rire sonna faux. Xavier eut envie de prendre ses mains et de lui dire que tout irait mieux. Ses propres mots le déçurent.

— Vous allez vous rendre malade.

La tuberculose faisait son lot de victimes. À nouveau, il crut qu'elle allait éclater en sanglots. À la place, elle vida son broc d'une traite. Le serveur devait se tenir à l'affût, car il en posa presque aussitôt un autre sur la table.

— Je suis sérieux. Vous pourriez trouver autre chose.

— J'ai déjà fait le tour.

Dans toutes les usines, le roulement de personnel était important. Les ouvriers transportaient leur misère d'un endroit à l'autre. Mais elle n'avait plus le courage de faire ces démarches. De se faire dire non. L'énergie lui manquait.

— J'ai même rencontré le curé, pour lui demander de m'aider à rentrer dans une congrégation. Il a refusé. La seule personne qui m'a dit oui, dans cette ville, c'est monsieur Latulipe. Le fabricant de vinaigre.

Xavier se dit que malgré la présence de deux gares à Douceville, Odile ne pouvait même pas prendre le train pour aller ailleurs : elle n'avait pas assez de courage pour fuir aux États-Unis, comme il l'avait fait.

Quand elle eut vidé sa seconde bière, il lui proposa de rentrer à la maison. Avec une troisième, elle aurait pu glisser sous la table. Ils s'arrêtèrent au coin de la rue Longueuil.

— Je vous remercie à nouveau, monsieur Blain.

— J'aime nos petites rencontres.

— Ma mère ne manquera pas de me questionner sur nos activités. Surtout que là, je me sens…

Les mots lui manquaient pour parler de son ivresse, alors elle fit un petit geste de la main.

— Le soir des cartes, elle est revenue à la maison enragée.

— J'imagine… Ce soir-là elle m'a forcé à faire une mise au point devant une bonne moitié des notables de la ville.

— Ça devait être très clair, compte tenu de sa réaction. Bonsoir, monsieur.

Xavier lui retourna son souhait et la regarda marcher vers la petite maison de planches. Elle chancelait un peu. Il se promit de mieux la surveiller, la prochaine fois.

Odile avait bien deviné la réaction maternelle.

— Il t'a relancée encore une fois ! Et toi, tu as accepté.

— Monsieur Payant me permet de manger de la viande sans que j'aie à en gagner le prix.

Deux bières la rendaient un peu plus volubile, elle aussi.

— En plus, il t'a soûlée. Dire que j'ai payé ton couvent pendant dix ans pour t'apprendre à te comporter comme une vraie jeune fille, et maintenant, tu me fais honte.

— Papa a payé quand il était là. Je suppose que tu dois encore la dernière année. Pour autant que je sache, tu n'as jamais gagné un sou. Pas avant ton mariage, pas pendant ton mariage, et pas pendant ton veuvage.

La mère se leva et lui asséna une gifle à lui dévisser la tête. Odile ressentit la douleur dans la joue et jusque dans la mâchoire. Elle se précipita vers sa chambre, claqua la porte et s'assit sur le sol en y plaquant son dos. Ses pleurs s'entendaient de la cuisine.

Partir. Pour ne plus endurer ce travail, sa pauvreté, sa honte. Et sa mère. Des gens quittaient Douceville toutes les semaines, sinon tous les jours, pour aller travailler ailleurs. À Montréal, le plus souvent, mais aussi aux États-Unis, comme monsieur Blain l'avait fait.

Mais voilà : elle ne s'en sentait pas la force. Elle était enfermée dans un dilemme qui lui paraissait insoluble : elle était incapable d'endurer encore sa situation et incapable de partir. Odile avait tenté de se mouler à toutes les attentes. Celles de ses parents, celles des religieuses. Mais être sage comme une image ne lui avait rien apporté de bon.

Monsieur Blain aussi s'était senti désemparé. Au point de se couper le poignet. C'était une autre façon de fuir sa misère. Ça, elle ne saurait le faire. La rivière, peut-être… Comme un voile froid et noir.

Après une nuit de sommeil très agitée, marquée de longs moments de veille, le lendemain matin, la jeune fille se présenta à table déjà fatiguée. Clarisse lui présenta un visage contrit.

— Je m'excuse pour hier, mais tu m'as fait sortir de mes gonds. On ne parle pas comme ça à sa mère.

Pour ne pas avoir l'autre côté du visage endolori, Odile préféra ne pas dresser la liste de toutes les choses que les parents ne devraient pas faire à leurs enfants. Désormais, la crainte de violences physiques s'ajouterait à tout le reste.

Quand la jeune fille se pointa à la manufacture, Irène haussa les sourcils avant de dire :

— Ton chum te bat ?

L'enflure se voyait sur tout un côté du visage.

— Je n'ai pas de chum. Ça, c'est l'amour maternel.

La grosse fille demeura interdite. Dorénavant, elle apprécierait beaucoup plus sa propre vie de famille.

Le travail de pasteur comprenait divers aspects, dont certains un peu étranges, dans la mesure où il s'agissait de vieux garçons aux expériences très limitées. Le dimanche suivant, après la célébration des vêpres, le curé Lanoue vit Clarisse Payant se pointer à la sacristie.

— Monsieur le curé, commença-t-elle sans même le saluer, je peux vous prendre une minute ?

— Comme ça, sans rendez-vous ?

— Juste une minute. C'est que je ne sais plus quoi faire avec elle.

— Vous me parlez d'Odile ?

— Oui, Odile. Je n'en ai pas d'autre.

— Allez m'attendre dans la pièce, au fond, dit-il en soupirant.

La femme alla vers le petit bureau aménagé à droite de l'autel de la sacristie. Elle eut un sourire en se remémorant les histoires relatives aux ébats d'un ancien vicaire, un certain Chicoine, avec une paroissienne. Ce comportement lui avait valu une attaque brutale. Peu après, un habitant de la paroisse disparaissait, et l'ecclésiastique recevait une affectation mystérieuse.

Les secrets n'existaient pas vraiment à Douceville, du moment où quelqu'un pouvait témoigner. Quelqu'un ayant participé – si peu que ce soit – à l'attaque en parlait après plusieurs bières. L'épouse indélicate réduite à la mendicité par la désertion de son compagnon ne pouvait résister à la tentation de présenter une version atténuée de sa faute à une amie, ou à un parent. Même les religieuses hospitalières, émues au plus profond de leur âme devant l'attaque de leur pasteur, pouvaient laisser échapper une parole inconsidérée.

Quand le curé la rejoignit trois minutes plus tard, il la trouva souriante. Se remémorer les fautes des autres la réconciliait avec les siennes.

— Que se passe-t-il avec Odile ?

Le ton était suffisamment abrupt pour enlever toute trace de sourire sur ses lèvres.

— Elle devient de plus en plus impertinente avec moi. Comme si le fait de gagner un peu d'argent la rendait supérieure à moi.

— Je l'ai connue petite fille. J'ai du mal à croire à une transformation si profonde de sa personnalité.

— Souligner que de toute ma vie je n'ai jamais gagné d'argent, c'est un manquement grave à ses devoirs de chrétienne. Au quatrième commandement.

— Vous évoquez si fréquemment les devoirs des chrétiens que je commence à croire que vous êtes le curé, et moi le paroissien.

Clarisse demeura interdite un instant, puis elle reprit, avec un peu plus de retenue :

— Vous ne la connaissez pas comme moi. Elle se montrait tellement impertinente que je l'ai frappée.

Lanoue eut envie de dire que les coups n'engendraient jamais l'affection, ni même le respect. La soumission, le mépris, ou même la haine, peut-être. La plupart des gens trouvaient quand même que le fouet s'avérait un instrument légitime dans l'éducation des enfants.

— Comment expliquez-vous une si complète métamorphose du comportement de votre fille ?

— C'est à cause de lui.

Comme le curé levait les sourcils sans comprendre, elle précisa :

— Xavier !

— Xavier a fait d'elle une mauvaise fille ?

— Il propose de lui donner des vêtements, de l'aider à trouver un meilleur emploi, il l'invite à souper au restaurant. Elle en vient à me mépriser parce que je ne peux pas lui donner la même chose.

Cette fois, l'abbé Lanoue esquissa un sourire. C'était peut-être le jeu de son ami : isoler totalement son ancienne amoureuse. Même de sa fille. Lui donner un échantillon de la solitude qu'il avait ressentie pendant son exil.

— Tout ce que je vois, c'est un homme qui veut donner une chance à une gamine. Et une jeune fille qui peut se sentir trahie par ses parents.

Ce fut au tour de Clarisse de hausser les sourcils.

— N'avez-vous pas instillé dans son esprit que les meilleurs partis de Douceville se succéderaient à votre porte quand elle serait en âge de les recevoir ? Pour se retrouver à dix-huit ans dans une robe de pauvresse empestant le vinaigre. Odile n'a besoin de personne d'autre pour alimenter sa colère. Vous lui suffisez amplement.

— Vous lui donnez raison !

Il préféra temporiser :

— Je dis juste que je la comprends.

Quelques minutes plus tard, Clarisse Payant quitta la sacristie en soupçonnant que les deux amis de la petite école d'Iberville complotaient contre elle.

À Montréal, au siège social de la Royal Bank of Canda, Xavier Blain travaillait au service de vérification. Il s'agissait de chercher les anomalies dans les rapports de succursales et, éventuellement, d'effectuer un court séjour sur place afin de tout vérifier. Cela pouvait conduire à un petit coup de règle sur les doigts du directeur, à une mise à pied ou des accusations criminelles.

À Douceville, les choses s'étaient déroulées différemment : sentant l'étau se resserrer quand on lui avait posé des questions, le directeur était disparu aux États-Unis avec une jolie somme. Depuis son arrivée le 22 juin, Xavier avait pu revoir tous les comptes, identifier qui s'était fait chiper des économies et les rembourser. Régulièrement, il avait dû se rendre dans la métropole pour rendre des comptes à ses supérieurs. Même si son séjour lui avait permis de renouer avec les Turgeon, l'idée d'y passer une trop longue période lui répugnait.

Toutefois, il y avait un préalable à son retour au siège social : trouver un nouveau directeur pour la succursale. Tout le monde dans le réseau savait le poste disponible, certains employés trouvaient cette affectation intéressante. Quand Aristide Careau vint lui signaler que son supérieur immédiat était au bout du fil, c'est sans surprise qu'il entendit :

— Blain, nous avons reçu quelques candidatures.

— Quel genre ?

— Des gens d'ici qui voient un poste de direction dans une petite ville comme une promotion. Même si ça signifie diriger un effectif de deux personnes.

Son supérieur évoqua quelques noms, des employés relativement expérimentés, mais toujours affectés à des tâches subalternes. Xavier put donner son avis sur chacun.

— Il y en a un dernier que je ne connais pas, mais que tu vois tous les jours. Ulric Rancourt.

— Bien sûr.

Qu'il envisage cette promotion était tout à fait naturel. Toujours commis après plus de dix ans de service, il devait d'ailleurs considérer qu'elle lui était due.

— Qu'en penses-tu ?

— Rien de bon.

Tout de même, il fit l'effort de ne pas baser son appréciation seulement sur ses commentaires sur Sophie.

— Il connaît tout le monde à Douceville. Mais les autres aussi le connaissent. Disons que son aptitude à gagner le respect et la confiance de ses concitoyens laisse à désirer.

— Plus précisément ?

— Je ne le recommande pas.

Devant le silence de son interlocuteur, il sentit qu'il devait se faire plus explicite.

— Je l'ai entendu tenir des propos contre l'Église catholique dans les locaux de la banque.

La même chose arrivait certainement dans tous les milieux canadiens-anglais, sans que personne s'en inquiète, sauf peut-être les Irlandais. Aussi il précisa :

— Dans une ville comme ici, ce n'est pas une bonne publicité. Quand quelqu'un aime autant parler, un autre finit par l'entendre.

Évoquer le problème évident de relation publique lui donnait le sentiment de ne pas poursuivre une vendetta personnelle. Son interlocuteur convint qu'en effet, sa nomination ne serait pas la meilleure idée.

Chapitre 12

Chaque fois que Xavier se présentait chez Lanoue, madame curé mettait les petits plats dans les grands afin de bien le recevoir. Et finalement, il passait toute sa soirée au presbytère. Aussi, après avoir donné un coup de fil à son ami le curé pour lui demander de le voir rapidement, il se rendit plutôt dans la sacristie de l'église.

— J'espère que je ne te force pas à négliger ton travail de confesseur, dit Xavier en arrivant sur les lieux.

Le prêtre occupait l'un des bancs de cette église en miniature, son bréviaire à la main.

— Aucun paroissien ne s'est présenté au cours de la dernière demi-heure. Avant de retourner à la maison, je m'assurerai que personne ne m'attend dans la nef. Ce serait triste de savoir que quelqu'un est allé en enfer faute d'avoir trouvé son confesseur à l'heure du souper.

Tout en parlant, Calixte s'était dirigé vers la pièce au fond de la sacristie où il avait reçu Clarisse. Deux chaises étaient disposées l'une en face de l'autre, et un prie-Dieu près du mur. Un grand Christ en croix devait mettre les visiteurs dans la bonne disposition d'esprit. Quand ils furent assis, Xavier mit un moment avant de commencer.

— Aujourd'hui, je me mêle sans doute de ce qui ne me regarde pas.

— C'est drôle, tu as la même entrée en matière que toutes les plus grandes commères de la paroisse: "Je me mêle de ce qui ne me regarde pas, mais le livreur de charbon s'est attardé un gros cinq minutes chez madame chose."

Sur la dernière phrase, il avait pris une voix de crécelle.

— Bon, il y aura peut-être un peu de ça. Mais je commencerai d'abord par faire des reproches à mon curé. Pourquoi diable as-tu refusé ton appui au désir d'Odile Payant d'entrer dans une congrégation? Après tout, tu passes la moitié de ton temps à favoriser les vocations.

— Je vais te répondre. Mais tout à l'heure, tu devras me dire pourquoi diable le sort de cette jeune fille te préoccupe autant.

Sur ces mots, il eut un sourire chargé d'ironie.

— Alors voici: cette enfant cherche un moyen d'échapper à la misère, pas de se rapprocher de Dieu.

— Comme les neuf dixièmes des occupants des couvents, des collèges, des monastères et des presbytères.

— Ton jugement est sévère.

— Moins que le tien. Car moi je n'en fais reproche à personne, ce que toi tu fais implicitement à Odile.

Cette conversation partait sur un mauvais pied. Xavier avait fait de médiocres études aux frais de son père, et Calixte était devenu prêtre grâce à la charité de l'Église.

— Parmi tous ceux qui fuient la pauvreté en entrant en religion, certains pensent tout de même servir Dieu. Pour d'autres, l'idée leur vient à l'occasion d'une difficulté particulière. Comme Odile. Je ne crois pas que la chose lui ait une seule fois traversé l'esprit du vivant de son père.

Le banquier devait convenir qu'un confesseur pouvait sans doute sonder les cœurs. Il hocha la tête.

— Mais il y a une autre raison. Cet été, la première fois sans doute où sa fille a abordé le sujet devant elle, sa mère est venue me voir pour me dire que jamais elle ne donnerait sa permission. Dans ces circonstances, aucune congrégation ne l'acceptera avant ses vingt et un ans.

Clarisse Payant se distinguait certainement de la quasi-totalité des catholiques de la province à cet égard. Les autres auraient sans doute espéré qu'une vocation apporterait la protection divine sur toute la maisonnée. Et même la richesse matérielle. Dieu récompensait ses meilleurs serviteurs.

— C'est simplement pour continuer de profiter de son travail.

— Allons donc ! Tu sais aussi bien que moi qu'à part une minorité de nantis, tous les parents profitent du travail de leurs enfants. Penses-tu que dans les manufactures de chemises, de soieries, de chapeaux ou de vinaigre, les hommes gagnent assez pour faire vivre une famille ?

En bon banquier, Xavier savait que ce n'était pas le cas. Aucun de ces pères n'avait même un compte à la banque.

— Tu l'as vue récemment ? Elle a sans doute perdu quinze livres depuis juin, ses yeux sont cernés… Tu risques de l'enterrer avant l'an prochain. Combien as-tu eu de morts de la tuberculose l'an dernier, chez des gens d'à peu près son âge ?

— Beaucoup trop.

— Et dimanche dernier, tu n'as pas remarqué le bleu sur le côté gauche de son visage ?

— Je ne l'ai sans doute pas regardée aussi attentivement que toi. Alors peux-tu me dire maintenant pourquoi tu t'inquiètes autant du sort de mademoiselle Payant.

— Personne d'autre ne s'en soucie.

— Je peux t'en nommer cent qui sont dans la même situation à Douceville. Pourquoi Odile ? Je sais que tu l'invites à souper parfois, et te voici devant moi pour plaider sa cause avec conviction.

Xavier commença par soulever les épaules pour signifier qu'il ne le savait pas vraiment.

— Elle me fait pitié. Si les choses s'étaient passées différemment, je pourrais être son père.

— Voilà un sentiment honorable. Mais tu es bien certain que c'est ça ? Aucun autre intérêt ?

Après un silence, le prêtre proposa :

— Pour embêter sa mère, par exemple ? Car cette gifle suivait l'une de tes invitations à souper. Elle se serait montrée impertinente...

Lanoue se troubla. Venait-il de trahir le secret de la confession ? Il préféra croire que la confidence n'avait pas été formulée dans le cadre de ce sacrement.

— Quand tu as accepté de venir travailler ici, tu savais bien que tu risquais de la rencontrer. Étais-tu au courant de son veuvage ?

— Elle s'est empressée de venir me faire cette précision.

— Tu m'as déjà dit ça. Je vais poser ma question différemment. Es-tu venu de façon délibérée, pour prendre une revanche ?

— Non. Je savais que je risquais de la voir. Je me suis dit qu'après vingt ans, il était temps que je cesse d'éviter de me présenter dans cette ville de crainte que ça se produise. Je suis à Montréal depuis trois ans, et je n'étais même pas venu saluer Georges et Sophie, qui sont pourtant de vrais amis. Ça faisait trop longtemps qu'elle m'avait chassé de cette ville, j'ai voulu y revenir.

— Et la scène, pendant la partie de cartes ?

— Tu es au courant de ça ?

Le prêtre fit un geste de la main, comme pour dire : « Comme ci, comme ça ».

— En parlant très fort, elle a évoqué notre relation, tout en mentant sur la façon dont ça s'est terminé. Avec comme sous-entendu que je voudrais reprendre là où j'avais laissé. Le docteur Turgeon a eu la gentillesse de me demander ce que j'en pensais. Ça m'a permis de rectifier les choses.

— C'est-à-dire ?

— Quand je l'ai revue le jour de la Saint-Jean, j'ai vu combien elle était vulgaire avec ses airs faussement aguichants. J'ai constaté combien elle était incapable d'affection. Que ce soit pour un homme ou pour sa fille. C'est une mante religieuse : elle s'accouple pour manger ses partenaires ensuite.

Si le prêtre ne connaissait pas bien les mœurs de cet insecte, il n'en fit rien paraître.

— Je me suis souvenu aussi qu'elle était absolument la même à la petite école, pendant sa période au couvent, et au moment de la grande demande. Il fallait que je sois un parfait imbécile pour m'être entiché d'elle.

— Ou un garçon foncièrement bon, qui n'avait jamais été confronté au mal de cette façon.

— Dans ce genre de situation, l'épithète la moins brutale est naïf. J'en connais beaucoup d'autres moins gentils.

Il y eut un long silence. Dans cette pièce qui servait à des rencontres spirituelles, Xavier avait l'impression de se retrouver à nouveau dans le bureau de son directeur de conscience lors de sa dernière retraite fermée, à dix-sept ou dix-huit ans. Avec une conclusion tellement différente. Aujourd'hui, il se trouvait devant un homme bon, bienveillant. Lanoue ne penserait jamais qu'un garçon attiré par une fille de son âge était un esclave de désirs lubriques. Le curé d'Iberville, à l'époque, portait ce jugement sur tous les jeunes qui ne s'engageaient pas dans la vie religieuse.

Xavier décolla son dos du dossier de sa chaise, comme quelqu'un sur le point de partir.

— Le 24 juin, je me suis trouvé devant une garce, avec derrière elle une petite fille malheureuse comme les pierres, honteuse devant le manque de savoir-vivre de sa mère, et j'ai eu envie de la revoir ensuite.

— Je ne suis pas certain que la question du pourquoi ait été vidée, dit Lanoue en se levant, mais maintenant je dois rentrer souper, sinon ma mère va me faire passer en dessous de la table.

Devant la mine surprise de son ami, il dit en riant :

— Ne va pas croire que ma soutane l'impressionne. À ses yeux, je demeure un gamin de dix ans avec un trou dans sa culotte et une grenouille vivante dans la poche pour faire peur à mes sœurs.

Ils se quittèrent sur une poignée de main chaleureuse. Xavier eut tout le trajet vers la maison de chambres pour s'interroger sur les motifs de son inclination à aider Odile.

Les services postaux de Sa Majesté George V se révélaient très efficaces. Moins de deux jours après la conversation entre Xavier et son supérieur à la Royal Bank, Ulric Rancourt avait reçu des nouvelles de sa candidature. Mauvaises. Aussi à son arrivée au travail, son humeur était pire que d'habitude.

— L'enfant de chienne ! dit-il en entrant dans la succursale.

Aristide lui fit signe de baisser le ton avec sa main, tout en désignant le bureau du patron d'un regard.

— Qu'il entende. Je m'en sacre.

— Qu'est-ce qui t'arrive ?

— Mais ça ne se passera pas comme ça.

Il secouait un papier tout chiffonné au bout de son poing.

— Une lettre en anglais, pour me dire qu'ils ne veulent pas de moi.

Le secrétaire comprit qu'il s'agissait de la réponse à sa demande de promotion. Cela ne pouvait manquer, Xavier entendit les éclats de voix. Entrouvrant la porte de son bureau, il demanda :

— Qu'est-ce qui se passe, ici ?

— J'aimerais vous parler, monsieur Blain.

Face à lui, le commis avait baissé le ton de plusieurs crans. Son patron ouvrit la porte toute grande pour le laisser passer, puis il lui désigna la chaise devant la sienne.

— Je suppose que la banque a refusé votre demande de promotion.

— Ça, c'est à cause de vous. Parce que j'ai parlé de la fille du curé.

— Je leur ai simplement dit que vous aviez tendance à prononcer des paroles stupides. Vous venez d'ailleurs de le faire à nouveau.

Rancourt serra les mâchoires. Garder la moindre retenue ne l'aiderait en rien, maintenant.

— Coudon, c'tu toé le père de son petit ? T'es pas juste le parrain, on dirait, à te voir la défendre.

— Monsieur Rancourt, votre dernière paye comptera la journée d'aujourd'hui, même si vous allez quitter les lieux en sortant de ce bureau. Ne vous donnez pas la peine de venir la chercher, je la mettrai à la poste.

— À ta place, j'ferais pas ça. J'sais trop de choses : le parrain d'la petite d'la fille du curé. Pis ta tentative de suicide quand la mère Payant t'a envoyé au diable. Pis là tu courtises sa fille !

— Je pense que vous devriez sortir tout de suite.

— C't'un crime ça, se suicider. À Montréal, y veulent certainement pas d'un criminel.

Xavier tira vers lui son téléphone, décrocha pour demander à la téléphoniste :

— Mademoiselle, passez-moi le chef Gamelin.

Ses yeux ne quittaient pas son ancien employé. Discrètement, il ouvrit un des tiroirs de son bureau. Après un instant, il continua :

— Monsieur, j'ai quelqu'un qui me menace dans mon bureau. Je ne pense pas qu'il soit assez stupide pour être encore là à votre arrivée, mais moi, je voudrai toujours porter plainte contre lui.

Ulric Rancourt avait un peu pâli dès le début de cet échange téléphonique. Au moment où Xavier raccrocha, il se leva.

— Ce n'est pas nécessaire, monsieur Blain. Je vais m'en aller.

La politesse lui revenait en même temps que la frayeur s'installait.

— Ce qui ne m'empêchera pas de porter plainte à la police pour diffamation et tentative de me faire chanter.

— Vous n'avez pas de témoin.

— Vous ne serez pas condamné, mais toutes vos petites épargnes passeront en frais d'avocat.

L'homme quitta les lieux sans demander son reste. S'il avait eu assez peur, il demeurerait silencieux pendant un moment. S'il avait eu très peur, sans doute trouverait-il opportun de chercher de l'emploi dans une autre ville. De toute façon, sans recommandation de son dernier employeur, sa réorientation risquait fort d'être difficile.

Aristide Careau avait bien tendu l'oreille, sans toutefois distinguer les mots prononcés dans le bureau du patron. Quand la porte s'ouvrit, il regarda son collègue sortir, se pencher pour prendre une poubelle près de son pupitre et y placer quelques objets personnels. Il s'attarda juste assez longtemps pour voir entrer le chef de police Gamelin, tout raide dans son bel uniforme. Le policier lui déclara:

— Je viens voir monsieur Blain.

Rancourt abandonna la poubelle et son contenu sur le plancher, pour se diriger directement vers la porte en hâtant le pas.

— Suivez-moi, dit le secrétaire en se levant.

Il accompagna Gamelin jusqu'à la porte de son patron et retourna à sa place. Pendant une vingtaine de minutes, il se posa mille questions sur les motifs de cette visite. Jusqu'à ce que le policier quitte les lieux. Ensuite, ce fut en hésitant qu'il se rendit voir le directeur.

— Je m'apprêtais à vous demander de venir, justement, dit Xavier en lui désignant le siège devant lui. Vous l'avez sans doute compris déjà, nous allons connaître un changement de personnel. Pourrez-vous assumer les tâches de monsieur Rancourt?

Aristide cherchait un indice du motif de départ de son collègue dans le ton de son interlocuteur. Il n'y distinguait pas de colère, seulement un certain agacement. Comme s'il avait mieux à faire que de s'occuper de ce genre de problème.

— Et que se passe-t-il pour Ulric?

— J'ai cru préférable de mettre fin à notre collaboration. D'ailleurs, si jamais il pointait son nez ici, vous feriez bien d'appeler la police. Il ne m'a pas semblé très heureux de cette réorientation professionnelle.

Xavier n'en dirait pas plus, et Aristide jugea que dans la liste des reproches formulés à l'égard de Rancourt, il y avait le manque de discrétion. Autant ne pas insister.

— Alors, vous pourrez relever Ulric un moment? Évidemment, votre salaire sera ajusté en conséquence.

— Oui, bien sûr. Mais j'aurai du mal à m'acquitter de mon travail de secrétaire.

— Je comprends. Ce n'est que temporaire. À terme, je compte vous attribuer toutes les fonctions assumées par monsieur Rancourt et trouver quelqu'un d'autre pour le poste de secrétaire.

Cela signifierait un meilleur traitement, et plus de responsabilités. Son humeur égale, sa mise soignée et son empressement à se rendre utile finissaient par rapporter.

Après son renvoi, Ulric était resté longtemps à tourner autour de la banque. Comme s'il espérait que Xavier sorte sur le trottoir pour crier : « Revenez, monsieur Rancourt. C'était juste une blague ! » À midi, le courage lui manqua pour rentrer dîner à la maison. Une taverne se trouvait tout près de la place du marché. Il y aurait à manger et aussi à boire. En plus, à cet endroit, les clients venaient surtout des paroisses environnantes, il n'aurait pas à justifier sa présence une fois passée l'heure du lunch.

Quand il en fut à sa huitième bière, Ulric chercha longuement la petite monnaie au fond de sa poche afin de pouvoir payer. Comme il y arriva tout juste, le serveur remarqua :

— Bin mon prince, j'pense que tu devrais rentrer à la maison. Là, t'as tout juste le prix de la bière, sans rien pour le tip.

Le ton railleur vexa un peu le client. Rien de suffisant cependant pour l'empêcher de vider sa bouteille jusqu'à la dernière goutte. Quand il arriva chez lui, il fut accueilli par un :

— Qu'est-ce que tu fais ici, toi ? La banque est fermée ?

— Non, la banque est ouverte. C'est moé qu'est dehors.

La bière l'avait aidé à trouver le courage de tout dire, sans tourner autour du pot.

— T'as été renvoyé ?

Gisèle se tenait devant son poêle à bois, déjà affairée à préparer le souper. Les enfants étaient encore à l'école. Après un court moment, elle releva le pan de son tablier pour s'essuyer les yeux.

— Qu'est-ce qu'on va devenir ?

— Je vais chercher une autre job. Y a pas juste la Royal Bank of Canada, à Douceville.

Elle le regarda, sceptique.

— Inquiète-toi pas, j'vas me trouver autre chose.

Impossible de croire à cette tromperie. Cette fois, des sanglots secouèrent les épaules de Gisèle. Il se plia en deux pour prendre une bière dans la glacière. Juste avant l'arrivée des enfants, il retraita au fond de la cour et s'assit sur un tas de bois de chauffage pour la vider. Il reviendrait à sa femme de leur expliquer que papa ne travaillait plus à la banque.

Xavier se réjouissait que Rancourt ait rendu son renvoi inévitable. D'abord, cela permettrait de faire baisser un peu la tension dans la banque. Sa mauvaise humeur, sa façon d'exprimer son ressentiment au monde entier en répétant ou en inventant des rumeurs, tout cela pesait sur l'ambiance de travail.

En fin d'après-midi, Xavier arriva une fois de plus près de la manufacture Eureka. Quand Odile fut à sa hauteur, il enleva son chapeau pour la saluer.

— Vous vous portez bien ?

— Oui, je vais bien.

— J'aimerais vous parler.

— Je me fais l'impression de manger à vos crochets.

— Si vous préférez, nous pouvons aller nous asseoir dans le parc. Avec ce froid, aucun vendeur n'y offre de quoi manger. Nous pourrions aussi le faire à la banque, mais le fait de vous trouver seule avec un homme dans un endroit fermé ruinerait votre réputation.

La jeune fille ne répondit pas. Elle se contenta de baisser les yeux.

— Cependant, moi j'ai faim. Alors voici ma proposition : nous allons au même endroit que la dernière fois. Je prendrai quelque chose, et vous rien, pas même un verre d'eau.

Ses épaules frémirent d'abord, puis il les vit secouées par les sanglots. Elle dit d'une voix étouffée :

— Vous êtes cruel !

Xavier eut envie de la serrer contre lui, mais il s'abstint. Il chercha plutôt un mouchoir dans la poche de sa veste et le plaça sous ses yeux toujours obstinément fixés sur le trottoir.

— Quelqu'un est cruel envers vous, mais ce n'est pas moi. Venez.

D'un geste qu'il souhaitait discret, il prit doucement son bras à la hauteur du coude.

— Venez avec moi.

Une nouvelle fois, il l'entraîna vers le petit restaurant de la place du marché. C'était aussi une façon de dire que leurs rapports étant honnêtes, ils ne faisaient rien pour se dissimuler. Quand il eut commandé pour les deux, il demanda :

— Au couvent, vous avez fait de l'anglais ?

— La congrégation compte quelques Irlandaises. La dernière année s'est faite presque toute en anglais.

— C'était la même chose chez les frères des Écoles chrétiennes.

En réalité, les garçons du cours commercial étaient scolarisés surtout en anglais, de la première à la dernière année.

— Et le clavigraphe ?

— Un peu.

Si elle était du genre à exagérer ses compétences, cela voulait dire pas du tout. Il la soupçonnait toutefois de les diminuer, comme toutes les personnes peu assurées.

— Si vous le souhaitez, demain matin vous pourrez commencer à la banque comme secrétaire.

La bouche entrouverte, elle fixa sur lui ses yeux aux iris gris cerclés de noir.

— Pourquoi feriez-vous ça ?

Lui-même ne connaissait pas trop la réponse à cette question. Moins de quarante-huit heures après son retour à Douceville, il savait que la femme qu'il avait cru aimer était détestable, et que sa fille l'attendrissait.

— Parce que l'emploi est libre. Je ne l'ai pas inventé pour vous.

— Ma mère refusera.

— Dites-le-lui au terme de la première journée. Je pense que si vous continuez de lui donner votre paye, l'endroit où vous la gagnez lui importera peu.

Odile laissa échapper un petit « Oh ! » devant le sous-entendu implicite. Oui, sa mère accepterait sans doute l'argent de la prostitution avant de se mettre elle-même à la recherche d'un emploi de manufacture. Les assiettes arrivèrent à ce moment. Elle se consacra à son repas tout en gardant rigoureusement les yeux baissés sur son assiette.

C'est seulement en déposant sa fourchette qu'elle le regarda pour dire :

— Je continue de ressembler à une pauvresse.

— À ce sujet, je vous ai déjà fait une offre. Elle tient toujours.

Comme elle tendait la main vers le broc, il dit avec un sourire :

— Cette fois, il serait préférable que vous ne buviez qu'une bière. L'autre jour, vous étiez un peu pompette. De la part de l'ancien amoureux de votre mère, vous soûler paraissait déjà très incorrect, de la part d'un patron, cela tiendrait du scandale.

— Comment les choses doivent-elles se passer ?

— Demain je me lèverai très tôt pour vous recevoir à la banque, dans ces vêtements.

— Quelqu'un pourra me voir.

— Je dirai que vous êtes la femme de ménage. Nous regarderons ensemble ce qu'il y a à faire. Ensuite, vous irez dans une boutique de vêtements de la rue Richelieu pour changer votre garde-robe. Toute votre garde-robe. Des souliers au chapeau en passant par un manteau. Vous le prendrez chaud, pour ne pas geler quand l'hiver reviendra.

Une nouvelle fois, des larmes montèrent à ses yeux.

— Vous ne pouvez faire ça sans rien attendre en retour.

« Ma pauvre, chaque fois que ta mère te verra, elle mesurera combien elle est méprisable d'ainsi abandonner sa fille à la charité publique. Non, pas publique : elle vient de celui qui était indigne d'elle. »

Finalement, peut-être se mettait-il en frais pour assurer une petite vengeance, comme le curé Lanoue l'avait formulé.

— Le curé dirait sans doute que je gagne mon salut en faisant le bien.

— Oh, lui !

Odile lui tenait rancune pour avoir refusé son appui un peu plus tôt. Bientôt, tous les deux quittèrent le restaurant et marchèrent jusqu'à la rue Longueuil. Quand ils se plantèrent sous un réverbère, Xavier demanda :

— Dimanche dernier, j'ai vu une marque de coup sur votre visage. C'est elle ?

La jeune fille baissa la tête sans rien dire.

— Si ça se répète, vous me le faites savoir.

— Vous n'y pouvez rien. C'est ma mère.

— Je ne suis pas certain de ça. Alors à demain, mademoiselle.

— À demain.

Quand Odile rentra chez elle, elle reçut un accueil glacial :

— Tu continues de te montrer avec lui après ce qu'il m'a fait !

Clarisse avait bien évoqué, et plus d'une fois, l'outrage subi lors de la partie de cartes. Toutefois, Odile ne voyait pas vraiment ce qu'il y avait de blessant au fait que cet homme précise ce qu'avaient été ses relations passées avec sa mère.

— Il me permet de manger un vrai repas une fois de temps en temps, ce qui te donne l'opportunité de manger ma part. Au fond, il te fait la charité.

Penser avoir un protecteur la rendait terriblement audacieuse. Un instant, elle crut bien que sa mère quitterait à nouveau sa chaise comme une furie pour s'en prendre à elle. La jeune fille se sentit presque déçue que ce ne soit pas le cas.

Avant de quitter son bureau, Xavier se donna la peine de téléphoner à un habitant de la paroisse Notre-Dame-Auxiliatrice. Quand une femme répondit, il demanda :

— Madame Vallières ?

Comme elle répondit par l'affirmative, il continua :

— J'aimerais parler à votre époux de son immeuble de la rue Longueuil.

— S'il s'agit de l'acheter, il n'est pas à vendre.

— Je sais. Quand pourrai-je le rencontrer ?

— Quand il reviendra, il voudra souper. Pouvez-vous passer à huit heures ?

— Bien sûr. Bon appétit.

La femme lui retourna son souhait sur un ton amusé.

Un peu avant l'heure convenue, Xavier quitta sa maison de chambres pour se diriger vers la rue Saint-Louis. Jean-Baptiste Vallières, chef de l'atelier d'ébénisterie à l'usine de moulins à coudre, occupait le rez-de-chaussée d'un immeuble impeccablement entretenu.

Quand il frappa à la porte, un homme allant sur ses quarante ans vint lui ouvrir. Bien bâti, le sourire facile, on le devinait satisfait de son sort.

— Monsieur ? dit-il en tendant la main.

— Xavier Blain. Je m'excuse de ne pas l'avoir dit à votre femme. Un oubli de ma part. Je dirige la succursale de la Banque Royale, rue Richelieu.

L'homme souleva les sourcils.

— Un banquier ? Je n'ai pas de compte en souffrance, je pense. Venez dans la cuisine.

Le visiteur traversa tout l'appartement. Au passage, il aperçut deux enfants d'un peu moins de dix ans, un garçon et une fille, occupés à faire leurs devoirs dans leur chambre. Une autre fille d'âge préscolaire jouait avec des cubes de bois dans la cuisine. Une femme venait de terminer la vaisselle.

— Je vous présente mon épouse, Aldée.

Xavier lui serra la main. Il lui donna trente-deux ou trente-trois ans. Une jolie femme un peu potelée. Elle avait bien « profité », depuis le temps où elle était femme de chambre chez les Turgeon.

— Nous allons nous asseoir à table. Cette pièce devient mon bureau, en soirée.

Tout de suite, Aldée leur offrit du thé. Le visiteur refusa.

— Comme je l'ai dit à votre femme au téléphone, je veux vous parler de l'une de vos locataires. Clarisse Payant. Je sais qu'elle n'a pas payé son loyer depuis un moment. J'aimerais vous acheter ses dettes, à leur pleine valeur.

L'autre parut étonné. Il connaissait la rumeur d'une liaison ancienne entre sa locataire et un banquier. Il devina avoir cet homme devant lui. Il résista à l'envie de demander pourquoi.

— C'est bien légal ?

— Je ne ferais rien d'illégal. Mon patron n'apprécierait pas. Je vais vous verser le montant dû, vous allez me donner un reçu. Comme ça, la veuve aura un peu de répit. Au pire, je la poursuivrai pour être remboursé.

Son interlocuteur murmura « Bonne chance », puis poursuivit :

— Et pour les mois à venir...

— Je paierai aussi pour le prochain. Mais je ne m'engagerai pas plus loin.

Aldée était venue s'asseoir à côté de son mari avec une feuille de papier, une plume et un encrier. S'occuper de la paperasse lui incombait. Jean-Baptiste annonça le montant, Xavier le déposa sur la table, comptant. La femme écrivit le reçu, elle le tendit à son époux pour qu'il le signe.

Le visiteur lut le billet et se déclara satisfait. Puis il demanda :

— Vous possédez plusieurs immeubles dans la ville ?

— Quelques-uns, dit l'autre avec un sourire satisfait.

— Ce n'est pas un curieux qui parle, mais un banquier. Si vous avez besoin de nos services, je serai heureux de discuter avec vous.

— Je suis sûr que nous nous entendrions bien. Mais je fais affaire avec la Banque Nationale.

Ils bavardèrent encore un peu sur l'état du marché immobilier à Douceville, puis ils se séparèrent sur une poignée de main. Quand il fut parti, Aldée déclara :

— On dit que c'est un bon ami du fils de mon ancienne patronne, madame Turgeon. Ils se sont connus aux États-Unis. C'est le parrain de leur petite-fille.

Pendant un moment, la conversation porta sur ses années de service domestique. Quand elle croisait l'un ou l'autre des membres de cette famille, il s'ensuivait toujours une conversation agréable. Le temps pour elle de se remémorer l'adolescente maigrichonne qui était venue à Douceville plus de quinze ans auparavant.

Chapitre 13

Le lendemain matin, Odile se sentait comme la protagoniste d'un roman immoral, vouée au malheur à cause d'une rencontre interdite. Heureusement, sa mère eut l'excellente idée de rester au lit, comme il lui arrivait parfois de le faire. Après tout, pourquoi être deux à se lever avant le soleil, quand une seule allait travailler ?

La jeune fille ferma la porte tout doucement derrière elle, puis elle se dirigea vers la succursale de la Royal Bank of Canada de Douceville. Quand elle aperçut le petit bâtiment de pierres grises, son cœur cognait dans sa poitrine. Elle chercha le bouton de la sonnette, appuya une première fois, attendit vainement une réponse, puis une seconde, puis une troisième. L'inquiétude la gagnait. Lui faisait-il faux bond ?

— Vous êtes terriblement matinale, mademoiselle Payant.

Le son de la voix la fit sursauter. En se retournant, elle aperçut Xavier à trois pas.

— Vous ne m'aviez pas donné d'heure.

— Oui et non. J'ai dit à l'heure où vous commencez chez Eureka. Je me rends compte que c'est très tôt. Laissez-moi ouvrir.

Déjà, il avait sa clé à la main.

— C'est ridicule, je ne suis jamais entrée dans une banque.

— Et vous fréquentiez la manufacture Eureka depuis votre confirmation, je suppose ?

Comme le ton s'avérait tout à fait bienveillant, elle choisit de sourire. Ils entrèrent dans l'établissement.

— Alors... ici vous avez le seul espace accessible aux clients, à moins que vous ne les autorisiez à passer cette porte.

— Comment je saurai ?

— La plupart auront un rendez-vous, que vous leur aurez d'abord accordé. Pour les autres, vous les jugerez à la qualité des vêtements, ou à une autre caractéristique qui vous inspirera confiance. Vous vous tromperez d'abord, puis votre instinct deviendra plus sûr. Suivez-moi.

Il ouvrit la demi-porte pour la laisser passer, puis la verrouilla derrière lui. Cela permit à Xavier d'apprécier la jolie silhouette et l'état affreux de la robe. Deux pupitres se trouvaient placés l'un devant l'autre dans un espace de travail commun. Des classeurs de bois étaient rangés contre les murs. En suivant son regard, Xavier expliqua :

— Ce sont des dossiers de clients, et toute la paperasse qu'une entreprise comme celle-là génère. Et ici, d'autres dossiers.

Il avait pris une clé à son anneau pour ouvrir une seconde porte de chêne. Ces classeurs-là lui parurent plus solides, et la serrure était bien apparente sur le tiroir du haut.

— Comment je saurai ce qui vient ici et ce qui va de l'autre côté ?

— L'expérience.

Il marqua une pause, puis lui dit :

— Un premier conseil d'une longue liste : ne vous inquiétez pas d'ignorer ce que personne ne vous a dit. Contentez-vous de savoir ce qu'on vous aura montré... Ou ce que vous aurez appris par vous-même.

Odile sourit. Il devait tout de même s'attendre à ce qu'elle apprenne par elle-même, plutôt que de poser un million de questions. Il marcha vers une grande porte métallique découpée dans le mur. Un cadran avec des chiffres se trouvait au milieu.

— Le coffre-fort. Quand j'arrive le matin, je viens toujours voir si quelqu'un ne l'a pas ouvert pendant la nuit.

— Ça arrive ? Je veux dire : la venue de bandits pour tout voler ?

— Parfois.

Devant ses yeux inquiets, il précisa :

— C'est une banque. Pour ceux qui n'ont pas d'argent, et qui sont moins vertueux que vous et moi, c'est attirant. Si ça arrive alors que vous êtes ici, faites ce que les voleurs vous diront. Vous ne serez jamais payée assez cher pour courir des risques à défendre l'argent des autres.

— Et vous ?

Xavier apprécia le ton un peu moqueur. Pour la première fois, il voyait autre chose que sa timidité, sa misère et sa honte.

— Mes patrons s'attendent à ce que je prenne un peu plus de risques. Mais ça ne vaut jamais la peine de se faire tuer pour de l'argent.

Tout en disant ces mots, le banquier savait que cela valait pour ceux qui ne vivaient pas dans la plus grande pauvreté. Des miséreux risquaient leur vie pour moins de dix dollars.

Quand ils revinrent dans la pièce commune, il lui montra l'un des pupitres en disant :

— Ce sera le vôtre. Et ça, c'est la bête.

De la main, il caressa les touches d'une grosse machine à écrire Underwood.

— Maintenant, venez de ce côté.

Une nouvelle fois, il prit une clé à son anneau pour ouvrir la porte de son propre bureau. Elle se sentit intimidée devant l'énorme pupitre, les chaises recouvertes de cuir, les étagères chargées de papiers et de livres.

Elle s'assit dans la chaise qu'il lui désigna. Quand il occupa son siège, il commença :

— Voulez-vous à nouveau enlever ce foulard ?

Même s'ils étaient maintenant écrasés, il eut l'impression que ses cheveux étaient frais lavés.

— Je n'ai pas parlé des conditions de travail. Nous commençons à huit heures trente, nous fermons à six heures. Samedis compris. Une demi-heure pour manger le midi, mais pas nécessairement trente minutes continues. Tout dépend de la clientèle sur les lieux. Combien faites-vous, chez Eureka ?

— Six dollars par semaine, dit-elle en tournant au cramoisi.

— De cela, il ne vous reste absolument rien, je suppose.

Elle acquiesça.

— Voilà ma proposition : huit dollars.

Ce n'était pas beaucoup pour une secrétaire compétente, et moins de la moitié de ce que recevait Aristide. Mais justement, elle n'était pas compétente, elle était jeune et c'était une femme. Trois facteurs susceptibles de faire baisser sa rémunération.

— Je vais vous en donner six comptants tous les samedis, et je mettrai les deux autres à la banque pour vous.

Comme elle écarquillait les yeux, il demanda :

— Vous ne me faites pas confiance ?

— Ce n'est pas ça…

— Présentement, vous n'avez même pas dix cents pour aller voir un film au cinéma d'à côté. Cela vous procurera un petit pécule, à la longue. Mais si vous en parlez à votre mère, vous savez que vous le perdrez.

Si Clarisse ne lui avait rien laissé jusque-là, ça ne changerait pas dans un avenir prévisible. Elle acquiesça à nouveau.

— Maintenant, je rédige une petite note pour la marchande, un pâté de maisons au sud d'ici, rue Richelieu. Vous verrez : il y a "vêtements pour femmes" peint au-dessus de la porte.

Xavier griffonna quelques lignes, épongea l'encre avec un buvard, plia le papier en deux et le lui tendit. Quand elle allongea la main pour le prendre, il remarqua à nouveau le bout des doigts rougis, les ongles rongés et cassés.

— Nous avons une entente ?

Un autre geste de la tête pour dire oui.

— Vous irez à l'ouverture du magasin, puis vous reviendrez ici ensuite. Dites à Aristide que vous avez rendez-vous avec moi.

Devant son regard interrogateur, il expliqua :

— C'est mon secrétaire actuel. Celui que vous remplacerez. Pour l'instant, vous allez sortir… Cela ferait un peu trop curieux, s'il vous voyait sortir d'ici vêtue comme vous l'êtes, et revenir avec un autre accoutrement par la suite. Alors, en attendant, profitez-en pour faire une petite prière d'action de grâces à l'église, ça ne peut pas faire de tort.

Il la reconduisit jusqu'à la porte, ferma et verrouilla dans son dos. Au moment de marcher jusqu'à l'église Saint-Antoine, la tête de la jeune fille tournait un peu. Comme après les deux bières. Ce serait aussi simple que cela ? Un homme la sortait de sa condition sans rien demander ?

En arrivant à l'église un peu avant huit heures, elle vit sortir les fidèles de la messe du matin. De vieilles personnes pour la plupart, ou alors des gens plus jeunes désireux de faire pencher un peu le ciel en leur faveur. Elle se promit de revenir bientôt. Pour rendre grâce, comme l'avait dit son nouveau patron, et aussi pour demeurer un peu plus longtemps hors de la vue de sa mère.

Elle prononça bien quelques *Je vous salue Marie*, pour céder ensuite à la curiosité. Sur la fiche, elle put lire :

Madame Parent,
Je vous en ai touché mot déjà. Habillez cette jeune personne comme si elle devait travailler comme vendeuse chez vous. Des souliers au chapeau, avec un manteau. Et tout ce que je ne saurais nommer.
Je vous réglerai la facture sur réception.
Xavier Blain

Voilà comment les gens avec un minimum de moyens faisaient. Jamais à la maison elle n'avait entendu les mots « régler sur réception ». Et puis, cette dame était déjà au courant. Combien de personnes dans la ville savaient qu'on lui faisait la charité ? Tout le monde, sans doute.

Comme elle n'avait pas idée de l'heure, faute d'avoir une montre, elle alla s'asseoir sur un banc situé en face de l'hôtel de ville, les yeux sur la grande horloge du clocheton.

À huit heures trente, elle poussa la porte de la marchande de vêtements. Madame Parent la reçut avec un sourire. Odile s'approcha pour lui tendre le morceau de carton.

— Ah ! C'est vous. Vous avez de la chance d'avoir un protecteur comme monsieur Blain.

La jeune fille la connaissait pour l'avoir croisée parfois sur le parvis de l'église. Une veuve un peu potelée d'une quarantaine d'années, apparemment sans enfants. Peut-être avait-elle rêvé de la protection de ce célibataire de son âge, lors de leur première rencontre.

— Allez dans la salle d'essayage, je vais vous apporter ce qu'il faut.

De la main, elle désignait une porte au fond de sa boutique. D'un œil expert, juste à la voir se déplacer, la marchande devina sa grandeur, son tour de taille et celui de sa poitrine.

Odile attendit à peine deux minutes dans le petit réduit. Il y eut deux petits coups contre la porte, la marchande l'ouvrit sans attendre de réponse et allongea le bras sans entrer.

— Commençons avec ça. Vous enlevez ce que vous portez pour les mettre. Assurez-vous que la taille est bonne.

Une culotte, une camisole, les bas montant à la hauteur des genoux. Ce que Xavier n'aurait pu nommer, en somme... La vendeuse jugeait avec raison qu'un corset ou un soutien-gorge étaient inutiles. Au moment de se mettre nue, la jeune fille garda les yeux rivés sur la porte, prête à faire éclater ses cordes vocales à force de crier si quelqu'un ouvrait.

Puis encore deux petits coups.

— Je peux ouvrir ?

Madame Parent avait une certaine habitude des jeunes filles pudiques.

— Oui.

— Bon, je vois que j'avais vu juste.

La formulation s'avérait vague à souhait. Il pouvait s'agir de la taille des sous-vêtements ou alors des charmes de cette grande adolescente. Elle lui tendit une robe d'un gris harmonisé à ses yeux.

— Vous viendrez me rejoindre quand vous serez habillée.

— Et ça ?

Du regard, Odile désignait ses oripeaux bien pliés et placés sur une chaise.

— Vous tenez à les garder ?

— Je les rendrai à qui me les a donnés.

— Bon, je vous donnerai un sac.

Odile enfila la robe, la boutonna jusqu'en haut, puis se regarda dans le miroir. Elle eut l'impression de voir quelqu'un lui ressemblant vaguement, tellement la différence était grande avec la personne ayant quitté la maison deux heures plus tôt.

Quand elle revint vers le comptoir, ce fut pour voir des chaussures de cuir noir placées devant une chaise. Cette fois, madame Parent n'avait pas visé juste, elle dut en chercher une paire un peu plus petite, mais du même modèle. Ensuite, elle lui montra un manteau de drap. Il était trop épais pour septembre et trop mince pour janvier et février. Mais trois ou quatre mois de confort, cela lui semblait représenter une éternité.

— J'ai pensé à ce chapeau et ces gants.

Il s'agissait d'une petite chose noire, en laine. Odile chercha un miroir pour le poser sur sa tête, les gants allèrent dans ses poches. Déjà, la marchande tenait un grand sac de papier dans ses mains.

— Je vais aller récupérer vos choses.

— Je m'en occupe. Je ne voudrais pas être la cause d'un malaise. Vous avez remarqué l'odeur de vinaigre ?

Le fait d'être vêtue décemment lui donnait une audace nouvelle. Au moment où elle sortait, madame Parent lui tendit la facture.

Odile couvrit la centaine de verges la séparant de la banque d'un pas vif. Quelques regards masculins se portèrent vers elle. La pensée que ce n'était pas pour s'apitoyer sur son sort ajoutait à son bien-être. Un bien-être très fragile, toutefois. Elle fit bien attention de ne pas regarder le montant sur la facture dans sa main. Mesurer l'ampleur de sa dette aurait tout ruiné.

Quand elle poussa la porte du petit immeuble gris, elle aperçut un client devant le comptoir, et derrière les barreaux de laiton, un jeune homme dans la mi-vingtaine, les cheveux châtains. Elle attendit sagement que la transaction soit terminée, répondit d'une petite inclinaison de la tête au salut du client qui sortait, puis elle dit à l'inconnu :

— Monsieur Blain m'attend.

— Vous êtes la nouvelle ?

Elle eut un hochement timide de la tête.

— Je vous ouvre.

Il alla vers la demi-porte. Quand elle fut entrée dans l'espace des employés, il tendit la main.

— Je m'appelle Aristide Careau.

— Odile Payant.

L'homme ne cilla pas. Il s'agissait de la fille de l'ancienne prétendante du patron, celle avec qui, selon Ulric, il soupait tous les soirs.

— Auriez-vous un placard à balais ou quelque chose du genre ? L'odeur de vinaigre… Je travaillais chez Eureka.

— Et moi à la ferme de mes grands-parents tous les étés. Un jour, nous discuterons des odeurs de notre passé.

Dans son bureau, Xavier entendit. La répartie lui tira un sourire. Son ancien secrétaire, et nouveau commis, venait de se gagner d'excellentes recommandations, le jour où il en aurait besoin. Il quitta son siège pour les rejoindre à côté, juste à temps pour voir le jeune homme placer le sac dans un placard.

— Vous voilà, mademoiselle !

Il lui serra la main en lui souhaitant la bienvenue. Puis en se tournant vers Aristide, il continua :

— Monsieur Careau, vous avez certainement compris que vous aurez à former cette jeune personne. Je compte sur vous.

L'employé lui assura que ce serait un plaisir. Le patron allait regagner son antre quand Odile demanda :

— Monsieur Blain, me permettez-vous de téléphoner à monsieur Latulipe pour lui dire que je ne retournerai pas à la manufacture ? Nous n'avons pas le téléphone à la maison et je n'ai pas pu le faire encore.

— Oui. Je précise cependant que si l'usage du téléphone n'est pas défendu pour les usages personnels, il faut quand même les limiter au minimum.

— Oui, je comprends.

— N'oubliez pas de rappeler à ce monsieur de vous régler les journées travaillées cette semaine. Vous avez gagné cet argent.

Ensuite il retraita dans son bureau, sourire aux lèvres. Il avait déjà contacté le marchand de vinaigre afin de le prévenir de la situation. Le bonhomme n'avait pas pris de mauvaise façon l'amputation à son effectif. Sa remarque s'était limitée à : « Tant mieux. La p'tite est vaillante, mais est pas taillée pour icitte. »

Afin de s'assurer que l'intégration de sa nouvelle employée se fasse sans trop de heurts, Xavier laissa la porte de son bureau ouverte. Il entendait Aristide Careau multiplier les directives. Non seulement le pauvre héritait-il de toutes les tâches de deux employés, mais pour plusieurs jours, il devrait avoir un œil sur la nouvelle et sans doute reprendre la plupart de ses travaux. Pourtant, il gardait sa bonne humeur.

— Odile, l'entendit-il dire – tous les deux avaient abandonné le mademoiselle et le monsieur après une heure –, commencer une lettre par “Mon très cher monsieur” fait un peu trop familier.

— Je suis désolée. Les sœurs ne nous parlaient pas beaucoup de la correspondance avec les messieurs. En revanche, je connais toutes les entrées en matière avec les membres de l'Église. De “Ma très révérende mère” à “Votre Grandeur Monseigneur l'archevêque de Montréal”.

La jeune fille fit une pause avant de convenir :

— Je suppose que cela ne me servira pas beaucoup ici.

— Mais si un jour nous devons écrire à une mère supérieure, je vous considérerai comme l'autorité en la matière. Demain, je vous apporterai le traité de correspondance commerciale des frères des Écoles chrétiennes.

Quand Odile se mit à la machine à écrire, Xavier constata que sa vitesse valait probablement la sienne. Un peu avant midi, quand elle vint lui faire signer quelques lettres – révisées par Aristide –, elle était un peu rougissante. Debout sur le côté du pupitre pour mettre le grand livre sous ses yeux, elle tournait les pages avec des doigts tremblants.

— Vous ne vous ennuyez pas encore de vos bouteilles de vinaigre ? demanda-t-il à voix basse.

— Non. Mais je me sens totalement inefficace.

— Alors je suppose que demain ce sera inefficace, après-demain un peu inefficace, pour devenir un peu efficace à la fin de la prochaine semaine.

Elle lui adressa un sourire reconnaissant et retourna vers son bureau afin de plier les lettres et de les mettre dans des enveloppes. Un peu avant midi, quand Xavier alla dîner dans un restaurant voisin, il lui précisa :

— Au début de l'après-midi, vous irez au bureau de poste avec Aristide. Ensuite, ce sera l'une de vos tâches quotidiennes. Sauf quand j'aurai besoin d'un prétexte pour aller prendre un peu d'air.

Du regard, il s'assura que le jeune homme avait bien entendu, puis il quitta les lieux. Après un moment, Odile dit à son collègue :

— Il se montre très prévenant.

Aristide se priva de répondre : « Plus avec les employés avec de beaux yeux qu'avec moi. » Il dit plutôt :

— C'est vrai. Cependant, quand les choses ne vont pas à son goût, il peut se montrer très… direct.

— Dans quelles circonstances se montre-t-il… direct ?

— En ce moment, nous jouons à la chaise musicale. Vous devez me remplacer, et moi je prends les fonctions de l'ancien commis. Il l'a renvoyé parce qu'il tenait des propos très irrespectueux pour des personnes ou des institutions. Alors mesurez vos paroles.

Aristide lui révélerait peut-être un jour qu'elle faisait partie des personnes dont la vie était commentée.

— Je pense être beaucoup trop timide pour me montrer un jour irrespectueuse envers qui que ce soit.

— Ou trop bien élevée ?

Odile lui adressa son meilleur sourire. Puis son visage redevint sérieux quand elle murmura :

— La personne qui a eu des paroles déplacées, c'est bien monsieur Rancourt.

Comme son collègue la regarda, un peu intrigué, elle dit à nouveau dans un souffle :

— Lors de la dernière soirée de cartes des dames patronnesses, ma mère a joué avec lui. Elle m'a répété des pans de la conversation.

La situation ne manquait pas de sel. Dans les discours d'Ulric, tant madame Payant que sa fille figuraient en bonne place. L'identité du père de Sophie Turgeon avait dû faire l'objet de cet échange.

— Vous avez raison. Maintenant, vous devriez manger, moi je m'occuperai des clients qui profitent de l'heure du dîner pour venir ici.

Comme pour prouver ces paroles, il en vint cinq l'un après l'autre. Tout en avalant son maigre repas, Odile déplaça sa chaise près d'un grand classeur afin de revoir le mode de rangement qu'Aristide lui avait présenté un peu trop vite au cours de la matinée.

Avant la fermeture, Aristide prit une petite demi-heure pour la familiariser avec le travail au comptoir, tout en lui précisant :

— Si vous me voyez occupé ailleurs, vous devrez répondre aux clients. Et parfois, nous serons tous les deux ici. Vous voyez, il y a deux guichets. On ne doit pas les laisser attendre.

À chacune de ces directives, elle acquiesçait, ou murmurait « Je comprends ». À six heures, le jeune homme se plaça dans l'embrasure de la porte de son patron.

— À demain, monsieur.

Du regard, il s'assura que sa nouvelle collègue n'entende pas, puis murmura :

— J'ai remarqué une nette amélioration de l'atmosphère, aujourd'hui.

— Et un alourdissement de votre tâche, répondit Xavier sur le même ton.

— Je pense que ça ira.

Il se dirigea ensuite vers la sortie en lançant un « bonne soirée » à la jeune fille. Odile portait déjà son manteau, ses gants et son petit chapeau incliné sur l'œil. Elle alla se mettre devant la porte de son patron.

— Je vous remercie, monsieur Blain. Quoique…

— Si vous alliez me répéter que votre performance est inadéquate, retenez-vous. Nous savons tous les deux qu'il en sera ainsi pendant encore quelque temps. Attendez-moi, je vais marcher un peu avec vous.

Quand ils sortirent, l'odeur du sac de papier kraft lui tira un sourire.

— Je parie que vous débarrasser de ça représente le plus grand avantage de cet emploi.

— Pour les autres, sans doute. Mais pour moi, le plus apprécié, c'est l'absence de tension. À la manufacture ou à la maison, j'ai toujours l'impression de frôler la catastrophe.

— Vous vous inquiétez de l'accueil que votre mère vous fera dans un instant ?

— Oui.

— Voulez-vous que je monte avec vous ?

L'idée qu'il voie son logis misérable lui déplut souverainement.

— Non, ce ne sera pas nécessaire.

— Je serai juste sous la fenêtre, j'y resterai quelques minutes.

L'attention la toucha. D'un autre côté, elle fut déçue de le voir aller directement vers la rue Longueuil. Maintenant vêtue décemment, elle aurait aimé qu'il l'invite à souper quelque part pour célébrer.

— À demain, dit-il quand ils furent au pied de l'escalier. Essayez d'arriver à huit heures vingt-cinq.

— Ne craignez rien, j'y serai. À demain, monsieur Blain.

Au moment de pousser la porte, son cœur cognait dans sa poitrine et elle devinait que ses joues devaient être cramoisies. Sa mère se tenait à sa place habituelle, un jeu de cartes dans les mains pour faire des réussites.

— Seigneur Dieu! s'exclama-t-elle. T'as un galant qui t'habille?

— J'ai un nouvel employeur qui a eu la générosité de me vêtir décemment pour mon travail.

— Pis tu vas me dire que je connais ce nouveau boss?

— Le même qui m'a payé quelques repas parce qu'il s'inquiétait de ma santé.

L'idée que ce soit parce qu'il prenait plaisir à sa compagnie ne l'effleurait même pas. Clarisse gardait les yeux fixés sur sa fille. Quand Odile détacha son manteau, elle apprécia la robe d'une belle qualité.

— C'est quoi, ce travail?

— Je suis secrétaire.

— T'as jamais appris à faire ça.

La jeune fille alla accrocher son manteau et sa robe dans sa chambre, comme si elle soupçonnait sa mère d'être capable de tout détruire, pour le plaisir. C'est quand elle revint vêtue de son uniforme de couventine qu'elle répondit:

— C'est tout de même remarquable. Ma mère essaie de détruire ma confiance en moi, ou en l'avenir, et mon employeur, lui, m'encourage en me disant que bientôt, tout sera rentré dans l'ordre.

Il avait évoqué la fin de la semaine prochaine, comme échéance pour que son travail soit «suffisant». Ce serait son objectif. Et à la fin du mois à venir, elle espérait être devenue franchement compétente. Sinon, comme Aristide le lui avait dit, le patron lui dirait ses quatre vérités en face.

— Ouais. Du bien bon monde, ce Xavier. Ta robe, tu vas la lui payer comment?

— Comme il me paie la même chose qu'à la manufacture, je suppose qu'il va retenir un peu d'argent toutes les semaines.

Odile souhaita que son mensonge ne lui mette pas de rose sur les joues. Elle s'en était tenue au conseil de son bienfaiteur, à propos du petit pécule.

— Le même prix qu'à la manufacture pour un travail avec du beau linge… Moi j'le trouve cheap, ton nouveau boss.

— Comme je travaille quatre-vingt-dix minutes de moins par jour, ça signifie une augmentation de quinze pour cent.

— Bon, une journée à la banque, pis t'essayes de parler comme un banquier.

Odile n'écoutait plus vraiment, toute à son exercice de mathématique. Avec les vingt-cinq pour cent d'augmentation cachée et ces quinze pour cent en temps, sa condition connaissait une véritable embellie.

Pendant tout le temps du repas, Clarisse lui fit grâce de ses commentaires. Mais elle revint à la charge une fois la vaisselle terminée.

— Personne fait des cadeaux à une fille pour rien. Sa robe, il va te la faire payer, prends ma parole.

— Tu penses que tout le monde est comme toi ? Que tout le monde fait les choses pour obtenir un avantage ? Comme tu as marié papa parce que tu pensais avoir plus d'argent qu'avec monsieur Blain ?

La jeune fille se réjouit qu'une table se trouve entre elles. Dans les yeux de sa mère, elle vit le même éclat que le jour de la grande gifle, et son patron ne se trouvait plus au pied de l'escalier pour venir à son aide.

— T'es encore bien innocente. Les hommes se payent toujours, d'une façon ou d'une autre. Là, t'es pâmée parce qu'il se montre généreux. Mais lui, il attend son *candy*.

— Curieusement, moi je serais pâmée si un homme m'écrivait un poème. Pas pour une robe. C'est bien la preuve que nous ne sommes pas pareilles.

Clarisse accusa le coup.

— Des poèmes ! Je me demande où tu vas chercher des idées de même. Dans les romances dans les journaux ?

— Impossible… Tu ne te rappelles pas ? Voilà bien deux ans que nous sommes trop pauvres pour nous payer un journal.

Après une petite pause, elle se leva en disant :

— Je vais me coucher. Bonne nuit.

Clarisse la regarda se diriger vers sa chambre. L'attitude de Xavier la laissait perplexe. Malgré toutes ses façons de lui signifier son indifférence à son égard, il se faisait l'ange gardien de sa fille. En réalité, ces gentillesses devaient s'adresser à elle, pas à sa fille.

⁂

Au même moment, Xavier lisait dans sa chambre, affalé dans un vieux fauteuil, les deux pieds posés sur le rebord du lit. Quand l'image de la jeune fille lui revenait, raisonnablement bien vêtue, il esquissait un sourire. La gentillesse d'Aristide à son égard devait tenir au moins en partie à son joli minois. Cependant, il lui reconnut un solide fond d'amabilité spontanée.

Cela le laissait toutefois toujours aux prises avec la question de l'abbé Lanoue : pourquoi se mêlait-il de la vie d'Odile ?

Chapitre 14

Bénéficier d'une heure et demie de plus de sommeil donna à Odile l'impression de faire la grasse matinée. Au moment de se lever et de se préparer pour aller au travail, elle fut surprise par l'absence de sa mère. C'est avec un brin d'inquiétude qu'elle se dirigea vers la banque.

Alors qu'il quittait sa pension, Xavier se retrouva face à face avec Clarisse Payant. D'entrée de jeu, sans même dire bonjour, elle déclara :

— Je n'ai pas voulu aller à la banque pour ne pas mettre Odile mal à l'aise, mais je tenais à te remercier de vive voix. C'est très charitable, ce que tu fais pour elle.

— Ce n'est pas de la charité. C'est une bonne fille, je suis certain que ce sera une bonne employée.

— Si tu le dis… Mais moi je sais que malgré toutes tes dénégations, ces beaux gestes, c'est à moi que tu les destines. Tu continues de chercher à te rapprocher de moi.

Xavier était stupéfait. Pouvait-elle vraiment être aussi sotte ? Son visage fatigué, ses vieux vêtements usés à la corde, ses traits un peu empâtés, son ventre mou qui pesait sur sa ceinture en faisaient déjà une vieille femme.

— Je ne peux pas vous empêcher de le croire, ni de croire aux farfadets si ça vous chante. De toute façon, dans cette histoire, le sort d'une seule personne me préoccupe. J'ai vu la trace d'une main sur le visage d'Odile.

Comme pour lui montrer ce dont il parlait, il leva sa propre main. Il serra même le poing. Un instant, Clarisse craignit qu'il ne la frappe. Mais il retrouva un sourire un peu carnassier en changeant totalement de sujet :

— Madame Payant, lors de l'une de vos visites très désagréables à la banque, vous m'avez dit devoir votre loyer. Vous n'avez pas payé les derniers mois. Ne soyez pas surprise du fait que votre propriétaire ne vous rende plus visite, ou qu'il ne vous écrive plus au cours des prochaines semaines.

Elle demeura silencieuse, ses grands yeux fixés sur lui.

— Je l'ai payé. En d'autres mots, je lui ai acheté vos dettes. Maintenant, je compte parmi les personnes qui peuvent réclamer votre éviction, et la saisie des quelques biens qui vous restent. Je suppose que des fournisseurs figurent aussi sur la liste. Moi, je n'hésiterai pas à le faire dès que vos qualités de mère me paraîtront insuffisantes.

Sur ces mots, il inclina la tête, toucha le rebord de son chapeau en guise de salut, puis se dirigea vers la banque, la laissant pantoise. Quand il atteignit la rue Richelieu, il vit Odile marcher dans sa direction. Il lui avait dit d'arriver à huit heures vingt-cinq, elle était en avance de quinze minutes.

— Bonjour, mademoiselle Payant. Prête pour une nouvelle journée ?

— Oui, monsieur Blain !

Son sourire lui fit plaisir. Il déverrouilla et la laissa passer devant. Quand elle alla accrocher son manteau et son chapeau dans la penderie, il remarqua :

— Tout de même, vous ne commencerez pas avant la demie.

— Je pense que cette quinzaine de minutes me sera utile.

Xavier alla dans son bureau, pour reprendre son rapport là où il l'avait laissé la veille. Quand Aristide arriva à son tour, il l'entendit dire à la jeune fille :

— Odile, voilà le livre sur la correspondance d'affaires dont je vous ai parlé.

— Monsieur le curé, vous ne pouvez pas laisser faire ça !

Ulric Rancourt était arrivé au presbytère au milieu de la matinée. Comme Calixte Lanoue était à l'hôpital pour voir des malades, il l'avait attendu une bonne heure.

— Qu'est-ce que je ne dois pas laisser faire ?

— À la banque, Blain m'a mis dehors pour me remplacer par une fille.

Déjà, l'ecclésiastique avait entendu parler de ce changement dans la composition du personnel. En moins de vingt-quatre heures, le sujet avait été discuté dans toutes les familles. Un événement susceptible d'inquiéter de nombreux hommes et de satisfaire les jeunes femmes désireuses de gagner de l'argent.

— Les employeurs embauchent et renvoient qui ils veulent.

— Mais ça, c'est pas ordinaire. Un père de famille remplacé par une fille qui a pas vingt ans.

— Ça n'y change rien. Je n'ai rien à dire dans la gestion du personnel des entreprises.

— La place des femmes, c'est à la maison. Qu'est-ce qui arrivera à mes enfants, si chus au chômage ?

Dans plusieurs milieux, y compris la nouvelle Confédération des travailleurs catholiques du Canada, ce développement suscitait de multiples inquiétudes. Certains soutenaient que les fondements mêmes de la famille étaient bouleversés. Aucun homme sans emploi ne pourrait maintenir son statut de chef de famille. Surtout si sa femme recevait un salaire.

— Je ne peux rien y faire.

— Blain, c't'un d'vos amis. C'est sûr que vous pouvez y parler.

Lanoue contemplait cet homme qui, un peu plus tôt, créait le scandale en évoquant la « fille du curé ». Cela ne suscitait pas chez lui un élan de solidarité.

— L'amitié ne m'autorise pas à lui dire comment gérer son affaire. Mais pourquoi vous a-t-il mis à pied ?

— C'te fille-là, y la paye combien ?

Le remplacement du personnel visait à augmenter la rentabilité de l'entreprise. Pendant la Grande Guerre, des femmes avaient occupé des postes appartenant à des hommes en uniforme. À la fin du conflit, on les avait réexpédiées dans leur famille. N'empêche que la preuve avait été faite : pour la moitié du salaire d'un travailleur, une travailleuse faisait tout aussi bien l'affaire.

— C'est la seule raison ?

L'autre demeura silencieux.

— Il vous a dit comme ça : “dehors, je te remplace par une fille” ?

— Ça se parle qu'en réalité, c'est sa fille…

— C'est idiot de prétendre ça. Lors de sa conception, il était déjà aux États-Unis.

Ulric se priva de dire que si quelqu'un pouvait prendre le train pour se rendre dans le pays voisin, il pouvait tout aussi bien faire le trajet dans le sens inverse. Il ne fallait pas tellement de temps pour mettre une femme enceinte.

— Vous lui avez dit qu'il était le père d'Odile Payant, avec les mêmes preuves que lorsque vous avez parlé du père de Sophie Turgeon ?

Cette fois, Rancourt accusa le coup. Le sermon au sujet de la médisance suivait de trop près les remontrances de Xavier à ce sujet : le patron en avait parlé au curé.

— C'est une obsession pour vous, l'identité des pères de vos concitoyennes ?

— Non, c'est pas ça. Si c'est pas le père de la jeune Payant, pourquoi il fait tout ça pour elle ?

— Si je comprends bien, je suis mieux de ne rendre service à personne, sinon vous allez répandre l'histoire que je suis son père.

Le visage de Rancourt se durcit. Son appel à l'aide ne serait pas entendu.

— C'est ça, les boss pis les curés, y s'entendent pour nous fourrer.

— Bon, je pense que vous en avez assez dit pour aujourd'hui. Vous devriez aller vous agenouiller à l'église pour prier et demander la lumière du Seigneur.

Calixte Lanoue alla ouvrir la porte et s'écarta un peu afin de laisser le passage libre. Le visiteur quitta la pièce, les épaules voûtées, la tête basse.

Le vendredi 29 septembre, Xavier avait pris son repas à l'hôtel National en compagnie du numéro de la veille du journal *Le Canada Français*. Les serveurs le plaçaient toujours dans un coin, pour lui assurer un peu de discrétion. Autrement, des clients voudraient parler affaires. Le faire en improvisant, dans un endroit public, ne lui disait rien.

Un encadré attira tout de suite son attention, celui de L. P. Foisy, courtier. D'habitude, il vendait des « débentures ou actions ». Cette fois, c'était plutôt : « Demeure bourgeoise, celle du docteur Évariste Turgeon, sise rue de Salaberry ». Le prix demandé, quatre mille dollars, lui parut un peu excessif compte tenu de l'ampleur des travaux que l'acheteur devrait entreprendre pour la mettre au goût du jour. Bientôt, Délia pourrait fréquenter les théâtres, les cinémas et les salons de thé à sa guise. Mais le médecin y trouvait certainement aussi son compte.

Après cela, les notes sociales où le prix des quintaux de pommes ne l'intéressèrent que médiocrement. De retour à la banque, il demanda à être mis en communication avec le bureau du docteur Georges Turgeon.

— Monsieur le docteur est en consultation, répondit une voix très jeune. Toutefois, si vous avez une urgence, je vais l'interrompre.

La réceptionniste savait donner une telle inflexion à sa voix qu'il comprit que ce serait la dernière indélicatesse.

— Dites-lui seulement de me téléphoner quand il le pourra.

Il lui donna son nom et reprit ses tâches habituelles. Une demi-heure plus tard, Aristide vint lui dire que son ami était au bout du fil. En décrochant, il entendit immédiatement :

— Tu as vu l'annonce, je suppose.

— J'ai vu. Comment prends-tu la chose ?

— Bien. Après tout, compte tenu de mon âge, je ne peux pas l'accuser de me forcer précocement à me doter de mon propre cabinet.

Xavier doutait de l'apparente sérénité qu'affichait son interlocuteur. Le banquier crut bon de rappeler :

— À son âge, il en a beaucoup plus long derrière que devant lui. S'il souhaite avoir le temps de faire autre chose, il doit se dire que ça doit se passer maintenant, ou jamais.

La remarque entraîna un long silence. Quand Georges reprit la parole, ce fut d'un ton plus posé :

— C'est vrai. Il a plus de soixante ans. Ça lui fait trente-cinq ans de pratique.

— Ça te dirait de terminer la journée dans le bar d'un hôtel ? Ou au Club nautique ?

— Que dirais-tu de venir dîner à la maison, plutôt ? Dimanche prochain ?

— Je ne voudrais pas m'imposer.

— Tu ne t'imposeras pas. Encore ce matin, ta filleule réclamait ta présence.

— Pauvre petite. Si jeune et entichée d'un vieux garçon.

— Ton nom revient souvent dans les conversations, ces temps-ci.

⁂

Le premier samedi d'octobre, à la fin de la journée, Xavier sortit de son bureau afin de donner leur enveloppe à ses employés. Odile reçut la sienne avec des émotions contradictoires. Le plaisir de voir la preuve de son nouveau statut – si elle recevait une paye, elle était vraiment à l'emploi de la banque – et le sentiment d'être un imposteur à cet endroit.

— Passez à mon bureau avant de partir, murmura-t-il.

Aussi, un peu avant six heures, elle se tenait dans l'embrasure de la porte, intimidée.

— Monsieur Blain, vous vouliez me parler ?

— Venez vous asseoir. Pouvez-vous remplir ce formulaire ?

Il s'agissait d'une demande pour ouvrir un compte bancaire. Il restait encore quelques renseignements à fournir, comme sa date de naissance et sa signature. Quand elle le lui rendit, il lui tendit un petit carnet, avec un chiffre à la première page : deux dollars.

— Mais… j'ai fait seulement la moitié de la semaine.

— J'ai pensé qu'un chiffre rond ferait un plus bel effet.

— Vous ne pouvez pas faire ça…

— Mais oui, je peux. Nous ajusterons ça plus tard. Ne vous en faites pas. Vous aimez toujours travailler ici ?

Odile hocha la tête.

— J'espère que je ne suis pas trop lente à apprendre.

— Pas du tout, je suis certain que ça ira. Venez, je vais vous raccompagner jusqu'à votre rue.

Au cours du trajet, ils discutèrent des événements des derniers jours.

Trente pas derrière, Ulric Rancourt les suivait, une mine sombre sur le visage.

Depuis juin, au grand soulagement de Xavier, Clarisse Payant avait cessé de l'aborder et même de le saluer à la sortie de la messe. Cependant, Odile lui adressait un signe de la tête, accompagné d'un sourire timide. Mieux vêtue, elle avait acquis une certaine assurance, assez pour regarder les gens plutôt que de garder les yeux rivés au sol. Et des garçons de son âge enlevaient un instant leur chapeau et murmuraient « Mademoiselle », lorsqu'ils la croisaient.

— Alors, c'est vrai ! tonna une voix dans son dos. Tu m'as crissé dehors pour donner ma job à cette fille !

Xavier se retourna et vit Ulric Rancourt presque écumant de colère avec, un peu derrière, une épouse catastrophée et trois enfants.

— Je ne pense pas que la gestion du personnel de la banque vous regarde.

— Manger avec elle te suffisait pas. Il fallait encore que tu l'habilles, pis que tu lui donnes mon travail !

L'homme s'avança d'un pas, menaçant.

— Coudon, c'est-tu ta fille ? T'as l'air d'avoir bien connu sa mère.

Cette fois, l'insulte était publique. Il décida de consulter un avocat dès le lendemain. Il le choisirait parmi ceux qui assistaient à l'échange.

— Pour vous montrer aussi audacieux, j'espère que vous avez maintenant un nouveau poste plus avantageux. Parce qu'en ce moment, vous ne donnez à personne l'envie de vous employer !

Déjà, l'automne était une mauvaise saison pour chercher du travail. Avec une telle réputation, cela deviendrait quasi impossible. Après cela, il toucha le rebord de son chapeau en guise de salutation, puis il lui tourna le dos pour se diriger vers les Turgeon.

— Je suis désolé. Ça fait partie des charmes des petites villes : tous les jours, nous rencontrons nos meilleurs amis, et nos pires ennemis.

— Rentrons, dit Délia, avant d'assister au prochain acte de ce drame.

Elle offrit son bras à son époux. Tous les deux ouvrirent la marche. Corinne et Jules – en visite dans la paroisse – leur emboîtèrent le pas.

— Passe devant nous, dit Georges.

— Je me sens comme au milieu de ma garde prétorienne, commenta le banquier.

Quand ils arrivèrent devant la grande maison de la rue de Salaberry, Xavier l'examina d'un œil attentif. « Pas plus de trois mille », songea-t-il.

— Où se trouve ma belle Clémi ? lança Sophie en s'engageant la première dans le couloir.

Comme pour toutes les Américaines, le diminutif l'emportait sur le véritable prénom. Xavier constata avec plaisir qu'elle avait retrouvé toute sa vitalité. À entendre ses exclamations de plaisir, quelqu'un aurait pu croire qu'on l'avait séparée de sa fille pendant des mois.

Dans le salon, Évariste proposa un alcool à tout le monde « sauf aux femmes qui viennent d'accoucher ». Seule Délia eut droit à son petit sherry.

— Vous avez eu des offres ? demanda le visiteur en acceptant un martini.

— Seigneur, si vous êtes capable de bâcler une vente aussi rapidement, j'aurais dû vous confier le mandat. J'ai parlé à Foisy au début de la semaine.

Le marché immobilier de Douceville fit l'objet de quelques échanges. Dans un autre coin de la pièce, Corinne et Jules s'entretenaient avec Georges. Il feignait très mal de se désintéresser de la question. Délia disparut, son verre à la main, pour aller dans la cuisine, avant de revenir trente minutes plus tard afin d'inviter tout le monde à passer dans la salle à manger.

Ils en étaient au second service quand Jules Nantel demanda :

— M'autorisez-vous à aborder le sujet de cette scène ?

— Si vous voulez.

— Vous auriez une excellente cause entre les mains, si vous décidez de plaider.

Le jeune homme parlait comme un avocat à la recherche d'un client.

— Je me suis dit exactement la même chose.

— Vous ne paraissiez pas avoir peur de lui, remarqua Corinne.

— S'il avait eu de réelles mauvaises intentions, il ne se serait pas présenté avec sa femme et ses enfants. Je le soupçonne d'avoir déjeuné au gros gin.

— Je pensais qu'il allait vous frapper, insista Corinne.

— S'il avait sorti un revolver, je me serais senti moins rassuré.

— Tout de même, personne ne tue pour un emploi perdu, dit Délia.

De l'autre côté de la table, Georges eut un petit rire.

— À Douceville, peut-être pas. À Boston, j'ai eu ma part de patients avec une grosse bosse ici.

Il désigna le dessous de son bras, pour évoquer les armes portées dans un holster. Le jeune médecin venait de nommer le plus important motif de son retour à Douceville.

— Bon Dieu ! Qu'est-ce que tu pensais faire là ! Tu cherches un moyen de ne plus jamais trouver de job ?

Gisèle Rancourt marchait aussi vite que le lui permettaient ses petites jambes. Derrière, les trois enfants étaient sur le point de devoir courir.

— Tu crois qu'il faut toujours se laisser fourrer par ces enfants de chienne ? Il m'a crissé dehors pour embaucher une couventine.

— C'est pour ça que tu as jugé utile de dire qu'il est son père devant toute la paroisse ?

— T'as la mère qui tourne autour, il habille, nourrit et paye la fille. Tu penses vraiment qu'y a rien entre eux ?

— Ça te regarde pas ! Là, il risque de te poursuivre. Tu penses qu'on n'a pas assez de misère comme ça ?

Malgré l'indifférence affichée, l'inquiétude du chômeur allait croissant. Ce coup de gueule pouvait lui coûter cher.

⁂

Si l'esclandre avec Ulric Rancourt meubla longuement la conversation, on ne pouvait éviter le sujet du déménagement éventuel. Ce fut Corinne qui prit les devants :

— Vous savez déjà dans quel quartier vous habiterez ?

— Cette maison ne se vendra pas en quelques jours, fit remarquer son père.

— Quand même, dans un déménagement, le plaisir c'est de s'imaginer dans un nouvel endroit, plus intéressant que celui que l'on quitte.

La jeune femme ne regrettait pas sa migration vers la grande ville. Elle en donna immédiatement la preuve :

— Vous devriez vous installer dans notre rue. Je regarderai s'il y a des appartements disponibles. Vous pourriez voir les enfants plus souvent.

Xavier remarqua le dépit sur le visage de Georges. Comme s'il craignait de se trouver très seul à Douceville. Corinne, elle, se réjouissait visiblement de cette future proximité.

— Comptez-vous louer ? demanda Xavier

— Je ne sais pas trop, répondit Évariste. L'immobilier est plus cher qu'ici.

— En revanche, vous aurez besoin de beaucoup moins d'espace.

— En tant que banquier, vous recommandez d'acheter ? demanda Délia.

— Je vous dirais de ne pas donner votre argent à un propriétaire. Ce qui ne m'empêche pas de louer mon appartement.

L'admission tira un sourire à tous les autres. Xavier précisa :

— Comme je vis seul, avoir une grande maison vide ne me donnerait pas grand-chose.

Ensuite, ils passèrent en revue tous les quartiers de Montréal et de la banlieue, en commentant le parc immobilier, les installations de loisir, et l'opportunité pour un médecin vieillissant de faire des consultations quelques jours par semaine.

Si les Turgeon paraissaient tout à fait satisfaits à l'idée de partir, au cours de la conversation il avait été évident qu'ils ne connaissaient plus rien de la vie dans la métropole. Au moment de sortir de table, Xavier dit à ses hôtes :

— Mon appartement est vide, présentement. Je vous donnerai un double de mes clés. Ainsi, vous pourrez prendre tout votre temps pour explorer le terrain.

— Ce ne sera pas nécessaire, assura Délia. Nous pouvons aller chez Corinne.

— Si vous préférez. Je pensais juste que vous aimeriez être seuls dans la grande ville.

Xavier affichait un petit sourire, comme s'il évoquait un voyage de noce.

— Mais à six dans un appartement de la rue Saint-Hubert, c'est agréable aussi.

À l'évocation du nombre des habitants de l'appartement de Corinne, Évariste consulta sa femme du regard. Celle-ci acquiesça d'un geste de la tête.

— Merci, c'est gentil. Nous acceptons avec plaisir.

Après tout, l'un des objectifs de ce déménagement était de cesser de vivre à plus d'une génération dans une maison.

Cela ne pouvait rater, en après-midi, Xavier se retrouva avec un poupon dans les bras, sous le regard mi-amusé, mi-attendri de Sophie. Ils se tenaient un peu à l'écart des autres.

— Même si tu te donnes des airs de vieux garçon, je pense que tu aimeras ça, bercer un jour la tienne près du foyer.

— Il me manque quelqu'un d'important, pour en arriver là.

— Je sais que quelqu'un t'a dit non déjà, mais je suis certaine que ça ne s'est jamais reproduit ensuite.

Le sujet le rendit un peu morose. Il hocha la tête pour lui donner raison.

— Si tu ne l'as demandé à personne, est-ce à cause de la crainte d'entendre un non, ou plutôt un oui ?

Sans le sourire affectueux de son interlocutrice, la remarque l'aurait blessé. Cependant, il était impossible de prêter une intention malveillante à cette jeune femme. Elle continua :

— J'aimerais te parler en tête à tête.

— C'est ce que nous faisons, non ? Cette demoiselle ne répétera rien.

Son regard se porta vers Clémence.

— Je veux dire un vrai tête-à-tête, pas dans une pièce où il y a cinq personnes, sans compter les quatre enfants. En plus, ça fait une éternité que nous ne sommes pas allés dans un salon de thé ensemble, dit-elle.

— Tu peux te libérer demain midi ?

Elle hocha la tête et fit un grand sourire pour le remercier.

— Je passerai ici à moins dix, je te reconduirai ensuite. Mais je te préviens, ça va être beaucoup moins chic qu'à Boston.

— Je sais. Mais je peux me rendre jusqu'à un café toute seule.

— Non, je viendrai te chercher. Ça me fera plaisir de faire l'école buissonnière pour me promener avec une très jolie femme.

Elle le remercia d'un geste de la tête. Une demi-heure plus tard, avant de partir, Xavier répéta à Évariste et Délia :

— Demain, je ferai faire un double de ma clé, pour vous la remettre. Ne me privez pas du plaisir d'être votre hôte à mon tour.

Chapitre 15

Odile prenait goût à se lever plus tard. Elle pouvait prendre le temps de manger un peu et prolonger sa toilette. Contrairement à la manufacture, la banque exigeait qu'elle soigne son allure. Déjà, le fait de ne posséder qu'une tenue vraiment présentable la tracassait. Porter toujours la même chose témoignait de son dénuement, que ce soit une robe de toile ou une robe de laine.

De son côté, Clarisse n'arrivait toujours pas à comprendre. Qu'inspirait-elle à Xavier pour que celui-ci se mette autant en frais ? Les vêtements, l'emploi, et cette intervention dans ses affaires pour la priver de son rôle de mère.

— Tu aimes ça, ton travail ?

— Qu'en penses-tu ? Plus d'accoutrement de mendiante, plus d'odeur de vinaigre, et des collègues qui semblent m'estimer.

— Comment va-t-il se rembourser ?

Odile lui lança un regard mauvais, Clarisse s'en étonna. Le banquier lui avait-il parlé de ses menaces à peine voilées ? Sa nouvelle assurance ne pouvait tenir qu'à cela.

À peine Odile avait-elle quitté la maison que Clarisse mettait son manteau et son chapeau pour se rendre au presbytère d'un pas résolu. La puissance de ses coups contre la porte témoignait de sa mauvaise humeur. Deux minutes plus tard, en ouvrant, madame curé remarqua :

— Même si vous cognez à tour de bras, j'viendrai pas plus vite.

— Je m'excuse, fit la visiteuse, mais c'est grave. Je dois parler à monsieur le curé.

La vieille dame la fit entrer et frappa à la porte du bureau de son fils.

— Madame Payant demande à te voir, dit-elle en entrouvrant.

L'ecclésiastique arrondit les yeux, poussa un soupir, puis murmura :

— Fais-la entrer.

Quand sa paroissienne fut devant lui, il se leva pour lui désigner un siège, puis retrouva son fauteuil.

— Désolée de vous déranger, monsieur le curé, mais j'ai besoin de votre intervention. J'ai perdu le contrôle de ma fille.

— Vous me parlez de la jeune fille timide et effacée que je connais ?

— Si vous l'avez vue à la messe hier, vous savez qu'elle n'est pas si timide, en se pavanant dans son nouveau linge.

Lors de la communion, le prêtre avait effectivement remarqué sa tenue. Il s'était même fait la réflexion : « Voilà donc la jeune femme, après la fille. » Comme cela arrivait presque toujours, la métamorphose s'était faite en un instant.

— C'est sûr qu'avec des vêtements un peu plus élégants, elle affiche une certaine confiance, mais je ne crois pas qu'il s'agisse d'un orgueil déplacé.

— Vous savez d'où ça lui vient, son beau linge ?

— Probablement pas de vous, remarqua-t-il avec une moquerie peu chrétienne dans la voix.

Son interlocutrice était trop emportée pour le remarquer.

— Du banquier ! Xavier lui a acheté du linge. Déjà, des gens s'imaginent qu'il est son père.

— Nous savons tous les deux que ce n'est pas le cas, n'est-ce pas ?

Évidemment, la paternité d'un homme était toujours une présomption, et la maternité d'une femme, une certitude. Calixte Lanoue s'imaginait cependant très mal son ami fuir vers les États-Unis meurtri, puis revenir discrètement un peu plus d'un an plus tard pour mettre enceinte son ancienne flamme et cocufier Isidore.

— Ça n'empêche personne de dire des niaiseries.

— Comme lorsque vous disiez que Xavier était revenu à Douceville pour vous ?

Clarisse accusa le coup. Tous les deux se connaissaient depuis leur passage à la petite école, à Iberville. Aux yeux du curé, cela l'autorisait à une certaine brusquerie.

— Vous le savez, vous, pourquoi il est revenu ?

— Régler des affaires à la banque.

— Pis lui acheter du linge, c'est pour la banque ?

Le prêtre aussi aurait voulu entendre son ami sur les motifs de cette générosité. Malgré tout, il répondit de la façon la plus respectueuse possible.

— Odile est une charmante fille. Quelqu'un peut ressentir de la pitié pour elle, pour la façon dont elle était accoutrée pour marcher dans la rue, pour les difficultés liées à un emploi auquel rien ne la préparait.

— Ça, c'est la faute de son père. Il n'a pas laissé juste elle dans la misère...

Elle attendit que l'ecclésiastique acquiesce d'un signe de la tête avant de continuer :

— Alors pour vous c'est rien que ça : il a eu pitié de la pauvre fille habillée comme la chienne à Jacques.

— Aussi pour la fille qui se tuait à la tâche dans une manufacture.

— Elle n'est pas la seule à faire ce genre de travail.

— Je sais, j'en enterre tous les ans. Le plus souvent à cause de la tuberculose. Il a peut-être aussi eu pitié d'une fille qui reçoit des claques au visage de la personne qu'elle nourrit par son travail.

Clarisse rougit comme une adolescente prise en défaut.

— C'est arrivé juste une fois.

— Une fois de trop.

— Elle me doit respect et obéissance. La loi est de mon bord.

Il la prit totalement au dépourvu en remarquant :

— Quand Xavier est parti vers Boston, c'est moi qui lui ai donné un peu d'argent pour l'aider. Peut-être ressent-il à son tour le besoin de venir en aide à une personne désespérée. L'Église encourage la générosité. Vous connaissez l'histoire du bon Samaritain.

— Vous voulez le monter sur les autels ? Le présenter comme modèle à tous les chrétiens ?

La femme demeura songeuse un moment. Se pouvait-il qu'il s'agisse d'une conspiration entre le curé et son vieil ami d'enfance ? Une façon de la priver de son seul soutien en faisant naître un sentiment de révolte chez Odile ?

— Vous n'avez pas le droit. Elle n'a pas vingt et un ans, elle ne peut rien faire sans ma permission. Pas aller chez les sœurs, pas quitter la maison, pas se marier, pas occuper un emploi contre ma volonté.

Au moins, de son mariage avec un avocat raté, Clarisse avait appris toute la liste de ses prérogatives.

— Je peux l'obliger à sortir de la banque.

— Vous seriez bien avancée, en lui faisant perdre un bon emploi au moment où le nombre de chômeurs augmente dans la ville.

L'automne venu, toutes les entreprises procédaient à des mises à pied. L'ecclésiastique continua :

— Ce serait tellement déraisonnable, de faire ça. Dans un tel cas, je me demande si un juge ne pourrait pas l'émanciper.

Il arrivait qu'une personne mineure obtienne d'échapper à l'autorité de ses parents, si l'influence de ceux-ci se révélait délétère. Ce ne serait pas simple, le juge Siméon Nantel se montrait très attaché aux traditions, dont la soumission des enfants aux volontés des parents. D'un autre côté, le capital de sympathie de la grande jeune fille l'emporterait sur celui d'une mère qui ne s'était pas fait beaucoup d'amis au cours de ses quarante ans d'existence.

— Comme ça, vous ne ferez rien pour faire arrêter le scandale ?

— Quel scandale ? Qu'elle porte des vêtements donnés par quelqu'un d'autre ? C'était le cas de son dernier uniforme scolaire, non ? De ses dernières robes aussi, je parie.

— Il ne fait pas que payer son linge, il l'a embauchée à la banque.

— Ce qui lui permet de continuer de vous remettre son salaire.

— Elle ne sait rien faire. S'il l'a embauchée, il a certainement une idée derrière la tête.

— Quand vous prétendiez qu'il était revenu pour vous épouser, sa moralité ne semblait pas vous inquiéter. De mon côté, je pense que si Odile est à la banque, c'est parce qu'elle peut faire le travail.

— Elle passe ses soirées dans des livres du cours de commerce des frères des Écoles chrétiennes.

Si la visiteuse croyait vraiment que c'était une preuve de l'incompétence de sa fille, la réponse la prit au dépourvu.

— Vous voyez ? Vous et moi ne saurions même pas de quoi il est question.

Tout de même, le prêtre aurait bien aimé la voir en action, pour se faire une idée. Après cela, la femme décida de mettre fin abruptement à la conversation. Elle n'avait même pas parlé de la menace de Xavier de la poursuivre pour les loyers impayés.

Quand elle fut sortie, Calixte reprit son bréviaire. Toutefois, la scène mit un certain temps avant de quitter son esprit. Venait-il d'assister à une banale histoire de jalousie ? Une femme s'inquiétant de voir une rivale plus jeune entre elle et l'objet de ses rêves ?

❧

Même si la perspective de laisser Aristide Careau seul avec Odile pour s'occuper de la banque l'inquiétait un peu, une promesse était une promesse. Après avoir formulé quelques recommandations, Xavier se dirigea vers la grande demeure de la rue de Salaberry. Délia vint lui ouvrir elle-même.

— Monsieur Blain, c'est un plaisir de vous revoir.

— Pour moi aussi, madame. J'en profite pour vous donner ceci.

Il lui tendit une enveloppe.

— Vous y trouverez ma clé et mon adresse. Avertissez-moi tout de même avant d'y aller. Je téléphonerai à ma concierge.

— Promis, et encore merci.

Sophie arriva à ce moment, sa fille dans les bras.

— Elle tenait à te dire bonjour.

L'esquisse de sourire du poupon pouvait être interprétée de cette façon. Il accepta de la prendre dans ses bras, le temps pour la jeune femme d'endosser un manteau et de mettre son chapeau. Puis elle reprit l'enfant pour le mettre dans les bras de sa grand-mère.

— Je vous la confie.

— Même s'il y a longtemps, je devrais encore savoir m'y prendre.

Délia vit Sophie s'accrocher au bras du banquier pour descendre les marches conduisant au trottoir.

— Ta mère semble considérer cet homme comme un véritable ami, glissa-t-elle à l'oreille de Clémence. Il a dû se montrer très serviable, par le passé.

— Ça fait longtemps que nous n'avons pas fait ça, remarqua Sophie.

Elle voulait dire partager un repas, ou juste une boisson chaude, dans un salon de thé.

— Un peu plus de cinq ans.

— Je t'en veux d'être revenu au Canada depuis trois ans sans te donner la peine de venir nous voir.

— Tu as peut-être remarqué, mais cette ville ne me rappelle pas seulement des souvenirs heureux.

Après une pause, il ajouta :

— Vous n'êtes pas venus me voir à Montréal non plus.

Il s'agissait d'une histoire banale d'éloignement, et de paresse pour rétablir les choses. Ils arrivèrent bientôt dans un salon de thé de la rue Richelieu. La clientèle se composait essentiellement de quelques épouses de notables de Douceville ou des environs. La meilleure part du chiffre d'affaires du commerce devait dépendre de l'achalandage des estivants pendant la belle saison.

Xavier l'aida à enlever son manteau et alla l'accrocher sur un cintre. Dans une localité avide de voir partout des histoires scabreuses, quelques rumeurs circuleraient en fin de journée sur la véritable relation entre « la fille du curé » et ce banquier parti vingt ans plus tôt dans des circonstances mystérieuses.

La jeune femme tendit sa main gantée pour toucher l'intérieur de son poignet afin de passer un doigt sur la cicatrice.

— Je comprends que venir ici t'a coûté beaucoup.

— J'aurais dû le faire dix bonnes années plus tôt. Ç'a eu un côté libérateur.

Ils passèrent leur commande et il s'occupa de verser le thé dans les tasses. Ce ne fut qu'au moment de commencer le repas qu'il lui dit :

— En me demandant ce petit tête-à-tête, tu as piqué la curiosité de deux personnes, moi et ta belle-mère. Vas-tu satisfaire la mienne ?

— Et celle de Délia aussi, quand je rentrerai. Elle est trop gentille pour que je la laisse dans l'ignorance. Je me souviens que Georges t'a déjà demandé de venir plaider sa cause auprès de moi.

— Je m'en souviens. C'était dans un salon de thé beaucoup plus élégant. Et maintenant, tu veux que j'aille plaider la tienne auprès de lui. Montréal ou Boston ?

Sophie lui sourit. Bien sûr, il s'en chargerait. Avec son sourire, ses yeux bleus et ses cheveux blonds, elle pouvait obtenir la collaboration de n'importe quel homme.

— Montréal. L'exil n'était pas pour lui. Ni pour moi, d'ailleurs. Tu vas rire, mais je le comprends de ne pas vouloir s'éloigner de sa famille. Moi-même, je ne veux pas m'éloigner de ma belle-famille.

— Et tes parents ?

— J'ai appris à leur pardonner et à les aimer comme des parents. Mais je demeure la fille de qui tu sais.

— Lui-même n'a pas évoqué cette possibilité de déménagement, quand cette histoire est ressortie l'été dernier ?

— Non, mais je soupçonne qu'il acceptera de bonne grâce maintenant. Vois-tu, il a été pris au dépourvu. Il commençait à se construire un beau projet d'avenir : acheter la maison familiale et devenir un pilier de Douceville, maire peut-être.

— Comme papa.

— Il pourrait se donner des modèles infiniment moins intéressants.

Elle marqua une pause, puis dit à voix basse :

— Tu sais, dès que je les ai connus, j'ai été jalouse. Je m'imaginais comme leur troisième enfant, entre Corinne et Georges. Aujourd'hui, je me surprends à nous imaginer tous dans la même ville.

— Pour faire des courses avec les deux femmes l'après-midi.

— Et dîner tous ensemble, le dimanche.

Xavier s'imaginait aussi dans un scénario de ce genre. Mais dans son cas, le temps avait fait ses ravages. Aucune greffe ne fonctionnerait aussi bien.

— Il pourrait sans mal déménager sa pratique à Montréal, non ?

— Sa pratique demeurera à Douceville. Il devra s'en faire une nouvelle. Mais il se distinguera tout de suite de la compétition…

— … Avec la mention "médecin des hôpitaux de Boston" sur sa carte professionnelle.

Sa compagne hocha la tête.

— Après tout, si monsieur Turgeon pense pouvoir se bâtir une clientèle à son âge, Georges le peut certainement.

— Je l'inviterai à prendre un verre en rentrant à la banque, tout à l'heure.

Une fois cette question réglée, le ton de la conversation changea.

— Alors, Oliver est-il navré d'avoir perdu son statut d'enfant unique ?

— Olivier, dit-elle en prenant un air sévère. Dans ce pays, Olivier. Il est certainement un peu déçu, mais tout le monde dans la maison lui mentionne les privilèges qui accompagnent son statut d'aîné.

Les deux enfants occupèrent le reste de la conversation, puis c'est bras dessus, bras dessous qu'ils firent le trajet jusqu'à la rue de Salaberry.

&

L'esclandre avec Ulric Rancourt devait avoir une suite, ne serait-ce que pour éviter sa répétition. Le premier mardi d'octobre, maître Rodrigue Tremblay se présenta à la banque afin d'avoir un entretien avec le directeur. Au moment de lui serrer la main, Xavier lui dit :

— Je vous remercie de vous déplacer ainsi. Je n'aime pas laisser la banque sans ma présence.

— Ce n'est rien, le temps de la petite marche vous sera facturé.

Voilà de quoi refroidir tous les élans de reconnaissance. Le banquier désigna une chaise à son visiteur, il regagna la sienne puis commença :

— Comme chaque minute compte, essayons de couper court aux explications superflues. Vous étiez présents, lors de la scène sur le parvis de l'église.

Xavier savait que c'était le cas. En fait, la majorité des habitants de la paroisse Saint-Antoine se trouvaient dans les parages.

— J'ai tout entendu. Disons que cet homme ne s'exprimait pas sur le ton de la confidence.

— Je suppose que dans les circonstances, il y a quelques mesures à prendre.

— Une demande d'injonction pour l'obliger à tenir ses distances.

— Vous croyez que ce sera efficace ?

— Difficile de lui interdire d'aller à la messe. Mais il serait certainement possible d'obtenir qu'il ne vous adresse pas la parole. S'il n'obtempère pas, ce sera un outrage au tribunal.

Le banquier hocha la tête. Dans ce cas, passer outre pourrait lui valoir une peine de prison. Les juges se montraient réceptifs quand il s'agissait d'empêcher que des travailleurs mécontents ne viennent embêter des patrons dans des endroits publics. Qu'Ulric profite de la clémence de la cour serait improbable.

— Comme vous l'avez compris, cet homme n'est pas seulement mécontent d'avoir perdu son emploi. Le choix de la personne embauchée pour le remplacer le conduit à tenir des propos diffamants.

— Il parlait de la jeune personne qui m'a reçu tout à l'heure ?

Le banquier acquiesça d'un signe de la tête.

— Bien des hommes ont mal accueilli l'arrivée des jeunes filles dans les emplois de bureau, mais aujourd'hui, c'est une pratique bien établie, dit encore l'avocat.

— La réalité ici est un peu plus complexe. Le jeune homme châtain que vous avez aussi aperçu a été promu pour occuper la place de Rancourt, et cette jeune fille agit depuis comme secrétaire. Qu'il discute de la gestion de mon personnel ne me dérange guère. Toutefois, il m'accuse d'être son père. Vous avez certainement connu maître Isidore Payant.

Le visiteur dépassait les quarante ans. Il pouvait même avoir été un condisciple de Payant à la faculté de droit.

— La naissance de sa fille est survenue au moins un an après le mariage. À cette époque, il était de notoriété publique que je me trouvais à l'extérieur du pays depuis largement plus de dix-huit mois.

— La plupart des hommes reçoivent des accusations de ce genre avec un sourire entendu.

Si une femme subissait un réel ostracisme quand on la soupçonnait d'avoir fauté, la plupart des hommes ne détestaient pas qu'on leur fabrique une réputation de don Juan.

— Cela ne signifie pas qu'aucun ne s'abstient de faire affaire avec un banquier séducteur, répondit Xavier. Mais il y a surtout l'attaque à la réputation de la jeune fille.

— Vous entendez obtenir un dédommagement financier pour l'atteinte à votre réputation et à celle de la jeune fille ?

Le banquier acquiesça.

— Ni vous ni elle n'obtiendrez quoi que ce soit. Ce type a surtout des dettes. Pas même une maison à saisir.

— Un endettement qui s'accroîtra encore avec les frais d'avocats.

Voilà qui ajouta à la conviction de maître Tremblay qu'il y avait bien un lien entre ce client et la jeune fille. Peut-être pas filial, mais un lien tout de même.

— Quel montant avez-vous en tête ?

— Suffisamment élevé pour indiquer que je ne plaisante pas avec le respect des commandements de Dieu. Cinq mille dollars !

L'avocat laissa échapper un petit sifflement. Plus de trois ans du salaire d'un employé de banque. Décidément, les banquiers ne lésinaient pas avec les commandements de Dieu relatifs à la sexualité.

— Très bien. Il recevra des lettres recommandées d'ici la fin de la semaine.

Au moment de sortir, quand Odile vint lui ouvrir la demi-porte, le visiteur l'examina des pieds à la tête.

Alors que maître Rodrigue Tremblay quittait la Royal Bank of Canada, Ulric Rancourt se tenait de faction près de l'édifice de la Electric and St. Cesaire, la société qui produisait et distribuait l'électricité dans Douceville.

— Le sacrament, grogna-t-il entre ses dents.

Le dimanche précédent, des parents l'avaient contacté pour lui expliquer que son coup de gueule pouvait lui coûter cher. Il y avait toujours de bonnes âmes disposées à lui expliquer que de lourds nuages s'accumulaient au-dessus de sa tête. Au point où il passait des heures à ce poste d'observation.

Maître Tremblay était parti depuis à peine dix minutes quand Xavier entendit deux petits coups contre la porte. Odile entra, le grand livre des lettres à signer dans les bras.

— Je peux vous déranger un instant?

Il la contempla, une petite silhouette étroite dans une robe foncée, allant jusqu'à mi-jambe. Ses cheveux présentaient une ondulation qui ne devait rien à un salon de coiffure. D'ailleurs, il devinait qu'elle n'avait sans doute jamais visité un établissement de ce genre. Elle et sa mère se coupaient sans doute les cheveux réciproquement.

— Bien sûr, mademoiselle. Je vous attendais avec impatience.

— Je serais venue plus tôt, mais comme vous aviez quelqu'un…

— Mademoiselle Payant, il ne faut pas toujours prendre ce que je dis au pied de la lettre. Remarquez, j'essaierai d'arrêter mes petites plaisanteries.

Elle esquissa un sourire timide, puis s'avança vers lui. Debout à gauche de son bureau, elle présenta le livre, et tourna les pages pour lui permettre de signer. D'un regard oblique, il regarda le drapé de sa robe sur son ventre. La finesse de la taille l'incita à dire :

— Voilà longtemps que nous ne sommes pas allés manger ensemble, vous ne trouvez pas ?

— Depuis deux semaines, je pense.

— Oui, à peu près.

Après une pause, il demanda :

— Vous vous faites à ce travail ?

— C'est très facile de s'y faire. Je suis mieux ici qu'à la maison. Cependant, à force de demander de l'aide à Aristide, je le retarde dans son travail.

— De moins en moins souvent, je parie.

Elle acquiesça. Déçue de n'avoir reçu aucune invitation, elle marcha vers la porte, mais s'arrêta, préoccupée :

— Tout à l'heure, la visite de maître Tremblay… Ça concernait les mots de cet homme, hier ?

— Oui, j'espère que son intervention permettra d'éviter la répétition de ce genre de désagrément.

— Ce qu'il a dit…

— Ne vous en faites pas à ce sujet. Tout le monde sait qu'il disait n'importe quoi.

Quand Xavier avait téléphoné au cabinet des deux docteurs Turgeon, Georges avait accepté son invitation à souper d'une voix un peu excédée. Aussi, au moment de se rendre à l'hôtel National, le banquier redouta de se trouver devant un homme d'une humeur massacrante. Pourtant, Georges l'accueillit avec un sourire.

— Tu es arrivé depuis longtemps?

— Quelques minutes.

Plusieurs minutes en fait, puisque deux verres vides se trouvaient sur la table devant lui. Après une poignée de main, Xavier occupa la seconde chaise et commanda un whisky à son tour. Une fois son verre à la main, il commença:

— Tu te souviens du jour où tu m'as demandé d'aller voir Sophie afin de plaider ta cause?

— Comme si c'était hier. Je sais qu'elle t'a demandé de faire la même chose aujourd'hui.

— Elle te l'a dit?

— Pas vraiment. Mais ce matin, avant de partir au cabinet, elle m'a demandé si tu m'avais parlé. J'ai deviné.

Georges lui adressa un sourire en biais, puis admit:

— Oui, elle a raison.

Devant la mine intriguée de son ami, il précisa:

— Inutile d'être un devin. Après que cette histoire sur son véritable père a refait surface, je me doutais bien que Douceville lui semblerait trop petit. En plus, ce gars t'a invectivé sur le perron de l'église. Pourquoi attendre que ça devienne une mode?

— Qu'en penses-tu?

L'autre haussa les épaules.

— Elle dit vrai. Selon le recensement fédéral de l'an passé, Montréal compte plus de six cent mille habitants. Avec un peu de chance, il n'y en a pas plus de trois qui ont déjà entendu parler de l'abbé Alphonse Grégoire.

— Tu vas donc déménager ?

— Je commence à me faire à l'idée.

— Tu ne devrais pas avoir de mal à te faire une clientèle.

— Mais il y aura la fumée des usines, le bruit des automobiles et du tramway et il faudra marcher pendant une heure avant d'arriver où que ce soit. J'ai goûté à tout ça à Boston.

Xavier trouvait que les odeurs de Douceville n'avaient rien à envier à celles de Montréal. Il passa un long moment à lui vanter les mérites de la grande ville.

Quand elle arriva à la maison, Odile trouva sa mère de très mauvaise humeur. Pourtant, ce ne fut qu'après le souper qu'elle laissa libre cours à sa colère.

— Hier, je suis allée parler au curé pour lui demander d'intervenir pour te ramener à la raison.

— Je ne savais pas l'avoir perdue.

— Tu vois, cette façon de répondre ! Tu n'as plus aucun respect pour ta mère. À la moindre remarque, tu deviens impertinente.

— Je devrais peut-être tendre l'autre joue…

Cette allusion à la gifle décontenança Clarisse. Elle retrouva vite assez d'aplomb pour dire :

— Accepter tous les cadeaux de cet homme, c'est mal. C'est certain qu'il se fait des idées, maintenant.

— Tu penses que je lui inspire des mauvaises pensées ?

Malgré le défi dans sa voix, Odile sentait bien que le regard de son patron avait changé. Elle y lisait infiniment moins de pitié. Du désir ? En tout cas, elle le surprenait parfois à la regarder à la dérobée.

— Tous les hommes ont des mauvaises pensées. C'est certain qu'il s'imagine comment il va pouvoir se rembourser. Là, il t'a sans cesse sous la main. Je suppose qu'il en profite.

Le banquier prenait bien garde de la toucher. Aurait-il aimé le faire ? Aurait-elle aimé qu'il le fasse ?

— Il est aussi respectueux avec moi qu'il l'est avec toi.

— Ne lui donne pas le bon Dieu sans confession. Le respect, parfois, c'est juste pour enfirouaper une fille.

— Monsieur le curé t'a demandé de me garder à la maison pour me protéger de ses désirs impurs ?

— Non, répondit la mère après une hésitation.

— Heureusement, parce qu'à la manufacture de vinaigre, on me tournait autour. Je suppose que ce serait pareil dans les autres manufactures. En fait, tu t'inquiètes d'un milieu qui ne présente aucun danger. Si je ne peux pas travailler là pour des raisons morales, je ne peux pas travailler ailleurs.

Odile fit une pause, puis elle poussa son argumentaire un peu plus loin :

— À moins que tu me laisses aller au noviciat, je ne peux pas être plus en sécurité qu'à la banque.

La marâtre se trouvait battue à son propre jeu. Mieux valait qu'elle change de tactique :

— Remarque, si Xavier se montre si respectueux, c'est peut-être parce qu'il te réserve pour le bon motif. Il aurait l'air ridicule avec une gamine comme toi au pied de l'autel, mais si c'est son choix...

En réalité, pour Clarisse, ce serait une autre façon d'arriver à ses fins : se faire entretenir par Xavier Blain.

Chapitre 16

L'idée de ne plus être le meilleur médecin de Douceville décevait Georges au point de l'inciter à enfiler quelques verres. Quand il rentra à la grande demeure de la rue de Salaberry, son pas se faisait un peu chancelant. Ses parents se trouvaient encore dans le salon. Il les salua au passage, puis monta à l'étage pour rejoindre sa femme.

— Avait-il quelque chose à célébrer ce soir ? murmura Délia, afin de ne pas être entendue.

— Plutôt un deuil à faire, je pense, répondit son époux sur le même ton.

À l'étage, le couple utilisait la chambre autrefois occupée par les parents. Plus grande, elle offrait aussi un meilleur confort. Cela faisait partie des concessions faites pour rendre possible l'occupation par deux générations. Quand Georges ouvrit la porte, Sophie leva les yeux de son livre pour demander :

— Comme ça, il t'a parlé ?

— Tu sais bien que jamais Xavier ne voudrait te décevoir…

Après une pause, il ajouta :

— Ni moi, d'ailleurs. Il n'a pas eu à me convaincre, moi aussi je crois qu'il vaut mieux abandonner cette ville. Pourtant, pendant des années, nous n'avons rien entendu sur cette histoire.

— Si nous n'avons rien entendu, ça ne veut pas dire que tous les paroissiens se privaient d'évoquer le temps du bon curé Grégoire, de son départ précipité pour ne plus jamais revenir et de mon propre départ.

Georges alla s'asseoir sur le lit, allongea la main pour lui caresser le pied sous les couvertures. Sa femme insista :

— Pense au jour où, à l'école, un enfant demandera à Olivier s'il est vrai que son grand-père portait une soutane.

Cet argument acheva de convaincre Georges de l'urgence de ce changement d'air.

— As-tu peur de ne pas pouvoir te faire une clientèle là-bas ? demanda sa femme.

— Pas vraiment, même s'il faudra quelques mois avant d'occuper toutes mes semaines. Ne va pas t'imaginer qu'on me fera spontanément une place dans un hôpital. Tu as vu dans *La Presse* les photographies des nouveaux internes de l'Hôtel-Dieu. Une fois un pied dans la bâtisse, ils ne la quitteront pas.

Sophie croyait que l'accueil serait meilleur que son mari ne le prévoyait.

❦

Le lendemain matin, alors qu'il se présentait à table pour le déjeuner, Georges demanda à son père :

— As-tu reçu des propositions pour l'achat de la maison ?

— Des propositions oui, mais rien de sérieux.

— Les gens nous imaginent peut-être dans la misère, commenta Délia. Ils nous offrent la moitié du prix demandé.

— Elle vaut certainement plus que la moitié. Peut-être les trois quarts.

Évariste le regarda, l'air un peu outré par cette prétention.

— Es-tu résolu à m'acheter à rabais ?

À ce moment, Sophie entra avec Clémence dans ses bras.

— Bonjour. Je m'excuse de mon retard. Mademoiselle réclamait un peu plus d'attention.

— Elle a de la chance de pouvoir compter sur une mère aussi dévouée, remarqua Délia.

— Je prends exemple sur vous.

Le compliment mit un peu de rose sur les joues de la grand-mère. Elle ne voulut pas demeurer en reste.

— Déjà, tu as à peu près retrouvé ta taille.

— Quand j'ai mis ma jupe, tout à l'heure, ma ceinture racontait autre chose. Est-ce que Georges vous a dit ?

Devant les yeux intrigués de ses beaux-parents, elle devina que ce n'était pas le cas.

— Oh ! Je m'excuse, dit-elle en posant les yeux sur Georges.

— Il n'y a pas de mal. Nous parlions justement de la vente de la maison. Alors non, papa, je ne tente pas de te faire baisser ton prix. Ce serait un peu grand pour une maison d'été. Nous aussi nous songeons à aller à Montréal.

Les parents se consultèrent du regard.

— C'est à cause de cette histoire ? demanda Évariste.

— Sophie me faisait remarquer qu'un jour, quelqu'un pouvait apostropher Olivier au sujet de son grand-père. Ou plus tard, Clémence.

Délia hocha la tête pour approuver. Si des adultes parlaient encore de l'abbé Grégoire lors des soirées familiales, de nombreux enfants étaient susceptibles d'entendre.

— Vous avez une date en tête ? demanda Délia.

— Dès que vous aurez reçu une offre pour la maison, nous irons chercher un endroit où loger, et surtout un cabinet.

Évariste hésita juste un peu avant de proposer :

— Si ça te convient, nous pourrons reprendre le même arrangement qu'ici. Je parle du partage d'un cabinet, bien sûr.

Car au sujet de la maison, Georges tenait à renouer avec son existence de jeune marié.

— Cela vaudra certainement mieux de partager les frais.

De toute façon, comme le père entendait réduire considérablement le nombre de ses consultations, ce genre de collaboration ne poserait pas des problèmes pour le fils. Il choisirait son horaire à sa guise.

⁂

Les dames patronnesses de Douceville tenaient à nouveau leur réunion chez madame Siméon Nantel. L'idée d'une autre soirée d'euchre ne souleva pas le plus grand enthousiasme.

— Que diriez-vous d'une tombola ? demanda quelqu'un.

— D'habitude, nous faisons ça dans un parc, sous le soleil.

— Pourquoi pas dans la même salle que la dernière fois ?

Le sujet les retint une petite heure. La tombola ressemblait à un tournoi de cartes, avec les cartes en moins. Les notables achetaient des prix à distribuer, les Doucevilliens achetaient des billets et on procédait à un tirage.

Une fois les questions sérieuses réglées, Félanire Pinsonneault demanda :

— Madame Turgeon, vous comptez déménager ?

Puis elle porta sa tasse de thé à sa bouche, comme pour dissimuler son sourire victorieux.

— Quand on annonce que sa maison est à vendre, c'est que l'on souhaite déménager.

— Je voulais dire : pour quitter Douceville ?

Quelque chose dans le ton semblait exprimer un espoir. Comme si des années après la lutte politique, le bon docteur prenait la fuite devant son adversaire de 1907.

— Jamais nous ne pourrions quitter tous nos amis ici. Quant à nos ennemis, nous pouvons faire avec.

Délia lui adressa un sourire ironique. Ensuite, elle dit à sa voisine :

— Madame Ouimet, j'ai appris que vous seriez bientôt grand-mère ?

Une question comme celle-là suscitait d'habitude une longue réponse. Assez longue pour que rapidement de nombreuses visiteuses aient quitté les lieux. Délia sut s'attarder assez longuement pour se retrouver seule avec son hôtesse.

— Veux-tu que je demande qu'on nous prépare du thé frais ?

— Non, je ne pourrais pas en avaler une goutte de plus.

Toutes les deux se retrouvèrent dans le petit salon, de part et d'autre d'une table.

— Tu as changé d'idée, au sujet de Montréal ?

— Non, pas du tout. Mais l'ineffable Félanire me semblait sur le point de faire chanter des messes d'action de grâce pour célébrer mon départ.

— Je t'envie, tu sais. Tu seras tout près des enfants.

Monsieur le juge et sa femme s'ennuyaient aussi de leurs années dans la grande ville. Et Floranette en particulier de son fils et de ses petits-enfants.

— Enfin, de l'un de tes enfants.

— Plus probablement de toute la descendance. Ce matin, Georges nous a fait part de son intention de déménager aussi.

Son interlocutrice demeura silencieuse un moment, puis elle murmura :

— Il y a un lien avec ce que le curé racontait, au sujet des médisances ?

— Un employé de la Royal Bank en a parlé au travail, le directeur a souligné la chose au curé.

— J'ai remarqué vos conversations, à l'église. Il s'agit d'un ami de la famille ?

Délia hocha la tête.

— Georges et Sophie l'ont connu à Boston. Tous les deux lui sont très attachés. Et depuis, nous avons appris à l'apprécier.

— En tout cas, non seulement il a obtenu l'appui du curé pour le faire taire, mais il l'a renvoyé. Il est prêt à monter aux barricades pour les défendre.

Pour Floranette, un plus un donnait deux. Après la scène sur le parvis de l'église, le nom de l'employé indélicat ne faisait plus mystère. Elle continua :

— Toute la famille sera réunie dans la même ville.

— Oui. Je sais bien que le train permet d'aller rapidement d'ici à Montréal, mais maintenant, je rêve que nous soyons tous dans le même quartier.

Si la présence de deux générations dans la même maison lui pesait un peu, elle entendait tout faire pour que les différents membres de la famille puissent se trouver dans un tout petit rayon.

— Je comprends qu'au moment où Siméon prendra sa retraite, vous comptez faire la même chose.

— À sa retraite, ou avant, s'il obtient une autre affectation.

Les dames patronnesses discutèrent ensuite de leur désir de céder leur place à d'autres. Peut-être que Félanire Pinsonneault pourrait prendre le relais. Elle vivrait ça comme une victoire finale.

Après avoir évoqué l'idée d'un autre souper ensemble, ce n'est que deux jours plus tard que Xavier Blain fit une invitation formelle à Odile. Elle accepta, même si les remarques de sa mère ne quittaient pas son esprit. Clarisse arrivait à la convaincre: bien que cet homme demeurât toujours respectueux, il espérait sans doute trouver sa récompense.

À la fin de sa journée de travail, elle reçut les souhaits de bonne soirée d'Aristide et les lui rendit. Elle eut l'impression que le nouveau commis la regardait avec un sourire amusé, comme s'il soupçonnait un rendez-vous galant. Peu après, Xavier la rejoignit en disant:

— Alors, mademoiselle, vous êtes prête?

— Oui, monsieur Blain.

— Cette fois, je vais vous faire connaître un autre endroit.

Odile rougit un peu. Puisqu'elle n'empestait plus le vinaigre, il se proposait de l'emmener là où les gens n'avaient pas l'habitude des odeurs offensantes. Bientôt, le couple se dirigea vers la rue de Salaberry.

— Je n'y suis jamais allé, mais l'Hôtel du Canadien Pacifique a une bonne réputation.

La jeune fille ignorait tout de la réputation des différents établissements de Douceville. Cependant, elle songea que la clientèle de celui-là était susceptible de se composer de voyageurs, de gens qui ne la regarderaient pas comme la fille de l'ancienne flamme de son compagnon. Ou comme sa fille, pour ceux qui avaient entendu les calomnies d'Ulric Rancourt.

Le restaurant de l'hôtel pouvait accueillir une quarantaine de convives. Comme prévu, elle passa totalement inaperçue. Ou peut-être pas: la différence d'âge entre eux était susceptible d'inspirer quelques scénarios à des commensaux imaginatifs.

Quand un serveur apporta les menus, Odile dit tout bas:

— Commandez pour nous deux.

— Non, cette fois j'aimerais que vous choisissiez pour vous.

Le ton contenait un petit défi. La jeune fille se plongea dans l'étude studieuse du feuillet. Condamnée à commander la première, elle hésita. La faim la faisait pencher vers les plats les plus copieux, la honte vers les moins chers. À la fin, l'appétit guida son choix.

Quand la bière et les assiettes furent devant eux, Xavier demanda :

— Vous aimez toujours votre nouveau travail ?

— Oui, beaucoup. Je vous remercie encore. Aristide aussi est très gentil. Sans son aide, je n'y arriverais pas.

Le banquier partageait cette opinion, mais le reconnaître à haute voix aurait été indélicat. Quant à Aristide, il avait trouvé dans son enveloppe de paye un remerciement en argent. La jeune fille confia :

— Je me trouve si bien au travail, parfois j'ai l'impression que ça rend la vie à la maison encore plus difficile.

Ce n'était pas qu'une impression : il ne se passait pas une journée sans que Clarisse s'informe des intentions de son patron.

— Elle ne vous a pas frappée à nouveau ?

Elle secoua la tête.

— Non, ce n'est pas ça. Mais l'ambiance demeure mortelle.

Sous les yeux inquisiteurs de son interlocuteur, elle finit par ajouter :

— Elle prétend que vous avez certainement des intentions à mon sujet.

Le rouge lui monta aux joues.

— Des intentions ?

Il s'en voulut de la forcer à clarifier, car il devinait les méandres de l'esprit tordu de Clarisse.

— Quand un homme se montre généreux avec une femme… d'habitude il compte se faire rembourser d'une certaine façon.

Xavier eut l'impression qu'elle se faisait une idée bien vague du remboursement en question.

— Dans le sens de profiter de vous ?

Elle hocha la tête.

— Avez-vous l'impression que j'ai de mauvaises intentions à votre égard ?

Cette fois, elle nia énergiquement. Toutefois, l'homme ne la trouvait pas très rassurée. Il préféra lui épargner un interrogatoire plus poussé. À la place, il orienta la conversation vers un autre sujet.

— Vous ne songez jamais à chercher à vous loger ailleurs ?

— Ça ne servirait à rien.

— Avec votre salaire, vous pourriez vous trouver une pension.

La jeune fille fit un geste de négation.

— Vous savez que mon père était avocat ? demanda-t-elle.

Cette fois, ce fut au tour de Xavier de répondre d'un signe de la tête. Affirmatif, celui-là. Cette référence à maître Isidore Payant gâcha un peu sa bonne humeur.

— J'ai pu apprendre quelques notions, juste en écoutant les conversations entre adultes. Une personne est tenue par le Code civil à fournir des aliments à ses descendants, ou à ses ascendants. Ma mère a droit à mon salaire, elle peut me forcer à vivre sous son toit, ou s'inviter à vivre chez moi. Elle pourrait même poursuivre mes enfants pour se faire entretenir. Quand j'en aurai…

— Maintenant que vous me le dites, je me souviens de quelques histoires de ce genre survenues à Iberville dans le temps.

— Ça joue aussi dans l'autre sens. Si je me trouvais dans le besoin, et qu'elle avait des ressources, je pourrais la poursuivre.

« Voilà une éventualité qui ne se produira jamais », songea Xavier. Odile continua d'une voix dépitée :

— Alors, c'est impossible de prendre mes distances.

Ce constat les rendit moroses tous les deux. Une question hantait Odile, mais de crainte d'entendre la réponse, elle n'osa pas la poser. Xavier se trouvait à Douceville pour redresser la situation de la succursale. Quand ce serait terminé, il retournerait nécessairement à Montréal. Que lui arriverait-il alors ?

Malgré cette inquiétude, la jeune femme ne laissa rien dans son assiette. Puis passé huit heures, Xavier demanda :

— Nous y allons ?

Rentrer ne disait rien à Odile. Surtout pas pour rejoindre sa mère. Sur le trottoir de bois, à cause de l'éclairage déficient, elle buta sur un madrier mal cloué.

— Vous devriez prendre mon bras, lui dit-il en le lui offrant.

Le rembourser de ses dettes, cela commençait-il ainsi ? Pour la première fois, elle prit le bras d'un autre homme que son père. Pendant le court trajet vers la rue Longueuil, ils ne prononcèrent pas un mot. Dix fois, elle eut envie de demander : « Quand vous partirez… »

Ce soir-là encore, il l'accompagna jusqu'à la maison. Au moment de la quitter, il lui dit :

— Bonsoir, mademoiselle Payant.

— À demain, monsieur Blain.

Le lendemain matin, encore une fois, Xavier trouva Clarisse Payant sur le trottoir. Elle avait quitté la maison en affirmant à sa fille vouloir se rendre chez monsieur le curé. Devant le visage fermé du banquier, elle déclara :

— Maintenant, je ne peux pas téléphoner à la banque pour demander un rendez-vous.

— Je ne pense pas que nous ayons quoi que ce soit à nous dire.

— Moi, je crois que oui. En fait, je veux te poser les questions qu'elle retient.

Xavier se mit à marcher en direction de l'intersection de Saint-Jacques et Richelieu. Elle le suivit, en ayant du mal à s'adapter à ses grandes enjambées.

— Qu'est-ce que tu attends d'elle ?

— Vous lui avez mis en tête que j'entends me rembourser de ma générosité en nature ?

— Je n'ai jamais vu un homme multiplier les gentillesses avec une fille pour gagner son ciel.

— Je comprends que vous pensiez ainsi. Jeune fille, vous entendiez recevoir le prix fort pour chacune de vos délicates attentions. Vous n'avez pas changé. Vous ne pouvez imaginer qu'il en aille autrement pour une autre personne.

— Peut-être simplement parce que le monde est ainsi fait. Là, tu l'habilles, tu lui fournis un emploi, même si elle ne sait rien faire.

Xavier eut une pensée chagrine pour Odile.

— Qu'est-ce qu'elle va devenir quand tu retourneras dans ton grand bureau de Montréal ? Tu n'es pas ici pour toujours. Paraît que tu es un grand homme d'affaires, maintenant.

Pour une fois, Clarisse se faisait une interprète fidèle des inquiétudes d'Odile.

— Vas-tu partir avec elle ? Tu sais qu'en ton absence, elle ne pourra pas continuer d'occuper son emploi.

Il s'arrêta, se tourna vers Clarisse et dit :

— Je ne sais pas ce qu'elle fera. Toutefois, je considère que pour son bien, elle devrait partir très loin de toi.

Comme je l'ai fait il y a des années. Sinon, elle fera peut-être la même chose.

L'homme avait tiré sur sa manche pour lui montrer sa cicatrice. Il s'éloigna ensuite à grandes enjambées.

Le facteur faisait le tour des rues de Douceville en matinée. Son passage chez les Rancourt, vers dix heures, marquait toujours une pause dans la journée de Gisèle. En des temps plus prospères, elle en profitait pour se verser une tasse de thé. Maintenant, elle s'en passait.

Quand elle prit les lettres dans la boîte, l'adresse de retour sur l'une des enveloppes lui tira une plainte. Elle courut vers la cuisine en disant :

— Je savais que ça arriverait, avec ton comportement stupide. Une lettre d'avocat.

Ulric était à table, un vieux numéro de *La Presse* sous les yeux. Il parcourait les rues très tôt le matin pour les récupérer dans les poubelles. Il leva sur elle un regard noir.

Elle jeta l'enveloppe sous ses yeux. Il l'ouvrit avec des doigts tremblants, parcourut le feuillet, puis le jeta par terre tout en égrenant un chapelet de jurons. Gisèle se pencha pour le récupérer.

— Cinq mille dollars en dédommagement pour diffamation… Oh, mon Dieu…

— Ça, ça vaut rien. On n'a pas une cenne... Le maudit pissou a besoin d'une injonction du juge pour m'empêcher de lui parler, et même de l'approcher.

— En tout cas, il serait capable de faire vivre ses enfants, lui. Là, sans ma parenté, y aurait rien sur la table.

— C'est certain, ses enfants, il les emploie à la banque.

— En tout cas, moi, quand le propriétaire voudra nous mettre dehors, je retourne chez mes parents avec les enfants. Je ne crèverai pas à tes côtés, si t'es pas capable d'assumer ton rôle de mari et de père.

Plutôt que de subir plus longtemps ces attaques, Ulric préféra se réfugier dans la cabane au fond de la cour.

La question de son retour à Montréal ne tracassait pas que Clarisse et Odile. Le lendemain, au moment où il arrivait au bureau, Xavier demanda à sa nouvelle secrétaire de le mettre en communication avec la grande succursale de la métropole. Peu après, le directeur intérimaire parlait à son supérieur. Après les salutations d'usage, il déclara :

— Je dois retarder un peu mon retour. Ici, avec le départ du commis, j'ai deux personnes à former.

— Tout se passe bien ?

— Des gens remplis de bonne volonté. D'ailleurs, s'il avait cinq ans d'expérience de plus, je recommanderais le jeune Careau pour le poste de directeur.

— Dans cinq ans, il aura quoi ? Trente, trente et un ans ?

Ce qui était toujours terriblement jeune pour un directeur.

— Je sais. Mais c'est un quinquagénaire dans un corps de jeune.

— Le chanceux… Tu comptes revenir bientôt ?

— Vous avez un bon candidat, pour ici ?

L'autre eut un rire bref.

— Des gars qui ne parlent qu'anglais se proposent d'aller dans une ville où plus de la moitié des clients parlent français. Je ne pense pas que ça améliorerait le chiffre d'affaires.

— Donc je suis encore ici pour un bon moment. Tenez-moi au courant du déroulement du recrutement.

Il s'agissait toutefois d'un sursis. Évidemment, il devrait reprendre son poste tôt ou tard. Avec un peu de chance, ce serait quand Odile maîtriserait les divers aspects de sa tâche.

⁂

Pendant toute la journée, Odile trouva son patron de mauvaise humeur, au point de se demander si elle avait fait quelque chose de mal. À six heures, elle se planta dans l'embrasure de la porte de son bureau.

— Monsieur Blain, bonne soirée.

Il leva la tête de ses documents pour répondre :

— Bonne soirée aussi, mademoiselle.

Elle hocha la tête, puis quitta la banque. Le vent froid la forçait à pencher un peu la tête, pour se protéger. Aussi, quand un homme arriva à sa hauteur et saisit rudement son bras, la surprise lui fit pousser un cri.

— Toé ma petite crisse, j'vais t'apprendre ce que ça coûte, voler la job des autres.

Ulric Rancourt serrait son avant-bras au point de lui faire mal.

— Je n'ai rien volé. C'est le travail d'Aristide que je fais.

— C'est pareil !

Le chômeur trouvait plus facile d'intimider une fille qui ne faisait pas les deux tiers de son poids, plutôt qu'Aristide, plus susceptible de lui répondre sur le même ton.

— Tu vas voir…

Il leva son autre main. Heureusement, elle put se dégager et s'élancer en direction de son domicile. En tournant la rue, elle faillit s'étaler de tout son long. Un peu plus loin, la présence de badauds la rassura. Elle n'avait pas le souvenir d'une femme battue en pleine rue devant témoins.

— T'étais où ?

Gisèle l'avait accueilli d'une voix un peu hystérique. Comme les trois enfants se trouvaient assis à la table de la cuisine, en train de faire leurs devoirs, elle baissa le ton pour continuer :

— As-tu trouvé quelque chose ?

Leur dernière engueulade la rendait un peu coupable. Si elle détruisait totalement son moral, elle ne serait pas plus avancée. De son côté, pour expliquer ses errances de la journée, Ulric prétendait se présenter dans tout ce que la ville comptait de commerces afin de se dénicher un nouvel emploi.

— Partout c'est la même réponse : on a pas besoin de personne.

— Ben là, ça presse. Si la nourriture vient de ma famille, elle ne paiera pas le loyer.

— Qui sait, y a peut-être parlé à tout le monde pour leur dire de pas m'embaucher.

Son attitude réussissait à faire disparaître toute la bonne volonté que sa femme avait péniblement reconstruite pendant la journée.

— Ça, tu l'as fait toi-même sur le perron de l'église. Ce qui t'arrive, tu l'as cherché.

L'homme serra ses deux poings, rageur, mais ne répondit rien.

— J'te l'dis, t'as pas le choix. Faut que t'ailles dans une autre place, ici, t'es brûlé.

— Pis laisser ma famille ?

Il croyait profondément en l'indissolubilité du mariage catholique. D'autant plus que dans les circonstances, aucune autre femme ne voudrait de lui.

— Quand t'auras trouvé un autre logis, que tu seras capable de mettre à manger sur la table, on ira te rejoindre.

« Tu me prends pour un idiot, songea-t-il, tu seras trop bien, débarrassée de moi ! » Dans la famille de sa femme, malgré un travail où il ne se salissait pas les mains, on le regardait comme un raté. Tous s'arrangeraient pour la loger, la nourrir, elle et les enfants, juste pour s'assurer qu'elle ne le revoie pas.

— Ben si c'est tout ce que t'as à me dire, j'vas aller coucher dehors !

Parmi les grands mystères de son existence, l'un dépassait les autres : même sans le sou, il arrivait toujours à se trouver à boire. Certaines amitiés étaient plus solides que tous les mariages. Ulric sortit dans la cour arrière pour aller dans le petit abri branlant qui servait à entreposer le bois de chauffage. Une bougie était posée sur une bûche. Il craqua une allumette. La lumière tremblotante suffisait pour trouver la grosse cruche de grès dissimulée sous les cordes de bois. Il en avala une longue lampée.

Puis il prit le fusil de calibre 12 accroché au mur. Gisèle exigeait qu'il le laisse là, pour que les enfants ne le trouvent pas. Ce qui était parfaitement ridicule : ce hangar était la cachette favorite de tous les trois, quand ils jouaient. Ensuite, l'homme chercha une scie à métaux dans un coin. Même si la lame était rouillée, elle pouvait toujours servir. Il commença par couper la crosse juste après la poignée du pistolet, puis le canon. Comme il n'avait pas d'étau, il devait coincer l'arme sur les bûches de bois en s'appuyant dessus.

Cela lui procura une arme à un coup, longue de deux pieds environ. Une corde ferait office de bandoulière. Il poussa la clé de bascule, regarda la flamme de la bougie à travers le canon. Là aussi, de la rouille. Il s'agirait de tirer une fois pour la nettoyer. La petite remise contenait aussi une boîte de cartouches à peu près vide. Les culots portaient des traces de vert-de-gris, le tube de carton paraissait ramolli à cause de l'humidité, mais il pensait que la détonation aurait tout de même lieu.

Ulric eut envie de s'en assurer. L'explosion serait assourdissante, le recul brutal, et le trou dans le mur de la petite remise énorme. À une distance de six pieds, un rayon de douze pouces, dix-huit, peut-être.

Mais justement, le bruit attirerait l'attention de dix voisins. Même la nuit tombée, le chef de police Gamelin se déplacerait en personne pour venir le cueillir. L'usage négligent d'une arme à feu en ville lui vaudrait une poursuite au criminel. Rageur, il rangea son fusil.

Chapitre 17

Le lendemain matin, quand Odile mit le pied sur le trottoir, elle regarda tout autour, de peur de voir Ulric Rancourt sortir d'une cachette pour se précipiter vers elle. Elle marcha d'un pas rapide vers la rue Richelieu, toujours en guettant son agresseur.

Quand elle arriva à la banque, la jeune femme trouva la porte toujours verrouillée. Heureusement, Xavier marchait dans sa direction.

— Bonjour, mademoiselle Payant. Vous arrivez tôt.

— J'ai marché un peu trop vite.

Il ouvrit, la laissa passer la première et déverrouilla les autres portes. Ensuite, il s'éclipsa dans son bureau. Quand Aristide entra à son tour dans la succursale, il remarqua :

— Il y a quelque chose qui ne va pas ?

Il savait lire tout de suite ses états d'âme. Après une longue hésitation, elle lui demanda :

— Pouvez-vous garder un secret ?

— Évidemment, je peux garder un secret, murmura-t-il.

— Hier soir, Ulric Rancourt m'attendait sur le chemin de la maison. Il a eu des gestes et des paroles menaçantes.

— Avertissez tout de suite monsieur Blain. Il va prendre des mesures pour que ça ne se reproduise pas.

Odile secoua vivement la tête.

— Non, je ne veux pas avoir d'ennuis.

— Vous avez des ennuis. L'idée, c'est d'y mettre fin.

— Je ne veux pas. Si ma présence ici provoque des problèmes, j'ai peur qu'il me renvoie.

— Voyons donc, il ne ferait pas ça. Vous devez lui en parler. Surtout si l'autre vous a fait des menaces.

— Je vais y penser. Mais vous, ne lui dites rien.

Odile portait les mêmes chaussures, les mêmes bas, la même robe tous les jours depuis ses débuts à la banque. Ses dimanches après-midi passaient à faire une lessive dans l'évier de la cuisine. Malgré cela, ensuite, elle leur trouvait une petite odeur.

Ce matin-là, elle se regarda dans le miroir accroché sur le mur du couloir, à la sortie de la chambre. L'image qui la réjouissait, si peu de temps auparavant, était devenue trop familière.

— T'es mieux de faire des efforts, si tu veux pas qu'il te laisse ici quand il retournera à Montréal, ricana Clarisse.

L'idée de retravailler à la manufacture de vinaigre lui paraissait infiniment plus sombre depuis qu'elle connaissait mieux. C'était comme toucher du doigt à une vie agréable, pour replonger ensuite dans un véritable enfer.

— Il n'a jamais eu l'intention de m'emmener où que ce soit, dit-elle avec dépit.

— C'est certain, si tu joues à la couventine. Là, il t'invite à souper une fois de temps en temps. Il passe plus de temps avec la fille du curé. Tu sais qu'il l'a invitée dans le beau salon de thé des touristes ?

Odile ne le savait pas. Pourtant, pas un instant elle ne douta de la véracité de l'information. Sa mère paraissait avoir des espions partout.

— Elle est mariée avec un médecin, dit la jeune fille. Elle ne manque de rien, elle n'a pas besoin de lui.

Comme si le confort matériel témoignait de tout.

— Pauvre petite. Si tu veux le garder, tu dois lui en donner juste assez pour qu'il en désire plus, mais pas trop, sinon il n'aura plus rien à obtenir.

— Qu'est-ce que je dois faire ? Me lancer dans ses bras, défaire mes boutons, trousser ma robe ?

— T'as juste à me regarder faire.

— J'ai vu ça avec monsieur Blain…

Les mots, et le ton surtout, exprimaient un profond mépris. Clarisse la prit totalement par surprise :

— Moi, j'ai deux fois ton âge. Ça, les hommes ne le pardonnent pas. Ils peuvent sentir le vieux bouc, cracher leur jus de pipe au milieu de la place, avoir la moitié des dents en moins et des furoncles sur tout le corps, et s'imaginer pouvoir tout de même entraîner une fille comme toi dans leur lit.

Si la manière laissait à désirer, pour la première fois, Clarisse venait de dire à sa fille qu'elle était attirante.

En fin de journée, Odile se présenta dans le bureau de son patron pour lui demander :

— Monsieur, pourrais-je vous parler quand nous serons seuls ?

— Oui, bien sûr.

Elle le remercia d'un sourire. Un sourire moins timide que d'habitude. Comme ceux de Clarisse, des années plus tôt. Pour la première fois, la fille lui rappelait la mère. Un peu plus tard, elle revint s'asseoir sur la chaise placée devant son pupitre.

— Je ne sais pas si je fais bien de vous en parler… mais j'ai eu peur.

— Qu'est-ce qui s'est passé ?

— L'homme qui vous a parlé durement sur le perron de l'église… Il m'attendait sur le chemin de la maison, l'autre jour.

— Rancourt ?

Odile acquiesça d'un geste de la tête.

— Il m'a accusée de lui avoir volé son emploi.

— Vous n'avez rien volé. Son emploi, il l'a perdu par son comportement. Il n'a que lui à blâmer.

L'affirmation ne rassurait pas son interlocutrice pour autant.

— Il ne vous a pas fait de mal ?

La jeune fille posa sa main gauche sur son bras droit, à l'endroit où un bleu demeurait bien visible encore.

— Un peu. Là.

— Voulez-vous porter plainte à la police ?

Vivement, elle secoua la tête de droite à gauche.

— Ça serait encore pire.

Xavier comprit ce qu'elle voulait dire. Chaque affront – ou ce que Rancourt considérait comme tel –, alimentait une colère qui ne faisait que croître. Jusqu'où irait-il ?

— Je vais vous reconduire.

— Vous ne pouvez pas m'accompagner soir et matin.

— Le temps qu'il se calme, il faudra faire attention.

Peut-être que maître Tremblay ne lui avait pas encore fait parvenir un nombre suffisant de mises en demeure. Dès le lendemain, il s'en assurerait.

— Bon, maintenant, allons-y. Je vais vous reconduire.

— Pouvez-vous m'accorder encore un instant ?

Il hocha la tête.

— Ces deux dollars qui vont dans mon compte chaque semaine, j'aimerais pouvoir les utiliser pour m'acheter des vêtements.

— Les vôtres ne font plus ?

— Vous n'avez pas remarqué que je les ai sur le dos tous les jours ?

— Moi aussi, je porte souvent les mêmes.

— Oh, non ! Je connais bien votre garde-robe, maintenant.

Effectivement, il s'assurait que sa tenue affiche clairement son statut.

— Vous irez à la boutique demain. J'écrirai un mot pour vous à l'intention de la propriétaire.

— Je ne sais pas si j'aurai assez. Je dois avoir une dizaine de dollars, pas plus.

Elle était absolument certaine du montant. Chaque semaine, elle contemplait longuement l'addition dans son carnet.

— Laissez-moi régler ça avec la vendeuse.

Le rose lui monta sur les joues.

— Comment pourrai-je vous rembourser ? Je ne peux pas continuer d'accepter la charité de cette façon.

— Disons que je m'occupe de la fille que j'aurais pu avoir. Ça vous convient, comme explication ?

Un père, elle en avait eu un, tout imparfait qu'il ait été. En avoir un second ne la satisfaisait pas tout à fait. Pourtant, elle hocha la tête. Xavier toussota, comme pour éviter que sa voix ne se casse.

— Maintenant, je vous reconduis à la maison.

Odile sortit devant. Il crut distinguer une différence dans son pas, dans le mouvement de ses hanches. Au passage, il prit son feutre et son imperméable. Dans la pièce occupée par les employés, il l'aida à enfiler son manteau. En effleurant ses épaules et ses cheveux, il effaça toute prétention de rapport filial. Et le rouge sur les joues de la jeune fille prouva que le sentiment était réciproque.

Sur le trottoir de bois, ils firent quelques pas côte à côte. Après dix verges, elle glissa sa main gantée sous son bras pour la poser au creux de son coude. Le geste lui parut terriblement audacieux. Heureusement, l'éclairage des rues ne permettait pas de voir son trouble.

Ils se dirent encore « Bonne soirée » et « À demain ». Comme la promesse d'un plaisir renouvelé. Elle avait gravi trois marches quand il dit encore :

— N'oubliez pas de passer chez la marchande de vêtements, demain matin.

Odile s'arrêta, tourna son visage vers lui. Un sourire fugace passa sur son visage.

Peu après son arrivée au bureau, Aristide Careau vint frapper à la porte de son patron. Quand il occupa la chaise réservée aux visiteurs, Xavier remarqua bien le malaise évident sur son visage. Il devina qu'il serait question d'argent.

— Alors monsieur, qu'est-ce qui vous amène aujourd'hui ?

— Je me pose des questions au sujet de ma paye.

— Il y avait une erreur ?

Le ton du directeur s'avérait bien un peu moqueur.

— J'espère que non, car l'augmentation a été bienvenue. La prime aussi.

Il fit une pause, comme s'il hésitait, et finit par demander :

— Quand vous repartirez, je risque de revenir au montant que je touchais avant ?

— Je ne crois pas. Le traitement correspond à la tâche effectuée. Et puis l'époque des hommes secrétaires est révolue. Les femmes touchent beaucoup moins. Alors ne craignez pas une rétrogradation. Mais pourquoi cette inquiétude maintenant ?

L'employé hésita encore avant de répondre.

— Fleurange et moi attendions d'avoir un peu d'économies avant de nous marier. Avec ce salaire, nous pourrions nous le permettre.

Ceux-là n'entendaient pas se marier sur un coup de tête, pour passer les dix années suivantes à se disputer à cause de conditions de vie médiocres.

— Je ne connais pas l'avenir. Mais je ne vois pas pourquoi il y aurait un changement. Si vous aviez quelques années de plus, je vous recommanderais pour la direction de la succursale.

D'abord Aristide demeura silencieux, puis murmura un « Merci » ému.

— Puisque nous venons d'évoquer le sujet, Odile commence-t-elle à connaître son travail, ou compte-t-elle sur votre aide dix fois par jour ?

— On en est à trois fois par jour.

— C'est satisfaisant comme performance ?

— Plutôt. Même si cette perspective l'effraie toujours, je ne pense pas qu'elle retournera dans sa manufacture de vinaigre, si votre successeur ne la garde pas à son service.

— J'ai remarqué que vous étiez très attentionné avec elle.

— C'est une gentille fille. Elle me fait penser à mes sœurs.

Décidément, cet Aristide se révélait très sympathique.

Xavier acceptait de nombreuses invitations des Turgeon. Il les invita à nouveau au restaurant, pour leur rendre la politesse. Ils seraient cinq à table dans la salle à manger de l'hôtel National, avec le banquier à une extrémité, comme un chef de famille. Quand ils arrivèrent, il remarqua bien les sourires un peu plus prononcés, en particulier chez Délia et Sophie. Georges avait un exemplaire du journal *La Presse* sous le bras.

— Je devine que vous avez progressé dans la vente de votre maison.

— J'ai reçu une offre que je pense accepter. Ce n'est pas ce que je demande, mais il paraît que je ne risque pas d'en recevoir de meilleure, répondit Évariste.

Sa satisfaction n'était pas complète. Tous les propriétaires tendaient à surévaluer leur bien, pour être déçus ensuite.

— Quelqu'un vous a fait la liste des réparations à effectuer, je suppose.

La remarque de Xavier lui valut un acquiescement d'un geste de la tête.

— Mieux vaut ne pas penser au prix.

Pour y arriver plus facilement, le médecin commanda un martini au serveur. Par solidarité, Georges, Xavier et même Délia firent comme lui.

— Vous irez explorer Montréal bientôt ?

— Après-demain. L'offre de votre appartement tient toujours ?

— Évidemment. Je préviendrai la concierge avant d'aller à l'église demain. Vous savez, vous pourrez demander qu'on vous prépare des repas pour les monter ensuite à l'appartement, ou descendre à la salle à manger.

— On ne peut pas cuisiner ? demanda Délia.

— S'il y avait des cuisinières dans chacun des *flats*, ça donnerait une forêt de cheminées sur le toit de l'immeuble. Une bonne quarantaine, en fait.

Pendant tout le premier service, la discussion porta sur les charmes de la vie de célibataire. La conversation bifurqua ensuite sur les avantages de la ville. Les Turgeon souhaitaient visiblement se faire rassurer. Xavier fit de son mieux pour évoquer le meilleur de leur nouvelle existence. Cela dura jusqu'au dessert. Au moment du digestif, Georges demanda :

— Je sais que c'est terriblement impoli, mais j'ai apporté un journal avec moi.

Il désigna le numéro du jour de *La Presse* posé sur un coin de la table. Les autres convinrent qu'une fois n'était pas coutume. Georges alla directement à la page 29. Dans la colonne du milieu commençait la rubrique des maisons et des appartements à vendre ou à louer.

— Que penses-tu du quartier Ahuntsic ?

— Avant de répondre, il faut penser à l'endroit où tu comptes travailler. Les hôpitaux sont concentrés au sud de l'île. À Ahuntsic, mieux vaudrait que tu aies une voiture pour le trajet vers l'Hôtel-Dieu ou l'Hôpital général.

Son interlocuteur grimaça. Dans cette famille, si l'embauche d'une cuisinière était une dépense légitime, l'achat d'une automobile ne l'était pas. Très vite, il parut évident que la recherche devait se limiter au sud de la rue Mont-Royal et à l'est de la rue Saint-Laurent. Un environnement totalement anglophone ne leur plaisait guère.

— Corinne rêve qu'on soit voisins, à deux ou trois maisons de chez elle, dit Délia.

— Avez-vous vraiment envie de garder ses enfants si souvent ? demanda le banquier, avec un sourire en coin.

La femme jeta un regard en direction de Sophie, puis répondit avec un sourire complice :

— Ce sera toujours un plaisir.

Xavier pensa que ce « toujours » ne devrait pas dépasser une fois par semaine. Georges parcourait les colonnes du journal en nommant des rues.

— Henri-Julien, L'Esplanade, Beaubien, Rosemont, De Lorimier, Chambord…

Chaque fois, Xavier y allait de son commentaire, rappelant l'emplacement des hôpitaux. Puis son ami commença à lire une annonce :

— Sherbrooke Est, numéro 906, face au parc La Fontaine, sept pièces, chauffé…

Il fallait s'adresser à un certain monsieur Bigras.

— En face d'un parc, ça me paraît un bel emplacement, commenta Sophie.

— Avec l'une des principales lignes de tramway sous les fenêtres, approuva Xavier. Les maisons sont élégantes dans ces parages.

Délia eut un petit sourire. Si sa bru avait commenté favorablement la rue Beaubien, le banquier aurait spontanément trouvé des avantages à cet emplacement. Ce dernier continua :

— Une autre raison me fait recommander cet endroit. Il existe un hôpital Notre-Dame dans la rue Notre-Dame. Comme il devient trop étroit, d'ici deux ou trois ans, il sera déplacé rue Sherbrooke, près de Papineau, à deux pas du parc. Ce serait peut-être opportun de vivre dans les environs.

— Combien ça peut coûter ? demanda Délia.

— Pour le sept pièces évoqué tout à l'heure, avec tout l'équipement moderne, quarante, quarante-cinq dollars.

Une salariée comme Odile devrait travailler cinq semaines pour payer la location d'un mois. Même pour Délia, c'était beaucoup. Elle émit un petit sifflement. Quand ils se quittèrent vers dix heures, les environs du parc La Fontaine paraissaient présenter les meilleures perspectives.

⁂

Odile arriva à la banque avec une petite demi-heure de retard. Elle entra avec un gros sac de papier dans les mains, Aristide la regarda franchir la distance entre la porte et le placard servant à entreposer les balais. Quand elle enleva son manteau, il émit un petit sifflement. La jeune femme lui jeta un regard irrité.

— Excusez-moi. Je voulais dire : vous êtes vraiment moche, comme ça.

Son air sévère disparut tout de suite.

— Vous aimez ?

Il opina de la tête.

— Voilà des semaines que je portais les mêmes vêtements sept jours sur sept. Maintenant, je pourrai alterner.

Comme lui faisait avec ses deux seuls complets présentables.

— En tout cas, cela vous sied à ravir.

Elle le remercia d'un sourire, puis regagna sa place derrière sa machine à écrire.

Xavier Blain s'absorbait dans sa correspondance quand il entendit des petits coups sur le cadre de sa porte. En levant les yeux, il aperçut une Odile rougissante. Cela d'autant plus qu'au lieu de lui dire tout de suite d'entrer, il l'examina des pieds à la tête.

— Ça vous convient ? demanda-t-elle timidement.

— Ça me convient très bien.

Le silence s'allongeant, elle bredouilla :

— Je peux vous faire signer des lettres ?

— Oui, bien sûr.

Quand elle s'approcha de son pupitre, il remarqua le mouvement des hanches. La jupe ajustée permettait de mieux apprécier ses formes. Sa démarche avait changé.

Peut-être que de se savoir élégante chassait totalement la couventine qu'elle avait été.

Elle resta près de lui le temps qu'il appose une dizaine de fois sa signature sur les lettres dactylographiées depuis le matin.

Quand il eut terminé, il lui demanda :

— Voulez-vous vous asseoir un instant ?

Aucune employée ne pouvait refuser une invitation pareille. Quand elle fut sur la chaise de l'autre côté du pupitre, il lui dit :

— Je constate avec plaisir que vous paraissez en meilleure santé et que vos doigts ne sont plus tout rouges.

Elle les regarda, comme pour vérifier leur état. La vilaine teinte était bien disparue et les ongles n'étaient plus ébréchés.

— Je suis content de voir que vous vous portez mieux.

Si Aristide tendait l'oreille, dans la pièce voisine, il s'étonnerait peut-être de sa sollicitude pour une employée de dix-huit ans. Elle baissa les yeux, rejouant la scène de la couventine intimidée. Cela d'autant plus que le silence dura un moment.

— Vous croyez que je devrais apprendre la sténo ? demanda-t-elle pour mettre fin au malaise.

— Ici, ce n'est pas vraiment nécessaire.

— Mais vous, vous partirez bientôt.

Évidemment, elle devrait composer avec son départ. Son successeur n'aurait peut-être pas la même sollicitude pour elle.

— Je pourrais utiliser mes économies pour payer les leçons.

— Quelqu'un enseigne la sténo à Douceville ?

— J'ai vu une annonce dans le journal. Un employé de la cour municipale offre des leçons.

— Écoutez, je peux m'occuper du prix de celles-ci.

Une nouvelle fois, le rose lui monta aux joues. Il préféra ajourner cette discussion.

— Nous en reparlerons en fin d'après-midi.

Pendant toute la journée, Xavier eut l'esprit ailleurs : il songeait à la jeune femme dans la pièce à côté. Son ami Lanoue lui avait demandé les raisons de son intérêt envers elle. Si lui-même se l'expliquait déjà assez mal à ce moment-là, la situation ne se simplifiait guère.

De son bureau, il entendait ses échanges avec Aristide, et aussi avec les clients quand elle devait travailler au guichet. Chaque fois qu'elle devait s'exprimer en anglais – le plus souvent au téléphone –, son accent le faisait sourire. Invariablement, elle commençait par s'en excuser, puis il entendait son rire. À l'autre bout du fil, quelqu'un devait dire : « Ne vous excusez pas, c'est si charmant. »

À la fin de l'après-midi, il quitta son bureau pour aller dans la pièce voisine. Odile était assise sur ses talons pour fouiller dans le tiroir du bas d'un classeur. Le drapé sur ses fesses attirait l'œil.

— Mademoiselle Payant, vous passerez me voir avant de partir.

Un peu avant six heures, elle se présenta dans son bureau. Lors d'invitations de ce genre, elle attendait toujours après le départ d'Aristide.

— Monsieur, vous vouliez me parler ? dit-elle depuis l'embrasure de la porte.

— Ah, oui ! Accepteriez-vous de venir manger avec moi ?

La jeune femme remarqua un changement dans l'invitation. Les fois précédentes, il lui offrait une faveur, cette fois, il demandait qu'elle lui en accorde une. Aussi, elle le regarda dans les yeux pour répondre :

— Si vous voulez.

Voilà qui ne témoignait pas du plus grand plaisir.

— À l'hôtel de la gare ?

Elle acquiesça de la tête. Un instant plus tard, tous les deux sortirent de la banque. Sur le trottoir, il lui offrit son bras, qu'elle accepta.

Sous son manteau d'hiver, le fusil à canon scié ne se remarquait pas. En marchant, Ulric traçait invariablement le même carré, empruntant les rues Longueuil, Saint-Charles, Saint-Georges et Richelieu. Cela lui permettait de passer devant le domicile d'Odile Payant, et devant la banque. Si d'aventure son chemin croisait celle-ci, ou son patron, il se collait contre un mur.

Cependant, un de ces jours, il ne se dissimulerait plus. Bien au contraire. Et puis il y avait Careau, au bon souvenir duquel il entendait se rappeler aussi…

Chapitre 18

Dans le restaurant de l'hôtel du Canadien Pacifique, Odile accepta l'aide de son patron pour enlever son manteau. Cette fois, elle consulta le menu en se souciant moins de limiter les dépenses. Pendant tout ce temps, le regard de son compagnon alternait entre ses yeux et son chemisier. Au point de la mettre mal à l'aise.

— Vous trouvez que c'est trop…

Le mot exact pour décrire sa tenue ne lui vint pas. Pour se disculper, elle plaida :

— C'est la vendeuse qui a choisi pour moi.

— Oh non ! C'est très seyant, vraiment. Un très bon choix de couleur.

— Vous savez, les usages veulent que je porte le deuil jusqu'après le prochain Noël. En plus, ces teintes conviennent mieux pour le travail, non ?

— Sans doute. Personnellement, j'ai surtout remarqué le rappel de la couleur des yeux. Et je suis certain que madame Parent l'a vu ainsi.

Odile fronça les sourcils en entendant ce nom, avant de se souvenir qu'il s'agissait de la vendeuse. Quand les chopes furent sur la table, elle prit une bonne gorgée de bière. Un homme venait de la complimenter sur son allure physique, une expérience totalement inédite.

Lorsque les assiettes furent sur la table, Xavier observa :

— Prendre des cours de sténographie peut être utile dans certains emplois. Là où il faut noter beaucoup de choses. Les témoignages dans une cour de justice, ou alors un endroit où beaucoup de lettres sont dictées. À la banque, ce ne sera pas vraiment utile. Mais si vous décidez tout de même de les prendre, je pourrai m'occuper des coûts.

— Vous ne pouvez pas faire ça. Comment pourrai-je jamais m'acquitter de tout cela ?

— Je n'ai aucune intention de me faire rembourser. Ça me fait plaisir de vous venir en aide.

— Maman prétend que vous vous comportez ainsi pour… Euh…

— Que dit-elle, exactement ?

— Que je ne dois pas accepter de faveurs d'un homme, pour ne pas avoir à les rendre.

Des préceptes que respectaient toutes les jeunes filles de la province. Les joues rosies, les yeux fixés sur son assiette, Odile attendit la suite.

— Vous croyez que je représente une menace pour vous ?

Elle déposa sa fourchette, comme si elle songeait à partir précipitamment.

— Regardez-moi, dit Xavier.

La jeune femme eut une longue hésitation, puis elle obtempéra.

— Croyez-vous vraiment que je représente une menace pour vous ?

Afin de ne pas perdre toutes les améliorations récentes de sa condition, elle ne pouvait dire oui. Aussi, quoiqu'elle ne se sentît pas rassurée du tout, elle secoua la tête de droite à gauche.

— Acceptez tout simplement de me laisser vous aider. Si un jour vous souhaitez prendre vos distances, dites-le-moi. Je n'insisterai pas.

Laissant leur fils au soin des domestiques de la demeure de la rue de Salaberry – la plus jeune dépendait encore de sa mère pour son alimentation, impossible de la laisser derrière –, Georges et Sophie avaient pris le train en matinée. À l'heure du dîner, ils descendaient d'une voiture taxi devant un bel immeuble de pierre de la rue Sherbrooke, pas très loin de la longue allée conduisant au pavillon principal de l'Université McGill.

— La Royal Bank of Canada prend bien soin de Xavier, fit remarquer Georges, debout devant l'édifice.

— Ou de ses placements. Tu m'as dit qu'une maison de courtage cherchait à le recruter.

— Ou des deux. Tu viens ?

Ils marchèrent jusqu'à la porte de chêne dont tout le pourtour était décoré de vitraux. En entrant dans le hall, ils virent les alignements de boîtes aux lettres en laiton. Les cinq étages justifiaient la présence d'un ascenseur. Bientôt, le jeune homme frappa à la porte du 414.

— Vous voilà ! dit Délia en ouvrant.

Évariste vint la rejoindre. Des baisers et des poignées de main marquèrent les retrouvailles.

— Notre ami est joliment logé, remarqua Georges.

— Très joliment. Venez voir.

Il y avait bien une petite cuisine dans cet appartement, mais aucun appareil de cuisson, seulement une glacière vide puisque Xavier était absent depuis si longtemps. Toutefois, il y avait la place pour mettre l'une de ces nouvelles cuisinières électriques qui devaient rendre la vie des ménagères paradisiaque.

Le salon donnait sur la rue Sherbrooke. Une table et quatre chaises en occupaient une section ; deux fauteuils recouverts de cuir, des étagères pour des dizaines de livres, un gramophone et une belle collection de disques occupaient l'autre. Sur les murs, quelques gravures. Plus loin, il y avait la chambre avec un lit double et une salle de bain moderne.

— Cet endroit lui ressemble, dit Sophie. C'est propre, élégant, confortable, mais un peu tristounet.

— Nous pouvons descendre manger en bas, dit Délia. Ensuite, nous prendrons le train pour retourner à la maison.

La petite Clémence retarda un peu ce projet, le temps que l'on s'occupe d'elle. Ils descendirent ensuite pour se retrouver dans une salle à manger élégante. Comme les hommes étaient au travail, l'endroit accueillait surtout des femmes. Certaines vinrent s'extasier sur l'enfant. Quand ils furent servis, Georges demanda :

— Alors, cette recherche d'un logis ?

— Les environs du parc La Fontaine sont vraiment intéressants, je me suis assuré que l'hôpital Notre-Dame serait effectivement transféré dans ce coin. Il y a des maisons à vendre et des appartements à louer.

— À des prix raisonnables ?

— Pas dans le cas des maisons. Pas pour moi, en tout cas. Les loyers sont plus raisonnables, mais je ne voudrais pas être locataire. Si nous achetions un de ces immeubles ensemble ?

Voilà toute l'ironie de la situation : les deux couples trop à l'étroit dans la vieille demeure évoquaient la possibilité d'occuper chacun un étage dans la même maison. Et de proposer à Corinne et Jules de se joindre à l'aventure, s'il y en avait un troisième.

Le dimanche suivant, Xavier assista à la messe depuis le fond de l'église, appuyé contre le mur. Il aurait pu chercher un banc – certains demeuraient libres pendant toute la cérémonie, une fois les touristes repartis –, ou même payer le prix d'une place à l'un des gardes paroissiaux de faction à l'arrière. Cependant, demeurer debout lui permettait de s'afficher comme un bon chrétien, et il ne risquait pas de s'endormir.

Au moment du prône, il regarda Calixte Lanoue gravir pesamment les quelques marches conduisant à la chaire. «Je devrais l'inviter au restaurant avec sa mère», songea-t-il. La présence de la vieille dame empêcherait la conversation de porter sur des sujets trop intimes, dont Odile ferait nécessairement les frais.

Le sermon porta sur le péché de gourmandise. Octobre se terminait, déjà il fallait se blinder contre les fêtes à venir. Le sujet reviendrait sans cesse jusqu'au 25 décembre. À la fin de son prêche, le curé annonça:

— Il y a promesse de mariage entre Fleurange Vincelette, de cette paroisse, et Aristide Careau, de la paroisse Notre-Dame-Auxiliatrice.

«Tiens, tiens. L'heureux événement aura lieu avant Noël», pensa Xavier. Quand la cérémonie se termina, il localisa les membres de la famille Vincelette et s'arrangea pour sortir sur le parvis en même temps qu'eux. Dehors, il enleva son chapeau pour les aborder.

— Monsieur, madame, excusez-moi de vous déranger.

Puis en se tournant vers Fleurange, il tendit la main.

— Je vous félicite, mademoiselle. Aristide m'avait touché mot de ses projets. Je suis heureux que le tout puisse se réaliser.

— Merci, monsieur Blain. Je profite de la circonstance pour vous présenter mes parents. Maman, papa, voici le patron d'Aristide.

L'échange dura quelques instants. Du coin de l'œil, il vit la famille Rancourt au grand complet sortir de l'église. Si Ulric garda prudemment les yeux rivés au sol, son épouse jeta vers lui un regard chargé de haine. Et les trois enfants aussi, lui sembla-t-il. Il incarnait celui par qui la misère était arrivée.

À quelques pas, il aperçut ensuite tous les membres de la famille Turgeon. Georges suivait les Rancourt des yeux. Le banquier se dirigea vers lui.

— J'ai cru qu'elle se précipiterait sur toi. Le mari se montre tout docile, et elle prend le relais ?

— Ne va pas croire ça. Je ne lui tournerais pas le dos.

— Cette jeune femme dont on a annoncé le mariage tout à l'heure, c'est elle ? demanda Sophie.

— Oui. Elle va épouser un de mes employés. Voyez-vous, il a devancé les noces parce qu'occuper l'emploi du nouveau chômeur lui a valu une augmentation de salaire.

— Le malheur des uns fait le bonheur des autres, dit-elle avec un sourire. Je leur souhaite bien du bonheur.

— Je leur transmettrai vos vœux avec plaisir.

À ce moment, Délia mit fin à une conversation avec Floranette Nantel et se dirigea vers eux, flanquée de son époux.

— Monsieur Blain, dit-elle en tendant la main, votre appartement est magnifique.

— Vraiment magnifique, ajouta Sophie.

— Je suis content que vous l'ayez aimé. Vous avez quelque chose en vue ?

— Compte tenu des prix, le mieux serait peut-être d'acheter ensemble un immeuble comptant deux ou trois logements, intervint Évariste.

Xavier leur adressa un sourire entendu. Le clan était décidément inséparable. Peut-être les médecins iraient-ils jusqu'à établir leur cabinet dans la même bâtisse. À nouveau, l'envie d'avoir des liens de ce genre lui donna un certain vague à l'âme.

— Vous en êtes à penser faire une offre d'achat ?

— Pas encore, dit Georges. En fait, nous aimerions retourner à Montréal la semaine prochaine, ou la suivante, pour nous décider.

— Tous les quatre ou en vous partageant la semaine ?

— Nous ne pouvons pas quitter le cabinet en même temps, expliqua Georges. En nous absentant en alternance, nous ne décevrons pas trop nos malades.

— Mais tu es certain que ça ne te dérange pas qu'on retourne chez toi ? demanda Sophie.

— Pas du tout. Je ne sais pas encore quand je rentrerai. Avoir quelqu'un sur les lieux m'épargnera peut-être la visite de cambrioleurs.

La conversation se conclut par une invitation à dîner que Xavier accepta. L'idée de lire un roman dans sa maison de chambres ne lui disait rien.

Alors que Xavier se retrouvait à nouveau chez les Turgeon, une famille éclatait en morceaux. Devant l'appartement des Rancourt se trouvaient deux voitures tirées par des chevaux. Leurs propriétaires, des gaillards, y déposaient des meubles et des cartons.

Dans la cuisine déjà vide, Ulric présentait un visage hargneux. Ses yeux creux témoignaient de ses nuits d'insomnie.

— Tu peux pas faire ça. Les femmes habitent avec leur mari.

— Les maris font vivre leur famille. Toi, tu travailles plus, le loyer a pas été payé. J'aime autant partir avant qu'un huissier vienne tout ramasser. Ça serait injuste, les meubles viennent de ma famille.

— On est mariés en communauté de biens. Ces meubles sont autant à moi qu'à toi.

Il avait élevé la voix, suffisamment pour que l'un de ses beaux-frères se pointe dans la porte de la pièce :

— Ça va bin, icitte ?

— Oui, ça va très bin icitte, dit Ulric d'une voix rageuse.

L'autre hocha la tête, puis disparut. Quand les pas s'éloignèrent, le chômeur reprit, un ton plus bas :

— T'en aller, c'est une chose. Mais me séparer des enfants...

— T'es pas en état de t'occuper d'eux.

— Tu les garderas même pas avec toi !

Ce serait la dispersion des membres de sa famille : ses enfants répartis entre ses beaux-frères, sa femme chez ses parents.

— Là, on va vivre de la charité. Personne va accepter quatre miséreux d'un coup.

Gisèle arrivait à garder une apparence de calme, malgré les événements. En revanche, sa voix coupait comme une lame.

— Nous autres on est prêts, cria une voix depuis l'entrée.

— Bon, j'te laisse. Essaye de te trouver quelque chose, dans une autre ville. Après, on discutera.

Elle partit sans un baiser, sans même un souhait de bonne chance. Ulric demeura immobile pendant quelques minutes, appuyé contre le mur. Ensuite, il fit le tour des pièces. De son ancienne vie il ne restait que des moutons de poussière, des taches sur les planchers, les unes anciennes, les autres récentes. Il y avait aussi une grande déchirure sur le prélart de la cuisine.

Il sortit, incapable d'endurer le vide, le silence. Même la petite remise lui parut étrangère.

Depuis deux nuits, Ulric n'avait pas remis les pieds chez lui. Le propriétaire avait récupéré l'appartement en fin de journée, le dimanche précédent. Fin novembre, coucher dans les remises à bois de chauffage des Doucevilliens manquait cruellement de confort. Malgré son paletot, son bonnet enfoncé sur les yeux et de chaudes bottines, le froid humide le tenait réveillé jusqu'au matin.

Pourtant, même dans ces circonstances, il arrivait à trouver de l'alcool frelaté. Les camarades d'infortune pouvaient se montrer généreux. Surtout, il leur refilait les objets trouvés dans d'autres remises: des gants, des haches, des scies, des marteaux. Tout ce à quoi des gens accordaient trop peu de valeur pour le mettre sous clé.

Errant dans la ville depuis bien avant le lever du soleil, il avait refait le même tracé: les rues Longueuil, Saint-Charles, Saint-Georges et Richelieu. Cela lui avait permis de suivre Xavier Blain sur une trentaine de verges – qu'un salaud comme lui ne surveille pas mieux ses arrières témoignait d'une grande inconscience – et de voir Odile quitter son domicile. En se collant dans un angle des murs de l'édifice de la société de production d'électricité, il les regardait entrer au travail l'un après l'autre. Le directeur d'abord, la jeune fille peu après, et finalement Aristide. Celui-là n'était jamais en retard d'une seconde, et jamais en avance de plus d'une minute. Précis comme un métronome.

Dans les minutes suivant l'ouverture, des clients se présentèrent. «Ils ont de l'argent, eux autres...» Pour faire un dépôt, ou alors un retrait. Lui ne pouvait faire ni l'un ni l'autre depuis plus d'un mois.

Il sacra entre ses dents. Il y avait trop de témoins. Il voulait être seul, ne pas avoir de spectateurs.

❧

Quatre-vingt-dix minutes plus tard, il se tenait toujours à l'affût. En faisant le compte des clients qui arrivaient ou partaient, il avait su que seuls les employés étaient là. Toutefois, que les lieux soient déserts à dix heures ne voulait pas dire qu'ils le seraient encore à dix heures cinq. Combien lui faudrait-il de temps pour régler ses comptes, s'emplir les poches avec l'argent du coffre et s'enfuir ?

Il accepta finalement le fait qu'il ne pouvait prévoir. Sortant de sa cachette, il marcha vers la Royal Bank of Canada tout en détachant les boutons de son manteau. Un cordon lui permettait de tenir son arme à la bonne hauteur. Il s'arrêta devant la porte de la succursale, fit un tour complet sur lui-même pour s'assurer que personne ne venait.

Ulric tourna la poignée, poussa la porte brutalement, au point de casser la petite fenêtre rectangulaire en son milieu quand elle claqua contre le mur. Puis dans la salle, il cria :

— Ne bougez pas !

Depuis son poste derrière le guichet, Aristide le reconnut malgré la barbe de quatre ou cinq jours, les vêtements sales et les yeux hagards,

— Ulric, fais pas de folies.

— Toé mon tabarnak…

L'homme tira sur le chien de son arme et s'apprêta à tirer. Malgré les barreaux de laiton, Aristide savait bien que les plombs lui arracheraient la moitié du visage. À ce moment, il y eut un cri aigu. Odile, relevant la tête de sa machine à écrire, venait de se rendre compte que quelque chose d'inhabituel se passait.

Trois personnes occupaient la banque ; le forcené devrait recharger après chaque coup. En trois pas, il atteignit la demi-porte et l'ouvrit d'un coup de pied. Son ancien collègue était sur sa gauche, la jeune fille sur sa droite.

Dans son bureau, Xavier avait entendu le fracas de la porte, les mots de l'intrus et ceux d'Aristide. Il ouvrit le tiroir du haut de son pupitre pour prendre son revolver, puis il se précipita vers l'espace réservé aux employés.

— Rancourt !

L'homme était à trois ou quatre pieds. Tout de suite, il remarqua le chien tiré et le canon pointé vers Odile.

— Rancourt, là tu es chômeur. Fais ça, et ça sera la corde.

L'autre le regarda, les yeux fous. Lui aussi savait remarquer un chien tiré. S'il essayait de le mettre en joue, il recevrait une balle avant d'avoir terminé son geste.

— T'as l'air de l'aimer, elle. C'est ta fille, c'est ça ? C'est pour ça que tu lui donnes ma place ?

— Personne n'occupe ta place. Tu l'avais perdue, déjà.

— Alors c'est elle qui va y passer la première.

Aristide choisit ce moment pour jouer au héros. Il se précipita, l'explosion fut étourdissante. Xavier s'élança pour donner un grand coup avec la crosse de son revolver. Une fois, de toutes ses forces. Ulric laissa tomber son arme et essaya de protéger sa tête. Le second coup atteignit l'agresseur en plein sur l'œil droit, le fit tomber par terre. Penché sur lui, le banquier en asséna un troisième, puis un quatrième. Pendant tout ce temps, il entendait des cris aigus.

Quand il se redressa, sa première précaution fut de pousser le fusil à travers la pièce. Ensuite, il vit Careau étendu sur le sol, gémissant. Odile se tenait au-dessus de lui, les mains pleines de sang.

— Allez au cabinet des docteurs Turgeon, rue Richelieu. Vous savez où c'est ?

— Mais Aristide ?

— Le plus important, c'est qu'il reçoive des soins. Dépêchez-vous. Vous leur direz ce qui est arrivé.

Elle eut un moment d'hésitation, puis se décida à obéir. Xavier s'assit sur ses talons près du nouveau commis. Quelques plombs avaient touché son épaule. La volée n'avait fait que l'effleurer. En pleine tête, sa cervelle aurait décoré tous les murs et le plafond.

— Ça va ?

— Ça fait mal en chien.

Sa grimace ne permettait pas d'en douter.

— Odile reviendra avec le médecin. Tu as déjà utilisé une arme ?

Le directeur ne quittait pas Ulric des yeux. Il se tenait le visage à deux mains, du sang coulait entre ses doigts.

— On pèse sur la détente.

— Un vrai soldat. Alors s'il bouge, tu tires sur lui. Je te laisse choisir l'endroit.

L'autre prit le revolver avec précaution, ce qui amena son patron à soupçonner que son savoir était seulement théorique. Puis Xavier alla vers le pupitre de sa secrétaire, prit le téléphone et demanda d'être mis en communication avec le service de police.

Il raccrochait quand il entendit Aristide :

— Toi, tu bouges pas !

Rancourt avait rampé sur quelques pieds. Le directeur s'approcha vivement pour lui donner un coup de pied dans les côtes.

— Écoute ton ancien collègue, sinon je reprends mon arme. Moi, je n'hésiterai pas.

Pour appuyer sa menace, il y alla d'un autre coup de pied. Puis il approcha une chaise et s'installa tout près.

— Tu es vraiment un imbécile.

— T'as raison. J'aurais dû te mettre une balle dans la tête à matin, quand tu t'en venais icitte.

— Tu penses que ce serait mieux de finir au bout d'une corde ? Peut-être, parce que là, si t'es chanceux, tu sortiras de prison dans trente ans.

Xavier souhaitait lui instiller une saine frayeur. Au pire, pour une tentative de meurtre, il recevrait une sentence de dix ans. S'il se comportait en bon garçon, il en ferait la moitié, pour redevenir une menace ensuite. Il en vint presque à regretter de ne pas avoir fait feu, au lieu d'utiliser son arme comme un marteau.

Georges mit cinq minutes avant d'arriver, flanqué d'Odile. La pauvre contrôlait bien mal son effroi. Xavier avait verrouillé après avoir mis un écriteau indiquant « Fermé temporairement » sur la porte. Il leur ouvrit.

— Seigneur Dieu, que s'est-il passé ici ? dit le médecin.

— Ce monsieur a jugé opportun de nous attaquer.

Georges jeta un regard méprisant à Rancourt. Maintenant, l'agresseur se tenait recroquevillé le long d'un mur, résolu à ne plus bouger pour ne pas s'attirer des coups supplémentaires.

— Voici l'une de ses victimes.

Aristide Careau s'était assis sur une chaise, son patron l'avait aidé à retirer son veston. Sa chemise blanche était ensanglantée de l'épaule gauche au poignet. Le médecin sortit une paire de ciseaux de son sac noir pour la fendre.

Une dizaine de petits plombs avaient pénétré dans la chair sur l'épaule et le bras.

— Mademoiselle, pouvez-vous trouver un bassin, le remplir d'eau et me l'apporter? Et des serviettes, si possible. Ensuite, quand vous aurez une seconde, téléphonez à l'hôpital pour faire venir une ambulance.

Elle s'exécuta. Xavier remarqua que son chemisier et même sa jupe étaient tachés de sang. Georges Turgeon avait nettoyé son patient quand de violents coups résonnèrent contre la porte. Le banquier ouvrit au chef de police Gamelin et à deux agents.

À nouveau, il fallut expliquer la situation, même si ce n'était pas un mystère.

— Bon, les gars, vous l'amenez au cachot. Si vous le laissez aller, vous vous chercherez une autre job. Je vais m'occuper du reste.

Les policiers ramassèrent Rancourt sans ménagement. Ils iraient à pied dans les rues jusqu'à la petite prison attenante au palais de justice.

— Vous m'expliquez ce qui s'est passé?

— Vous savez de qui il s'agit?

— Tout le monde le sait. Rancourt. Vous l'avez mis à la porte il y a peu de temps.

— Ce matin il est venu avec ça…

Du doigt, Xavier lui désigna le calibre 12 tronçonné expédié dans un coin de la pièce.

— Pour nous tuer tous les trois. Aristide a profité d'un moment d'inattention pour s'élancer vers lui. Après qu'il a tiré, je me suis chargé de l'empêcher de recharger.

Le banquier lui remit son revolver. Il devrait s'en trouver un autre. Le chef de police se souciant bien peu de préserver les empreintes sur les pièces à conviction, c'est avec une arme dans chaque main qu'il continua son travail.

— Vous l'avez frappé avec ça ?

Gamelin montrait la crosse ensanglantée du revolver.

— Je n'étais pas pour le tuer.

— Ouais…

Le policier alla vers Aristide, mais c'est au médecin qu'il s'adressa :

— C'est grave ?

— Comme le sang ne pisse pas, aucun vaisseau important n'a été touché. À l'hôpital, je m'occuperai d'extraire les plombs.

Puis Georges regarda Careau et lui dit :

— Si votre patron décide d'ouvrir demain, vous serez en mesure de reprendre votre poste.

L'information soulagea visiblement le commis. L'ambulance arriva à cet instant. Le docteur alla y prendre une couverture pour en couvrir les épaules du blessé, puis il monta avec lui dans le véhicule tiré par un cheval.

Xavier regardait la pauvre Odile qui essayait tant bien que mal de maîtriser ses émotions. Une enfant déjà fragile plongée dans un monde devenu fou. Il eut envie de la prendre dans ses bras. Le policier y alla d'une recommandation bien raisonnable.

— Mademoiselle, vous devriez aller retrouver votre maman.

Odile ne bougea pas d'un pouce.

— Monsieur Blain, je pense que je sais tout ce que j'ai besoin de savoir. Si une information me manque, je viendrai vous voir. Ouvrirez-vous demain ?

— Je pense que la banque ne sera pas ruinée si je remets ça à après-demain.

— Bon, ben, en tout cas Rancourt ne nuira plus à personne pour un bout de temps.

❧

— Venez dans mon bureau, dit doucement Xavier.

Depuis un moment, Odile était assise sur sa chaise habituelle. Sur le sol traînaient une partie de la chemise ensanglantée d'Aristide et deux petites serviettes souillées. Comme elle ne bougeait pas, il offrit :

— Je peux vous reconduire chez vous, si vous voulez.

La jeune fille secoua la tête.

— Alors venez.

Xavier lui tendit la main, elle posa la sienne dans sa paume. Il la trouva chaude, fiévreuse peut-être. Dans son bureau, il lui désigna un fauteuil, puis alla vers son bureau pour récupérer une bouteille de cognac et deux verres. Quand il lui en tendit un, de nouveau elle fit non de la tête.

— Pensez-vous que je souhaite vous soûler ?

La douceur dans le ton enlevait tout caractère abrasif à la question. Elle accepta le verre. Au moment d'y tremper les lèvres, elle grimaça.

— C'est trop fort.

Odile déposa son verre sur une table basse. Xavier vida le sien, puis il s'assit en face d'elle.

— Avez-vous déjà vécu quelque chose de ce genre ? demanda-t-elle.

— J'ai été témoin de cambriolages. Mais lui est venu pour nous, pas pour l'argent.

— Pour moi.

Odile commença à pleurer, doucement d'abord, puis des sanglots secouèrent sa poitrine. Xavier quitta son siège pour s'approcher, s'accroupir et passer son bras sur ses épaules. Tous les deux se trouvaient de travers, mal à l'aise. Finalement, il enleva son bras, chercha un mouchoir dans sa poche pour le lui donner. Odile s'essuya les yeux et se moucha. À nouveau, l'homme lui présenta le verre de cognac.

— Videz-le. Vous vous sentirez mieux.

La jeune fille prit une gorgée, grimaça plus fort encore que la première fois. Xavier se releva, approcha son fauteuil très près, le côté gauche appuyé contre le côté droit de l'autre, pour recréer un «confident», l'un de ces meubles destinés aux tête-à-tête.

Cela lui permit de prendre sa main maculée de sang dans la sienne.

— Maintenant c'est terminé. Il ne pèse plus aucune menace sur vous.

— Pourquoi vouloir me tuer?

Xavier ne formula pas la première hypothèse lui venant à l'esprit.

— Difficile de deviner exactement ce qui se passait dans sa tête. Vous occupez la place d'Aristide, et Aristide la sienne.

— Non. Je l'ai bien entendu: "T'as l'air de l'aimer, elle. C'est ta fille, c'est ça? C'est pour ça que tu lui donnes ma place?"

Non seulement elle entendait bien, mais sa mémoire était excellente, malgré sa terreur.

— Vous êtes mon père?

Elle fixait ses grands yeux gris sur lui, en quête de vérité.

— Non, je vous l'assure.

— Il voulait me tuer pour vous faire du mal. Parce que vous avez l'air de m'aimer. Pourquoi faites-vous tous ces efforts pour moi?

Xavier fut troublé par cette question directe. Il répondit comme il le put:

— Je ne sais pas trop. Quand je vous ai vue la première fois, une gamine dans son uniforme du couvent, derrière votre mère surexcitée, vous m'avez touché.

— Vous avez eu pitié...

Juste à ce moment, ils entendirent des coups contre la porte. Quelqu'un comprenait mal le sens des mots « Fermé temporairement ». Comme personne n'allait ouvrir, les coups reprirent. Puis ils entendirent :

— Odile, je sais que tu es là. Viens m'ouvrir, ma chérie.

Ainsi, la nouvelle des derniers événements s'était rendue jusqu'à elle. En bonne mère, elle accourait à l'aide.

— Xavier, si tu es là, ouvre. Tu ne peux pas la séparer de moi.

— Je ne veux pas la voir, dit Odile. Pas tout de suite... Je ne le supporterais pas. Je vous en prie.

Dans un instant, ce serait à nouveau les grandes eaux. Le banquier se leva en disant : « Ne bougez pas. » Comme si elle risquait d'aller quelque part. Quand il ouvrit la porte, il prit bien garde de la bloquer avec son corps, pour empêcher la femme d'entrer si l'idée lui venait de le faire.

— Odile va bien. Juste un peu secouée.

— Je veux la voir. Pourquoi ne vient-elle pas ?

Clarisse paraissait surexcitée, mais, aux yeux de Xavier, pas particulièrement inquiète.

— Pour l'instant, elle préfère rester ici, tranquille. Rentrez chez vous, elle vous rejoindra bientôt.

— Tu ne peux pas la retenir ici. Je suis sa mère. Je veux la ramener à la maison.

— Elle rentrera quand elle sera prête.

— Ça ne se passera pas comme ça. Je vais faire intervenir la police.

Le banquier imagina le chef Gamelin aux prises avec cette femme. La scène serait amusante. Puis une petite voix, dans son dos, se fit entendre :

— Maman, je ne veux pas rentrer tout de suite.

Odile était sortie de son bureau et se tenait de l'autre côté de la demi-porte.

— Viens à la maison. Tu me dois obéissance.

Elle évoquait l'obéissance, plutôt que l'amour. Dans ses moments de colère, la voix de Clarisse ressemblait à un aboiement. Xavier vit les épaules d'Odile s'agiter. Elle porta sa main à son visage, puis s'enfuit vers le bureau.

— Elle ne veut pas vous voir. Elle préfère la présence d'un presque inconnu à la vôtre. Allez savoir pourquoi...

Il referma brusquement et verrouilla. Quand il rejoignit la jeune fille, des coups et des cris retentirent encore. Il les ignora.

Chapitre 19

Odile avait retrouvé son fauteuil, mais elle était encore sous le choc.

— Elle peut faire intervenir la police ? demanda-t-elle à Xavier.

— Je ne pense pas. Et du moment où vous dites que je ne vous ai pas retenue de force, que peut-il arriver ?

La jeune fille eut l'ombre d'un sourire. Mais la tristesse revint tout de suite sur son visage.

— Quand vous m'avez vue pour la première fois, je vous ai inspiré la pitié...

— Honnêtement, vous ne payiez pas de mine, ce jour-là. Vous souvenez-vous de votre état d'âme ?

Elle hocha la tête.

— De la pitié ? continua-t-il. Peut-être. Je dirais de la compassion, mais la nuance est faible.

Comme elle hochait la tête, l'air moins triste, l'homme se dit que son interlocutrice faisait aussi une différence entre les deux termes.

— Quand vous travailliez à la manufacture, j'ai eu vraiment pitié. Je craignais que vous tombiez malade.

— La manufacture et ma mère en même temps, c'était trop pour moi. Juste ma mère aussi, je pense. Vous m'avez conseillé de partir, mais vous l'avez entendue tout à l'heure... Elle va me faire ramener de force à la maison par la police !

Xavier étendit la main pour prendre celle d'Odile. Son pouce esquissa une caresse. La petite attention lui valut une confidence.

— Je ne me sens bien qu'ici. Quand vous êtes là. Ce sont les seuls moments où je suis en sécurité. Vous veillez sur moi.

Ses yeux s'ouvrirent très grands, un peu implorants.

— Êtes-vous certain de ne pas être mon père ?

— Sûr et certain. Au gré de nos rencontres, j'ai eu envie d'améliorer votre situation. Je me disais : "Elle a l'âge d'être ma fille…" Mais je ferais un bien mauvais père adoptif, car tout à coup, je me suis rendu compte que vous étiez tout à fait séduisante.

Odile esquissa un sourire, mais le perdit tout de suite. Elle retira sa main de façon un peu brusque.

— Vous voulez vous rembourser de vos gentillesses.

Xavier reprit doucement sa main.

— Votre mère cherche par tous les moyens à tirer avantage des autres, sans jamais rendre la pareille. Vous y compris. Elle vous enseigne que la vie, c'est ça : personne ne donne, tous prennent.

— Tout le monde fait ça.

Après avoir prononcé ces mots, Odile se mordit la lèvre.

— Regardez-moi dans les yeux, et dites-moi que vous vous êtes sentie une seule fois menacée par moi.

La question revenait souvent, entre eux. Elle le regarda et secoua lentement la tête de droite à gauche.

— Quand je tiens votre main, vous sentez-vous inquiète ?

Elle répéta le même geste.

— Vous connaissez les contes d'Andersen ?

Devant ses sourcils levés, il précisa :

— *La petite fille aux allumettes*. Vous paraissiez si désespérée. J'ai ressenti de la compassion. Quand vous êtes arrivée ici, habillée décemment, je vous ai trouvée jolie, gentille, pleine de bonne volonté. Puis dans ces nouveaux vêtements, absolument ravissante.

Du geste, il montra son corps. Son contremaître à la manufacture le lui avait signifié d'une façon indirecte et vulgaire, mais là, un homme attentionné affirmait la trouver attirante. Son passé de couventine était trop récent pour qu'elle ne se trouble pas. Pourtant, il avait raison : à ce moment, elle ne se serait pas sentie plus en sécurité ailleurs, ni avec quelqu'un d'autre.

Le silence s'éternisa. À la fin, Xavier reprit la parole :

— Il est passé midi, maintenant. Je suggère que vous veniez manger avec moi. Ensuite, nous irons voir ensemble comment se porte Aristide. Puis je vous reconduirai chez votre mère.

La jeune fille se raidit.

— Vous savez, vous devrez y retourner.

— Je ne peux pas aller dans un restaurant avec mon linge tout taché.

— Alors nous arrêterons chez la marchande pour acheter d'autres vêtements. Au restaurant, je tenterai d'avoir un petit salon.

— Un petit salon ?

— Une petite salle où nous n'aurons pas tous les yeux fixés sur nous.

Elle hocha la tête pour accepter. Elle passa aux toilettes pour enlever toutes les traces de sang sur ses mains. Ensuite, son employeur l'aida à enfiler son manteau. Ils sortirent bras dessus, bras dessous. Odile se collait un peu plus près de Xavier que d'habitude.

À la marchande de vêtements, après avoir appris qu'il était bien improbable de faire disparaître les traces de sang, elle murmura :

— Je voudrais exactement les mêmes.

Il lui avait dit la trouver séduisante ainsi.

Quand ils quittèrent le magasin de vêtements pour femmes, l'heure du lunch tirait à sa fin. Cela leur procura une certaine discrétion, même si l'hôtel National ne comptait aucun salon privé. Xavier dut tout de même satisfaire la curiosité du serveur.

— C'est vrai que Rancourt a voulu vous tuer ?

Une nouvelle fois, le banquier réalisait l'extraordinaire vitesse à laquelle circulaient les nouvelles à Douceville. Parfois fantaisistes, parfois rigoureusement exactes.

— Comme vous le voyez, il n'a tué personne. Il a tenté de voler la banque, sans succès.

Le serveur lui jeta un regard sceptique, mais il prit la commande sans rien ajouter.

— Pourquoi lui mentir ? demanda Odile tout bas quand il se fut éloigné.

— Un élan meurtrier susciterait bien des questions, alimenterait encore plus les rumeurs. D'un autre côté, tout le monde peut concevoir que quelqu'un veuille prendre de l'argent dans le coffre d'une banque.

La jeune femme acquiesça d'un geste de la tête. Malgré toutes les angoisses de la matinée, elle mangea de bon appétit et ne laissa pas une goutte dans son verre de bière. Comme si elle avait besoin d'un peu d'aide pour se donner un minimum d'assurance.

— Vous êtes remise de vos émotions ? demanda Xavier à la fin du repas.

Ses yeux demeuraient rougis à cause des pleurs de la matinée.

— Vous avez cet effet sur moi. Tout le contraire de ma mère.

Xavier tendit la main pour toucher la sienne. Elle ne la retira pas.

— Souhaitez-vous m'accompagner à l'hôpital ?

La jeune fille accepta d'un geste de la tête en souriant.

⁂

Depuis l'hôtel National, le trajet vers l'hôpital, au coin des rues Saint-Jacques et Longueuil, ne prit que quelques minutes. À l'entrée, une religieuse s'étonna de leur visite.

— Monsieur Careau, le jeune homme blessé à la banque ? Il n'est plus ici.

Xavier eut un moment de surprise.

— Il est…

— Il est retourné chez lui. Ses blessures n'étaient pas si graves.

Le banquier connaissait l'adresse de son employé, dans la paroisse Notre-Dame-Auxiliatrice. Cette église se trouvait dans la rue de Salaberry, proche de l'usine de moulins à coudre. Son employé habitait rue Saint-Louis, au rez-de-chaussée d'un édifice qui comptait aussi un étage. Quand il frappa à la porte, une femme dans la cinquantaine vint ouvrir :

— Ah ! Monsieur Blain, je peux faire quelque chose pour vous ?

— Je voulais juste m'assurer qu'Aristide se portait bien.

Le regard de la femme se porta sur Odile.

— Mademoiselle Payant est venue avec moi. Nous nous inquiétons tous les deux.

— Oui, bien sûr. Alors venez le voir, mais ne le fatiguez pas trop.

Elle les guida jusqu'à la cuisine, qui servait aussi de vivoir. Aristide se trouvait assis près d'une fenêtre, dans un fauteuil. Sa tenue, un pyjama et un peignoir, tira un sourire au patron.

— Monsieur Careau, je suis content de vous trouver en bonne santé.

Pourtant, le commis présentait un visage très pâle. Quand il voulut se lever, Xavier lui fit signe de rester assis.

— Vous n'allez pas le remettre au travail tout de suite, j'espère… intervint la mère.

— La banque sera ouverte au public seulement quand Aristide sera en état de revenir. Et il fixera le moment lui-même.

La précision amena la dame aux meilleurs sentiments.

— Ne restez pas debout, tirez-vous des chaises.

Les visiteurs s'assirent près du blessé. Ce dernier murmura, un peu gêné :

— Vous devez l'excuser. Elle est très protectrice.

— Voilà qui est naturel. C'est le contraire qui ne le serait pas.

La répartie s'adressait surtout à Odile.

— Cette blessure, c'est grave ?

— Oui et non. Plusieurs petits plombs, mais aucun logé à un endroit dangereux. Un coup de chance, dans ma malchance. Je pense que la sortie des plombs a été pire que leur entrée. Le docteur Turgeon a dû utiliser un scalpel.

— En tout cas, votre intervention nous a tirés d'affaire.

— Voyons, c'est vous qui l'avez assommé !

— Il pointait son arme sur moi, murmura Odile. Vous avez détourné son attention au risque de votre vie. Merci.

Elle allongea la main pour la poser sur son avant-bras. Toujours attentive, madame Careau renifla un peu en apprenant que son fils s'était comporté en héros. Pour refouler son émotion, elle éleva la voix pour dire :

— Hélène, viens offrir du sucre à la crème à la visite.

Une jeune fille vêtue de l'uniforme de la congrégation Notre-Dame arriva d'une chambre donnant sur la cour. Elle murmura un bonjour, puis ouvrit le garde-manger pour prendre une assiette. À tout seigneur, tout honneur : Xavier se servit le premier, puis ce fut au tour d'Odile.

— Bonjour, murmura cette dernière. C'est jour de congé au couvent ?

— Non. À l'heure du dîner, j'ai appris, alors je suis venue pour aider.

— Tu en es à la dernière année, je pense ?

En entendant l'échange, le banquier comprit pourquoi Aristide trouvait tout naturellement le bon ton avec sa jeune collègue. Alors que les deux jeunes filles continuaient à bavarder sur leur expérience commune, le commis dit à voix basse :

— Je pourrais être au bureau demain. Heureusement, j'ai été blessé au bras gauche, je peux toujours écrire. Il me suffira d'un peu d'aide.

— Que diriez-vous d'après-demain ?

— Ce serait peut-être mieux... En tout cas, heureusement que vous aviez une arme dans votre bureau. Est-ce que tous les directeurs en ont une ?

Si le commis devenait curieux, c'est que sa santé ne le préoccupait pas tellement.

— À la Royal Bank of Canada, oui. Au début du siècle, pendant un hold-up un directeur a reçu quelques balles. Il n'avait rien pour se défendre. Depuis, le revolver vient avec l'augmentation et les clés de la succursale.

Odile demeurait attentive, car elle demanda :

— Il est mort ?

— Non. Les banquiers sont coriaces. Mais le pasteur protestant de la paroisse a organisé un *posse* – un groupe de citoyens mués en justiciers – pour traquer et tuer le voleur.

Il y eut un silence, puis Aristide dit, tout de même avec un petit sourire :

— J'ai du mal à imaginer le curé Lanoue dans ce rôle.

Tout le monde dans la pièce convint que ce serait un rôle très improbable pour le curé débonnaire. La conversation se poursuivit encore un peu, ensuite les visiteurs saluèrent les Careau, puis partirent. Sur le trottoir, l'homme proposa :

— Je vais vous reconduire chez vous. Tarder encore ne ferait qu'envenimer les choses.

Il voulait dire alimenter la colère de Clarisse. La jeune femme le comprit bien ainsi. Elle hocha la tête pour accepter. Ils repassèrent devant l'église Notre-Dame-Auxiliatrice et s'arrêtèrent près de la petite bâtisse de la rue Longueuil.

— Vous connaissiez Hélène ? demanda Xavier.

— Depuis qu'elle est entrée au couvent. Mais comme j'avais une année d'avance, nous n'étions pas proches. En plus, les choses allaient de plus en plus mal chez moi, alors je n'invitais jamais personne. De toute façon ma mère n'aurait pas voulu recevoir une fille d'ouvrier à la maison.

Même après sa déchéance, Clarisse gardait une conscience aiguë des classes sociales.

— Demain, voulez-vous que je me présente au travail ?

— Ce serait une mauvaise idée, car nous serions seuls tous les deux…

Ils ne savaient pas comment se quitter, cela d'autant plus qu'un mouvement derrière un rideau, à l'étage, leur indiqua qu'ils étaient épiés.

— Je ne veux pas rester toute la journée avec elle.

Elle en avait d'autant moins envie que sa visite chez les Careau lui avait fait comprendre que certaines familles étaient des havres de paix.

— Allez vous réfugier à l'église. Dites un rosaire. Tout le monde trouvera tout naturel que vous remerciiez Dieu de vous avoir sauvée.

Xavier prit sa main gantée pour la tenir un instant.

— Nous nous reverrons bientôt.

Odile hocha la tête avant de s'engager dans l'escalier. Son patron demeura immobile jusqu'à ce qu'elle entre dans l'appartement. Il attendit encore deux minutes, pour s'assurer qu'elle ne ressorte pas en catastrophe.

L'accueil de Clarisse Payant se révéla glacial, peu en harmonie avec l'inquiétude affichée lors de sa visite à la banque.

— Voilà qu'il te raccompagne à la maison, maintenant.

— Merci de t'inquiéter, maman. Oui, j'ai eu très peur. Heureusement, mes deux collègues ont pris des risques pour me protéger.

— Je suis allée à la banque dès que j'ai su ! Tu as refusé de me voir.

La répartie décontenança sa fille. La mère reprit :

— Il te raccompagne à la maison, des heures après cet incident. Vous êtes restés seuls à la banque, dans son beau bureau ?

— Nous sommes allés manger, puis nous avons rendu visite à notre collègue qui s'est fait tirer dessus.

Après une pause, elle précisa :

— Tu devrais te sentir rassurée. Monsieur Blain se montre absolument respectueux.

— Ouais, je suppose. Est-ce qu'il a commencé à t'écrire des poèmes ?

Odile préféra aller se réfugier dans sa chambre. Son petit manuel de sténographie serait son unique soutien dans ces circonstances difficiles.

⁂

Après avoir quitté la rue Longueuil, Xavier retourna à la banque. Voir la tache de sang dans la pièce réservée aux employés, et les morceaux de tissu, lui fit un curieux effet, comme une frayeur à retardement. Lorsqu'il était sorti de son bureau l'arme à la main, c'est d'abord Odile qu'il entendait sauver. Cette pensée le rendait songeur.

Il s'installa pour passer quelques coups de téléphone. Il destina le premier à la personne qui s'occupait du ménage dans la succursale. Mieux valait l'avertir de la présence des taches de sang pour lui éviter de trop fortes émotions. Il lui fallut aussi appeler un vitrier pour qu'il vienne changer le carreau cassé de la porte.

Ensuite, il demanda à être mis en communication avec son employeur. Une fois les salutations effectuées, il lui fit le récit des événements.

— Pas un dollar n'a été volé, précisa-t-il.

— Comment se porte le blessé ?

Qu'il ne s'inquiète pas que pour le contenu du coffre lui fit plaisir.

— Bien, dans les circonstances. Il devrait être au travail après-demain. Il est intervenu pour sauver notre nouvelle employée.

— C'est celui dont tu parlais comme d'un directeur potentiel, dans quelques années ?

— Le même. Il vient de se gagner un paragraphe très élogieux dans la lettre que j'écrirai peut-être un jour pour le recommander.

Pendant un moment, la conversation se poursuivit. Quand il raccrocha, Xavier s'absorba dans du travail administratif. S'occuper valait mieux que de ressasser les derniers incidents.

Un peu avant six heures, des coups à la porte attirèrent son attention. Xavier alla ouvrir en pensant que ce serait Odile. Les sautes d'humeur de sa mère pouvaient bien l'avoir incitée à chercher refuge ailleurs. Aussi, apercevoir Georges devant lui le surprit – et le déçut – un peu.

— Tu vas bien ?

— Oui, même si mon horaire de travail a été bouleversé. As-tu un peu de temps devant toi ?

— J'ai averti Sophie que je rentrerais plus tard.

— Dans ce cas, entre, je te verse un verre.

Bientôt, les deux hommes se trouvaient de part et d'autre du grand pupitre, un scotch à la main.

— L'employé mis au chômage est venu régler des comptes ?

— La perspective d'aller refaire sa vie ailleurs lui semblait sans doute exiger trop d'énergie. Je suppose qu'il se voyait partir vers les États-Unis avec le contenu du coffre. Pourtant, la moitié des habitants de la province l'ont fait sans un sou un jour ou l'autre.

— Toi et moi, nous avons l'esprit d'aventure.

Dans la bouche de Georges, qui avait détesté chaque jour de son exil, la remarque ne manquait pas d'ironie.

— Ce n'est pas donné à tout le monde, dit Xavier avec un sourire un peu moqueur.

— Il est en prison ?

— Pour les quelques années à venir.

— Je ne pleurerai pas sur son sort.

Il lui en voulait toujours pour avoir évoqué les origines de Sophie. À tout le moins, maintenant, plus personne ne prendrait ses histoires au sérieux.

— La jeune fille m'a dit qu'il était venu ici pour la tuer. C'est vrai ?

— Il en voulait à Aristide de lui avoir pris son emploi, à Odile pour avoir pris celui d'Aristide. Et à moi de l'avoir jeté dehors. Alors je pense que son projet était de tuer tout le monde. Mais au moment où je l'ai cogné, il pointait son fusil sur elle.

— Tu lui as sauvé la vie.

Le banquier hocha la tête pour dire oui. Il précisa :

— Mais Aristide a rendu la chose possible en se précipitant sur lui.

— C'est la fille de la veuve Payant ?

— Et la mienne, selon Rancourt. S'il te plaît, ne me demande pas si c'est vrai.

— Elle est jolie, dit-il. Je n'aurais pas cru, à la voir dans le sillage de sa mère affublée de sa robe de couventine.

— Tout le monde gagne à s'éloigner de Clarisse.

Le visiteur changea tout à fait de sujet :

— Demain, je dois rejoindre mon père à Montréal.

— La recherche d'un logis progresse ?

— À entendre le timbre de sa voix à l'heure du dîner, il aurait trouvé. Si je partage son enthousiasme, lui et ma mère prolongeront leur séjour jusqu'à ce que nous passions chez le notaire. Jeudi ou vendredi.

— Qu'est-ce qu'il a trouvé ?

— Un immeuble de trois étages. Enfin, un rez-de-chaussée et deux étages.

Xavier éclata de rire, puis leva trois doigts l'un après l'autre.

— Un appartement pour papa, un pour fiston, et l'autre pour la grande fille.

— Ne te moque pas. C'est la meilleure façon de se loger à Montréal, à un prix raisonnable.

— Je ne me moque pas. Si j'avais toujours mes parents, je ne voudrais pas m'éloigner d'eux non plus. Et tu as tout à fait raison en ce qui concerne le prix.

— Pour la grande fille, je ne sais pas. Peut-être pour le cabinet...

Xavier hocha la tête. Tout cela lui paraissait très raisonnable.

— Et où est-ce ?

— Rue Sherbrooke, en face du parc La Fontaine. Papa est allé voir les autorités municipales pour s'en assurer : l'hôpital Notre-Dame va être construit à deux pâtés de maisons.

Finalement, le banquier s'était avéré un bon conseiller. Georges quitta son siège en disant :

— Maintenant, je dois rejoindre Sophie. Veux-tu venir à la maison ?

— Non, je te remercie. Après ce qui s'est passé ce matin, je pense que je ne serais pas très drôle.

⁂

À la maison de chambres, la femme du propriétaire voulut bien préparer un souper tardif à Xavier. Toutefois, en le servant, l'époux de cette dernière trouva le moyen de souligner deux fois plutôt qu'une que cette gentillesse était tout à fait exceptionnelle.

— Vous comprenez, nous ne pouvons pas nous adapter à tous les horaires particuliers.

Bref, à moins que quelqu'un ne décharge un calibre 12 à la banque, ou il prendrait son repas avec tous les autres, ou il s'en passerait. Après un bref passage au salon, il se lassa très vite de répondre aux questions.

— Il voulait vous tuer ou vous voler ?

Cela semblait être l'énigme qui passionnait toute la ville. Bientôt, étendu sur le lit, toutes les lumières éteintes, il repensa à sa folle journée.

Les cris, l'affolement dans la pièce. Pas un moment il n'avait eu peur. L'excitation, l'empressement à venir en aide à ses collègues. L'urgence de venir en aide à Odile, surtout.

Pour Odile, les journées de congé étaient pires que celles passées à la banque. Finalement, elle s'était résolue à suivre les conseils de son patron. L'église Saint-Antoine lui procura un refuge pour une partie de l'après-midi. Elle vit le bedeau s'affairer à des tâches d'entretien et des dames patronnesses arroser les plantes dans le chœur.

En fin d'après-midi, le curé vint faire des confessions. Quand il la vit assise à l'arrière de la nef, la tête baissée comme une pénitente, il marcha dans sa direction.

— Odile, comment te sens-tu ?

Elle leva des yeux méfiants. Son sentiment d'avoir été trahie, au moment de demander son aide afin d'entrer au couvent, demeurait toujours aussi vif. C'est avec un peu de mauvaise grâce qu'elle répondit :

— Bien, monsieur le curé. Si j'oublie qu'hier quelqu'un a voulu me tuer.

Le prêtre ne fut pas surpris du ton abrupt de la jeune fille. Il avait conscience d'avoir été d'un secours nettement insuffisant, quand elle l'entretenait de sa détresse.

— Ulric n'était plus lui-même, depuis quelque temps. Il faut lui pardonner.

— Depuis qu'il parlait de la fille du curé, ou depuis que j'étais la fille de monsieur Blain ?

— Tu sais que ces histoires sont fausses.

— Pour ce qui est de l'identité de mon père, oui. Pour l'autre, ma mère prétend la même chose que lui.

— Celle-là est fausse aussi. La répéter est péché.

— Vous me confessez depuis des années. Pensez-vous que c'est mon genre de répéter ce genre de rumeur ?

La distance venait de s'accroître encore entre eux. Jamais elle ne lui accorderait toute sa confiance, dorénavant. Autant changer de sujet.

— Tu aimes ton travail à la banque, n'est-ce pas ?

— Au point de regretter que ce ne soit pas ouvert aujourd'hui. Comparé à la maison… J'y côtoie des personnes qui semblent m'apprécier.

— Ta mère a une existence pénible. Il faut la respecter, même si j'admets qu'elle ne rend pas les choses faciles… Que penses-tu de monsieur Blain ?

— C'est de loin la personne qui se soucie le plus de mon bien-être sur cette terre. Au fond, j'aurais préféré que la rumeur sur sa paternité soit vraie.

Chapitre 20

Le lendemain matin, après une journée en compagnie de sa mère, Odile put renouer avec des habitudes devenues rassurantes. Son plaisir était si évident, quand elle se donna un coup de peigne devant le miroir, que Clarisse ressentit un accès de jalousie.

— On dirait que tu t'en vas rejoindre ton amoureux.

— Je vais revoir deux personnes qui ont risqué leur vie pour me défendre.

— Ils se défendaient plutôt eux-mêmes.

— L'arme était pointée sur moi.

La mère mesura combien Odile devenait insensible à ses remontrances. Même si elle lui remettait toujours sa paye, sa fille gagnait en indépendance. En assurance aussi. Au point où elle prendrait peut-être bientôt la fuite.

Xavier exerçait une bien mauvaise influence.

— Tu devrais commencer à te chercher un autre emploi. Ton patron peut retourner à Montréal d'une journée à l'autre.

Finalement, elle était arrivée à ses fins. Le visage de la jeune femme s'assombrit aussitôt. Tôt ou tard, Xavier Blain partirait, et son départ l'obligerait sans doute à quitter ce petit havre de paix.

— Tu as hâte que ça arrive, n'est-ce pas ? Tu ne tolères pas que je vive le moindre petit bonheur. Tout tourne autour de toi, de tes besoins, de tes attentes. Au moins, maintenant je sais que des personnes sont heureuses de me voir. Peux-tu en dire autant ?

Sur ces mots, Odile s'empressa de mettre son chapeau, puis d'enfiler son manteau. Alors qu'elle passait la porte, elle jeta, méprisante :

— Penses-tu encore qu'il te demandera bientôt en mariage ? Que quelqu'un d'autre te demandera en mariage ?

Pendant des semaines, Clarisse s'était accrochée à cette idée folle que Xavier revenait pour elle. Maintenant, quand il la croisait dans la rue, il montrait le visage d'un homme qui venait de marcher sur une crotte de chien.

Bientôt, il partirait. Que ferait-il du prix du loyer assumé depuis des mois ? Voudrait-il se faire rembourser ? Selon la loi Lacombe, vieille de près de vingt ans, on ne pouvait tout lui enlever. Mais le droit de conserver son matelas ne lui servirait pas à grand-chose, quand elle serait sans logis.

Le salaire d'Odile suffisait tout juste à les nourrir et à mettre un peu de combustible dans le poêle. Si elle en venait à perdre cet emploi, ou à la quitter pour aller vivre dans une pension, il ne lui resterait plus rien.

Au moment de descendre l'escalier, le cœur d'Odile cognait dans sa poitrine.

Si Xavier partait, voudrait-on la garder à la banque ? Ou l'embaucher ailleurs à Douceville ? Son statut tenait à la protection d'un homme. Comment s'assurer que celui-ci puisse la lui accorder encore après son départ ? Une seule chose lui paraissait certaine : la stratégie de sa mère pour le garder à Douceville ne fonctionnait pas.

Quand elle entra dans la banque, Aristide l'accueillit en disant :

— Odile, c'est bien la première fois que j'arrive avant vous !

Il tenait son bras gauche à demi plié devant son corps et l'utilisait avec circonspection, sinon la douleur lui tirait une grimace.

— Vous êtes arrivé plus tôt pour vous entraîner à taper à la machine d'une seule main ?

Puis après une courte pause elle demanda :

— Vous allez bien ?

— Comme un charme, après de longues vacances d'une journée et demie.

Son sourire disait combien il était heureux de se trouver là, après toutes ces émotions.

— Et vous ?

— Bien. Mais moi, je n'ai pas été blessée.

Tout en parlant, Odile s'était rendue dans la section réservée aux employés. Des yeux, elle chercha les pièces de tissu tachées de sang. Heureusement, le patron avait tout fait nettoyer. Une fois débarrassée de son chapeau et de son manteau, elle se planta dans l'embrasure de la porte de Xavier.

— Bonjour, monsieur.

— Mademoiselle, content de vous voir. La journée d'hier s'est bien passée ?

— J'ai suivi votre conseil. Le curé finira par me faire entrer au couvent, à me voir si pieuse.

— Ce sera une perte pour la banque.

En fin de journée, au moment où elle saluait Xavier, celui-ci lui demanda :

— Accepteriez-vous de m'accompagner au cinéma samedi ?

Odile demeura silencieuse. Il ne s'agissait pas seulement de la nourrir un peu, mais de passer du temps avec elle.

— Évidemment, nous pourrions aller manger auparavant.

— Ce sera avec plaisir, monsieur.

Elle regrettait seulement que ce ne soit pas tout de suite. Deux journées à attendre. Il vit la déception sur son visage.

— Ce soir, je dois rencontrer un manufacturier soucieux d'agrandir son entreprise, et un autre demain. Cependant, j'ai le temps de vous reconduire à la maison, si vous le permettez.

Elle accepta d'un mouvement de la tête. Sur le trottoir, il lui offrit son bras. Dans un mois, l'hiver commencerait. Et Noël dans cinq semaines. Jamais il n'avait pensé rester si longtemps à Douceville.

Le surlendemain, quand elle arriva à la banque, Odile avait les cheveux frais lavés et bien coiffés. Tout pour se montrer à son avantage. Alors qu'elle saluait son patron, son sourire paraissait plus engageant que d'habitude.

Une heure plus tard, elle frappa sur le cadre de la porte pour annoncer :

— Monsieur, quelqu'un de Montréal souhaite vous parler.

— Merci, je le prends. Fermez la porte derrière vous.

Quand un appel venait de Montréal, la jeune femme craignait toujours que cela signifie un départ immédiat. Surtout que maintenant, elle reconnaissait la voix de son supérieur au siège social de la banque.

Quand elle revint derrière son pupitre, elle mit la main sur le cornet. Sans le regard réprobateur d'Aristide dans sa direction, elle l'aurait porté à son oreille, pour écouter.

Dans son bureau, au bout du fil, après des salutations et quelques mots sur l'imminence de la première tempête de l'hiver, Xavier demanda :

— Je présume que vous avez des nouvelles pour moi.

— Après cette tentative de vol, cette semaine, je me suis dit que ton jeune employé méritait certains égards. Sa jeunesse est un défaut qui lui passera. Ce sera certainement son tour bientôt. Il sera en tête de liste à la prochaine occasion.

Qu'Aristide jouisse d'un certain préjugé favorable après les derniers incidents, cela allait de soi. Toutefois, cela n'en faisait toujours pas un candidat sérieux pour le poste de directeur. Pas à son âge.

— Tu connais McDonald ?

Il s'agissait d'un homme d'un peu plus de soixante ans employé au siège social. Il évoquait régulièrement sa retraite, sans jamais se décider. Xavier répondit par l'affirmative.

— Savais-tu qu'il avait une maison le long de la rivière, à Douceville ?

— Il ne m'a jamais fait de confidence à ce sujet.

— Voilà que l'idée de finir sa carrière à la campagne lui sourit. Il m'a dit que le poste l'intéressait.

Pour Aristide, c'était à la fois une mauvaise et une bonne nouvelle. S'il devait faire le deuil d'une promotion immédiate, l'embauche d'un sexagénaire signifiait que le poste deviendrait bien vite disponible. Son supérieur voyait les choses de la même manière.

— Si ton héros demeure à la hauteur au moment de son départ, ce sera pour lui.

Voilà qu'Aristide se retrouvait avec un plan de carrière. Tout pouvait survenir avant que ce vieil Écossais ne décide de se retirer. Mais le dénouement le plus plausible était une nomination d'ici cinq ans.

— Quand McDonald sera-t-il prêt à entrer en fonction ?

— Une fois décidé, il aurait aimé que ce soit la semaine passée. Au début du mois prochain me paraît plus raisonnable.

La conversation se poursuivit pendant un instant, puis tous les deux raccrochèrent. La parenthèse de Xavier à Douceville devrait se clore bientôt.

⁂

Toute la journée, Odile avait été préoccupée. Comme si elle devinait que sa vie changerait de nouveau, et peut-être pas pour le meilleur. À six heures, elle salua Aristide qui partait, puis alla se planter devant la porte de son patron.

— Je vois que vous êtes prête, dit celui-ci.

Elle acquiesça d'un geste de la tête.

— Moi aussi. Si ça vous convient, nous pourrons aller à l'hôtel Windsor.

— Vous vous y connaissez certainement plus que moi.

— Sur cet endroit, non, ce sera la première fois.

Xavier alla prendre son paletot et son chapeau sur la patère et verrouilla soigneusement la porte de son bureau. Odile revint vers lui avec son chapeau et son manteau.

— Vous devez avoir froid, avec ça sur le dos.

Xavier regardait le tissu plutôt mince. Ce vêtement était un peu trop chaud lors de son achat, mais l'hiver hâtif avait complètement réglé ce problème.

— Oh ! Ça va.

Comme elle n'avait pas les moyens de s'en acheter un autre, il lui faudrait déclarer la même chose en février. Son patron eut envie de dire « Je m'en occuperai ». Mais bientôt il partirait ; lui faire croire qu'il serait là pour la sauver à nouveau ajouterait de la cruauté à sa situation.

Il s'assura que le coffre était bien fermé – même si Aristide s'en occupait, sans jamais oublier –, de même que les classeurs. Ensuite, ils sortirent. L'hôtel Windsor se dressait tout près, rue Richelieu, au coin de Saint-Georges. Il s'agissait d'un établissement modeste. Une nouvelle fois, le choix de la jeune fille se porta sur un steak et une bière. L'âcreté ne la dérangeait plus.

— Vous avez eu des nouvelles de monsieur Rancourt, depuis mardi ?

Même dans ces circonstances, elle continuait de lui donner du « monsieur ». Les religieuses l'avaient très bien élevée.

— J'ai parlé au chef de police. Une fois dégrisé, il a compris l'étendue de sa folie. Maintenant, ce sont des excuses qu'il beugle à qui veut l'entendre.

— Quand sera-t-il jugé ?

— Au printemps, je suppose. Le dénouement de cette histoire est encore bien lointain.

Pendant tout le repas, Odile aurait voulu demander des « nouvelles de Montréal ». Plus exactement, elle aurait aimé dire : « Quand me retrouverai-je seule à nouveau ? » Mais elle n'avait pas le courage de poser la question. À huit heures, ils se rendirent rue de Salaberry. Le théâtre Royal n'avait rien de majestueux. Il s'agissait d'une grande bâtisse de planches, un peu basse. Plusieurs personnes faisaient la queue devant la porte. Dans cette affluence, la jeune fille décida de lâcher le bras de son compagnon : elle ne voulait pas courir le risque d'être vue par des connaissances.

Xavier choisit deux places dans les meilleurs fauteuils. Cela ne signifiait pas qu'ils offraient un véritable confort. À l'arrière, des bancs de bois rappelaient ceux des wagons de chemins de fer de seconde classe. À l'avant, des coussins trop minces rendaient l'expérience à peine plus agréable. Ils se retrouvèrent dans la quatrième rangée. Odile examina les environs.

— Vous savez, c'est la première fois que je verrai un film.

Pourtant, le cinéma devenait le loisir par excellence, tout le monde parlait des vedettes de l'écran comme s'il s'agissait de familiers. Qu'elle soit totalement étrangère à cette culture donnait une autre illustration de son indigence.

— J'espère que le film sera à la hauteur.

— Le titre, *Manslaugther*... Ça veut dire homicide involontaire, n'est-ce pas ?

Odile l'avait lu sur les panneaux affichés des deux côtés de la porte d'entrée.

— Un meurtre accidentel, en quelque sorte. Sans préméditation. Le projet de Rancourt, c'était très prémédité.

Bientôt, les lumières s'éteignirent dans la grande salle. Les spectateurs eurent droit à l'histoire « émouvante et sensationnelle d'une jeune fille vivant dans le luxe et jetée en prison par celui qui l'aimait. Pleine d'émotions et de scènes excitantes ».

Pour une personne en étant à sa première expérience cinématographique, l'histoire de Cecil B. DeMille avait de quoi séduire. Comme il s'agissait d'un film muet, les petits textes intercalés suffisaient amplement pour suivre le récit. Au terme de la projection, Odile applaudit de bon cœur, comme les autres. Au moment où ils sortirent, ils entendirent une voix familière :

— Monsieur Blain, mademoiselle Payant...

Xavier se retourna pour voir Aristide et sa fiancée.

— Ah ! Bonsoir, monsieur Careau.

Il tendit la main pour serrer la leur. Quand Odile fit la même chose, l'employé lui présenta mademoiselle

Vincelette. Aristide se sentait mal à l'aise, il avait le sentiment de commettre une indiscrétion; Odile celui d'avoir été prise en flagrant délit. Sans doute parce que dans des circonstances de ce genre, sa réputation ne souffrirait pas, le banquier agissait de façon naturelle.

— Si j'ai bien compris, le grand jour arrive très bientôt.

La seconde et la troisième publication des bans avaient déjà eu lieu à l'église Saint-Antoine.

— Dans deux semaines. D'ailleurs, vous recevrez des invitations pour le repas qui suivra. Tous les deux.

Aristide venait d'improviser. Maintenant, il devrait annoncer la nouvelle à ses beaux-parents, qui paieraient la noce.

— Nous irons avec plaisir. Bon, maintenant je dois reconduire mademoiselle Payant chez elle. Bonne fin de soirée, mademoiselle Vincelette, monsieur Careau.

Odile et Xavier marchèrent au moins cent verges avant que la jeune femme ose reprendre son bras.

— Monsieur Blain, vous savez quand vous retournerez à Montréal, n'est-ce pas?

Il aurait pu mentir, mais cela aurait trop ressemblé à une trahison.

— Je l'ai su aujourd'hui…

La jeune femme s'arrêta soudainement, il entendit un sanglot. Xavier passa son bras autour de ses épaules, l'attira contre lui. Mais continuer cette conversation sur le trottoir, et par ce temps, ne servait à rien.

— Venez avec moi.

Quelques minutes plus tard, il déverrouillait la porte de la banque et la laissait passer devant. Impossible d'allumer les lumières, sinon une âme charitable aurait appelé la police. Aussi, dans la pénombre, le couple alla dans le bureau du patron. Il aligna à nouveau les fauteuils de façon à imiter un confident.

Odile n'avait pas cessé de pleurer, le plus souvent en silence, mais parfois des sanglots agitaient ses épaules.

— Quand ?

— Dans deux semaines.

Il entendit un reniflement. Sa main chercha la sienne, il la serra légèrement.

— Qu'est-ce que je vais devenir ?

— Il sera sans doute possible de continuer de travailler ici.

Le vieux McDonald aurait été mal avisé de chambouler le personnel, surtout s'il lui recommandait de n'en rien faire.

— Je ne pourrai pas le supporter. Pas sans vous.

Deux fenêtres étroites, munies de solides barreaux, laissaient entrer la lumière de la lune et celle des lampadaires. Cela permettait d'y voir à peu près. Elle posait sur lui ses grands yeux, sa bouche paraissait se tordre.

— La vie avec elle n'est tolérable que parce que vous êtes là. Je voulais aller au couvent, mais le curé…

Elle eut un hoquet. Xavier se pencha un peu vers elle, il passa sa main droite derrière sa tête pour l'attirer au creux de son cou. Les pleurs redoublèrent. La suite vint entre des hoquets :

— Je ne peux pas lui échapper… Elle peut me frapper… Elle peut prendre tout ce que je gagne… Me forcer à retourner à l'usine…

— Je ne t'abandonnerai pas comme ça.

Il était passé au tutoiement. Il lui promettait de ne pas la laisser tomber, parce que c'était la chose à dire dans les circonstances, ne serait-ce que pour faire cesser les sanglots. Mais il savait que jamais cette fille ne prendrait le train pour aller refaire sa vie dans une autre ville. Son salut viendrait de quelqu'un d'autre. Il l'éloigna un peu de lui et prit son visage entre ses deux mains.

— Odile, je t'assure. Je vais m'occuper de toi.

À la tenir de cette façon, tout près, les yeux dans les siens, il comprit que son désir de la protéger ne tenait pas à son instinct paternel. Il se pencha, posa ses lèvres sur les siennes. Le premier contact dura un court instant. Comme pour s'assurer que la même émotion serait au rendez-vous, il recommença une fois, deux fois. La jeune femme parut surprise. Elle se raidit, mais ne tenta pas de le repousser. Lors du second contact, il trouva les lèvres moins crispées.

— J'essaie de te rendre la vie plus facile depuis notre première rencontre.

Maintenant, il caressait sa joue du bout des doigts.

— Vous croyez que je pourrais travailler à Montréal ?

— Je ne sais pas. Je vais devoir y réfléchir.

Du pouce, il essuya une larme sur la joue.

— Pourquoi faites-vous tout ça ?

— Nous en avons parlé déjà. Difficile de croire maintenant que je me prends pour ton père. Je suis tombé amoureux d'un petit chat errant. Au point où j'ai demandé une fois de prolonger mon séjour ici. Mais je ne peux pas le faire plus longtemps.

Après le mot « amoureux », Odile avait cessé d'écouter. La notion lui avait toujours paru mystérieuse. Un peu comme cette idée de l'appel de Dieu. La religieuse le lui avait dit : quand Dieu nous appelle, on le sait tout de suite. En allait-il de même pour l'amour ?

Elle avait trouvé Xavier attentionné, généreux, prévenant. Ce soir, ce baiser lui avait prouvé son désir. Lui fallait-il s'engager sur ce terrain pour éviter d'être abandonnée ? Perdue dans ses pensées, Odile n'écoutait plus. Soudain, des mots la ramenèrent brutalement au présent :

— Maintenant, tu devrais retourner à la maison. Autrement, ta mère risque de mettre le chef Gamelin à tes trousses.

Elle eut un petit moment de panique. Si évident que Xavier sentit le besoin de la rassurer :

— Je ne crois pas qu'elle osera lever la main sur toi.

L'homme quitta son siège et le remit à sa place habituelle. Maintenant, il était plus de onze heures, ils risquaient peu de croiser quelqu'un dans la rue. Odile tint son bras jusqu'à leur arrivée au pied de l'escalier de l'appartement. Puis ils se firent face. Elle leva les yeux vers lui, comme pour implorer un nouvel encouragement.

— Sois patiente, je ne te laisserai pas tomber.

Il se pencha pour l'embrasser, tout doucement d'abord, puis un peu plus fougueusement. Ses mains se posèrent sur sa taille, exercèrent une caresse. Elle se raidit. Xavier comprit que ce n'était pas le lieu idéal pour ce genre d'épanchement, tout juste sous les fenêtres de sa mère.

— Bonne nuit. À lundi.

— Bonne nuit, monsieur Blain.

Odile gravit trois marches, puis se retourna pour lui adresser un petit geste de la main.

⁂

D'habitude, pour économiser, Clarisse éteignait très tôt. Pour attendre le retour de sa fille, elle était toutefois capable des plus grandes largesses. De son siège habituel, elle commença :

— Demain matin, tu iras à confesse.

Odile eut envie de tourner les talons immédiatement pour courir rejoindre son protecteur. À la place, elle marcha directement vers sa chambre. Sa mère la suivit.

— Je vous ai vus, tu sais. Faire des cochonneries juste devant la porte, pour que tout le monde sache que tu es une dévergondée.

Pour avoir été devant la fenêtre juste au moment de leur arrivée, il avait fallu qu'elle y passe toute la soirée. Odile enleva son manteau et son chapeau avant de se retourner pour lui faire face.

— Qui était cet homme ?

Comme si elle ne le savait pas.

— Ton ancien prétendant a souhaité m'embrasser sous tes fenêtres. L'a-t-il déjà fait avec toi ?

— Peut-être que je n'avais pas autant de raisons de le remercier que toi. Il ne me payait pas des vêtements ou des repas.

— Toi non plus, tu ne m'en achètes pas. Je crois que tu as plus de dettes à mon égard que moi envers lui.

— Tu n'es plus la même…

La couventine était morte dans la manufacture de vinaigre. Une autre fille tentait de se construire. Clarisse continua :

— Je t'ai donné la vie, je t'ai élevée.

— Je ne t'avais rien demandé. Tu m'as donné naissance pour que je subvienne à tes besoins un jour. Je ne vois pas de quoi je devrais t'être reconnaissante.

Clarisse décida de retraiter dans sa chambre. Sa fille rangea ses vêtements et passa ensuite dans la salle de bain. Dans son lit, étendue sur le dos, elle chercha en vain le sommeil. Jusque-là, Xavier avait toujours rigoureusement respecté ses promesses. Pouvait-elle lui faire confiance encore aujourd'hui ?

Ce baiser, était-ce sa façon de se rembourser pour son engagement à la protéger ? Dans ce cas, il risquait de rester sur sa faim. Elle s'était tenue raide comme un piquet. Le contact de ses lèvres ne lui avait procuré ni plaisir, ni déplaisir. Seulement un sentiment d'étrangeté.

⸙

— Je suis tombé amoureux d'un petit chat errant… murmura le banquier.

C'était bien ce qu'il lui avait dit. « Je fais tout un chanteur de pomme. » Xavier était étendu sur son lit, les yeux ouverts. Si ses premières rencontres avec Odile – au bureau de poste et sur le parvis de l'église – avaient tenu au hasard, ensuite, il s'était placé sur son chemin afin de la croiser. Une première fois, puis une seconde, puis une troisième.

Il s'était dévoué à la nourrir, la vêtir, et lui avait même donné du travail. Et aujourd'hui, il lui avait promis de la tirer d'affaire. Elle avait effectivement l'air d'un petit chat errant, et pour se précipiter à son secours ainsi, il devait bien l'aimer.

L'aimer ? Était-ce de l'amour, du désir ou de la pitié ?

Chapitre 21

Le lendemain matin, Xavier se leva tout aussi troublé qu'au moment d'aller au lit. Au déjeuner, il se montra bien peu loquace avec ses voisins. Trente minutes avant la cérémonie, il entra dans l'église pour retrouver sa place habituelle. Cette fois, il garda sa tête orientée vers l'entrée, pour voir arriver les paroissiens. Quand les Turgeon entrèrent, Georges vint vers lui pour lui serrer la main, et lui demander :

— Peux-tu venir manger à la maison, à midi ?

— Vous avez fait une transaction ?

— Oui. Maintenant, c'est impossible de reculer.

Xavier échangea un regard avec Sophie, qui était allée s'asseoir avec ses beaux-parents. Son sourire témoignait d'un grand soulagement.

— Tu viendras ? Nous pourrons en discuter.

— Je viendrai.

Le médecin rejoignit les siens. Quelques minutes plus tard, ce fut l'arrivée des Payant. Odile porta vers lui un regard misérable, il lui adressa un petit salut de la tête. Clarisse paraissait fulminer, comme si elle avait sous les yeux le pire satyre.

La messe lui parut interminable. Quand l'abbé Lanoue quitta le chœur, Xavier regagna le parvis. Il aurait aimé échanger quelques mots avec Odile, mais Clarisse l'entraîna immédiatement dans son sillage. Alors, il se joignit aux Turgeon. Le froid vif les obligea à se diriger tout de suite vers la demeure de la rue de Salaberry.

Ce ne fut qu'une fois au salon, un verre à la main, qu'il eut l'occasion de satisfaire sa curiosité.

— Docteur, Georges me disait que vous aviez fait une transaction.

— Vendredi dernier.

Évariste paraissait soucieux, aussi il lui demanda :

— Vous êtes satisfait ?

— De l'achat, oui. Malgré tout, l'idée de clore toutes les décennies passées ici me donne le trac.

L'homme avait baissé le ton, comme pour éviter d'être entendu par sa femme. Georges s'approcha, devinant le sujet de la conversation.

— Il s'agit d'une maison comptant plusieurs logements ? demanda le banquier.

— Il y en a trois, répondit Évariste. Au rez-de-chaussée, la porte est vraiment au niveau du trottoir. Pas même une marche. Mais à cause de la dénivellation du terrain, à l'arrière, le balcon est à dix pieds du sol.

— Vous pensez y mettre un cabinet ?

— Dans les pièces donnant sur la rue.

— Quand pensez-vous emménager ?

Le père et le fils se consultèrent du regard. Ce fut le plus jeune qui répondit :

— Le type qui a acheté ici aimerait bien y célébrer Noël. En conséquence, ça devra se faire dans deux, tout au plus, trois semaines.

— Nous allons donc quitter la ville en même temps.

— Quand rentres-tu chez toi exactement ?

— À la mi-décembre. Beaucoup plus tard que je ne le pensais, en réalité.

Délia sortit de la cuisine pour les inviter à passer à la salle à manger. Georges annonça à sa femme :

— Xavier me disait qu'il rentre chez lui en décembre.

— Tu dois être content de revenir dans ton bel appartement, dit Sophie.

— Oui. Ma maison de chambres est correcte, mais ce n'est pas la même chose.

Le ton paraissait bien peu convaincu. La jeune femme le regarda avec un sourire en coin. Elle se doutait que son plaisir n'était pas complet.

— Il est difficile de trouver mieux que votre petit nid à Montréal, commenta Délia. La qualité des meubles, la salle à manger en bas et les équipements sanitaires !

Ceux-ci avaient beaucoup impressionné les deux femmes. Ils illustraient très bien la différence du niveau de confort entre une vieille demeure et une autre plus récente.

— Là où vous irez, c'est moderne aussi ?

— Nos installations ne souffriront pas trop de la comparaison avec les vôtres.

Délia disait cela avec une petite pointe de fierté.

— Et ce sera beaucoup plus facile à entretenir.

Pour une femme qui employait deux domestiques, ce souci étonnait un peu. Sans doute souhaitait-elle réduire la taille de la maisonnée. De toute façon, les appartements urbains offraient rarement assez d'espace pour loger une cuisinière et une femme de chambre.

Plus tard, dans le salon, le sujet du déménagement meubla encore les conversations. Xavier se retrouva avec Clémence dans les bras, et Sophie assise tout près.

— Tout à l'heure, quand tu parlais de ton retour à Montréal, tu ne paraissais pas aussi heureux que je m'y attendais. Tu commences à t'attacher à cette petite ville ?

— À des gens qui habitent cette petite ville.

— Comme tous les occupants de cette maison seront tes concitoyens avant Noël, tu ne parles pas de nous.

Il secoua la tête.

— Et ce n'est certainement pas pour cette veuve.

Xavier répéta le même geste.

— Tu ne veux pas en parler ?

— Pas ici, en tout cas. Ça te dit de répéter notre petite expédition au salon de thé ?

— Oh ! Comme cette fois il sera question de toi, je veux bien.

Même si Clarisse Payant se sentait sur le point d'exploser à cause d'un mélange d'angoisse et de rage, elle se contenta de frapper doucement à la porte du presbytère. Les remontrances de la vieille madame curé portaient fruit.

Après avoir accueilli la visiteuse, elle alla se placer dans l'embrasure de la porte de son fils pour demander :

— Tu peux recevoir quelqu'un ?

Puis elle articula, sans émettre un son pour ne pas être entendue de la principale intéressée : « C'est madame Payant, la veuve. »

— Fais-la entrer.

Dès qu'elle fut dans le bureau, Clarisse commença sans le moindre préambule :

— Je suis venue vous voir déjà pour vous signaler un scandale, et vous ne l'avez pas fait cesser.

— Bonjour, madame Payant. Vous vous portez bien ?

Son effort pour donner une leçon de bienséance passa totalement inaperçu.

— Hier soir, ils étaient accrochés comme des chiens en chaleur. Juste devant mes fenêtres.

— De qui parlez-vous ?

— De Blain et de ma fille.

— Ils forniquaient sous vos fenêtres ?

— Ils s'embrassaient.

— D'après vous, s'embrasser devrait conduire les coupables en enfer ? Rappelez-vous que je vous connais depuis l'enfance.

Cette précision eut le don de calmer un peu Clarisse. Il était au courant de bien des échanges de salive. Son ton fut un peu plus posé quand elle continua :

— Depuis des mois qu'il lui paye des choses, c'est certain qu'il l'a débauchée.

— Et à vous, il ne vous a jamais rien payé ?

— Quand je l'ai connu, il n'avait pas une cenne.

— Que voulez-vous que je fasse ?

Comme elle ne répondait pas, il y alla de sa suggestion.

— Elle m'a demandé d'entrer au couvent, déjà. Pour le salut de son âme, je pense que le mieux serait de l'y mettre au plus vite.

— Pas question ! Mais vous pourriez lui parler.

— De quoi ? Lui conseiller de quitter son emploi ? Ils ne sont pas si nombreux, à Douceville.

— Pas à elle ; à lui. Dites-lui de la laisser tranquille. De ne plus la sortir.

La conversation se continua brièvement, puis Clarisse quitta enfin les lieux. Lanoue demeura longuement songeur.

Il décrocha ensuite le téléphone pour demander la maison de chambres du banquier. Ce dernier n'était pas là.

Quand il rentra en fin d'après-midi, Xavier apprit que son pasteur souhaitait lui parler. Au moment de lui remettre le message, son logeur le regarda avec des yeux soupçonneux. Un téléphone se trouvait au rez-de-chaussée, à la disposition des locataires. Xavier fut bientôt mis en communication avec le curé. Après les salutations d'usage, le prêtre lui dit :

— Je viens de recevoir une de nos vieilles amies. Elle paraît inquiète. Pourrions-nous nous voir ?

Cette façon de ne pas la nommer visait à réduire les commérages, mais la téléphoniste devinait sans doute de qui il parlait.

— Ici ? demanda le banquier.

— Je préférerais que ce soit au presbytère. À huit heures.

À l'heure dite, Xavier se présenta chez son pasteur. Lanoue devait se tenir de faction près d'une fenêtre, car il ouvrit avant le premier coup contre la porte.

— Je ne voudrais pas que ma mère se réveille.

Son hôte l'entraîna dans son bureau, ferma la porte et chercha une bouteille et des verres.

— Notre amie commune est donc venue te voir... dit Xavier.

— Animée par une sainte colère.

L'ecclésiastique lui remit un cognac et regagna son siège avec le sien.

— Des privautés commises sous ses fenêtres entre toi et sa fille conduiraient la jeune Odile directement en enfer. Toutefois, quand j'ai proposé qu'elle entre au couvent, ou plus simplement qu'elle abandonne un emploi qui la met en contact avec le démon tentateur, la colère de la mère a diminué de beaucoup.

Cela tira un sourire au visiteur. Il avala la moitié de son verre et attendit suffisamment longtemps pour que Lanoue demande :

— Tu me parles de ces privautés ?

— Celles sous ses fenêtres, ou toutes les privautés ?

La demande de précisions troubla le prêtre.

— Toutes.

— Hier soir, je l'ai emmenée manger et ensuite, au cinéma. Après, quand je lui ai annoncé que je rentrerais bientôt à Montréal, elle a éclaté en sanglots. Nous sommes allés à mon bureau pour discuter. Je lui ai tenu la main et je l'ai embrassée. Et sous les fenêtres, je l'ai embrassée encore.

— Que ressens-tu pour cette fille ?

— Ce n'est pas la première fois que tu me poses la question. Je ne t'ai pas répondu, alors. Quand Odile me l'a demandé, hier, je lui ai répondu que j'étais tombé amoureux d'un petit chat errant. Dès le début.

— Tu as eu pitié ?

— Oui et non. Quand j'ai croisé Georges à Boston, je l'ai aidé parce qu'il ressemblait à un chat errant lui aussi, désespéré de renouer avec sa belle. Je n'ai pas eu pitié, j'ai été touché. Comme avec cette fille. Ne viens pas me dire que tu n'es pas ému par le sort d'Odile.

Bien sûr que oui. Cette petite touchait le curé depuis des années. Comme tous les enfants maltraités par leurs parents.

— Une fois nourrie suffisamment et vêtue décemment, elle ne ressemble plus à la petite fille aux allumettes. C'est plutôt une jolie jeune femme. Quand on écoute ce qu'elle dit, elle paraît intelligente. Je ne dirai pas qu'elle a un grand sens de l'humour, mais sa situation ne lui fournit pas beaucoup de motifs d'amusement.

Lanoue hocha la tête pour signifier qu'il partageait le même avis.

— Es-tu amoureux ?

— Oui.

— Pour un bon motif ?

Xavier acquiesça de la tête.

— Clarisse prétend que tu lui paies des repas, des vêtements, que tu lui as offert un emploi pour…

Il hésitait à continuer.

— … Coucher avec elle ? Depuis que je suis ici, j'ai donné plus d'argent à Clarisse qu'à Odile. Et je peux te jurer que je n'ai aucune envie de la baiser.

Si Calixte Lanoue avait sourcillé au mot « coucher », il avait carrément sursauté au mot « baiser ».

— Lui donner de l'argent ? Pourquoi ça ?

— Quand j'ai vu la marque d'un coup sur le visage d'Odile, j'ai cherché un moyen de lui attacher les mains. Je me doutais bien qu'elle ne payait pas son loyer. Alors j'ai racheté cette dette, ensuite je lui ai dit que je prendrais des mesures légales si elle la touchait à nouveau. Elle doit d'ailleurs se demander si je paierai décembre.

— Tu lui es vraiment attaché…

— Quand je repasserai cette conversation dans ma tête, pendant une nuit d'insomnie, j'en viendrai sans doute à la même conclusion.

Comme si pour comprendre ses propres émotions, il devait les évoquer à haute voix. Maintenant, il ne souhaitait pas autre chose que de se rendre rue Longueuil pour la sortir de là.

— D'habitude, un homme célibataire demande la fille en mariage.

— Tu m'as expliqué qu'Odile ne pouvait aller au couvent sans la permission de sa mère. Ça vaut aussi pour le mariage.

— Alors, que lui as-tu dit, hier ?

— Que je viendrais à son secours. Ne me demande pas comment, je ne le sais pas.

Le prêtre se leva pour remplir à nouveau les verres.

— Je vais te raconter ton histoire d'une autre façon. Tu as une bonne raison de détester Clarisse – quoique pardonner me paraisse plus sage –, tu apprends qu'elle est veuve, tu la retrouves, tu rencontres sa fille, tu te présentes comme un sauveur et tu la détournes totalement de sa mère, pour isoler complètement cette dernière. Une jolie vengeance.

— Tu me connais très bien. Tu crois que je ferais ça ?

Lanoue secoua la tête, puis il avala son second verre. Xavier fit la même chose avant d'ajouter :

— Remarque, une fois ta version présentée, je me dis que ça aurait été un bon plan. Ça voudrait dire que je serais tout à fait indifférent au sort du petit chat. Au point de l'utiliser pour accomplir ma vengeance.

Après ça, aucun autre sujet de conversation ne restait possible. Ils se séparèrent sur une poignée de main. En rentrant à la pension, il passa par la rue Longueuil. Un long moment, il demeura debout sous les fenêtres de Clarisse. Il n'y avait pas de lumière. L'envie lui vint de lancer des cailloux dans la fenêtre d'Odile, pour attirer son attention. Mais il ne savait pas où était la chambre de la jeune femme et réveiller la mère ne lui disait rien.

Le lendemain matin, Xavier arriva un peu plus tôt que d'habitude à la banque. Quand Odile arriva, ils demeurèrent un moment immobile l'un en face de l'autre, silencieux.

— Mademoiselle Payant, comment allez-vous ?

À cette heure, en pleine lumière, elle redevenait une demoiselle. Toutefois, le ton et le regard n'évoquaient pas du tout un rapport entre patron et employée.

— J'essaie de me protéger d'elle, mais sans grand succès. Et pour réussir à l'endurer, je me répète que vous allez m'aider.

— Comptez sur moi.

Aristide arriva à cet instant. Il y eut un échange de salutations, puis chacun alla s'installer à son poste de travail. En matinée, quand le commis vint lui présenter un document, Xavier demanda :

— Je peux compter sur votre discrétion ?

Il parlait de la soirée au cinéma.

— Je ne suis pas Ulric Rancourt. Évidemment, vous le pouvez.

Il marcha vers la porte d'un pas vif, visiblement blessé. La main sur la poignée de la porte, il se retourna pour dire :

— De toute façon, qu'est-ce que je pourrais raconter ? Que vous lui donnez l'occasion de s'éloigner de sa mère ?

— Je m'excuse de vous l'avoir demandé, Aristide.

Une nouvelle fois, Xavier était passé chez les Turgeon avant de se rendre ensuite au salon de thé. Il remarqua la taille de Sophie, redevenue toute fine. Il lui offrit son bras en disant :

— Fais attention, les premiers petits ronds de glace sont réapparus exprès pour faire tomber les jolies femmes.

— Seulement les jolies ?

— Les autres aussi, mais présentement je n'offre pas mon bras à toutes.

La conversation se continua sur ce ton jusqu'à ce qu'ils entrent dans le petit établissement. Avec la venue du froid, les clients y étaient encore plus rares que lors de leur dernière visite. Cela avait un effet sur le menu. L'offre se limitait à un plat.

Quand ils eurent commandé, Sophie remarqua :

— Hier, tu ne m'as pas semblé particulièrement heureux de rentrer chez toi.

— Je suis un peu las de ma maison de chambres et de mes voisins. Je serai aussi très heureux de ne plus risquer de rencontrer Clarisse sur le trottoir, ou sur le perron de l'église. En plus, tous les Turgeon seront à Montréal.

— Mais tu fais encore triste mine...

Xavier profita de l'arrivée de la serveuse pour réfléchir à ce qu'il allait lui révéler ou garder secret. Il choisit l'honnêteté :

— Je serai aussi très triste de ne plus rencontrer la fille de Clarisse tous les jours au travail.

Sophie haussa les sourcils et esquissa un petit sourire.

— Parle-moi d'elle.

— C'est une jolie jeune femme, très timide, si timide que je ne sais pas trop si elle a l'esprit vif ou non. Je crois que oui. Sa honte de sa situation, de sa mère, l'amène à se montrer discrète.

— Tiens, tiens, ça me rappelle une jeune fille de 1907 qui venait d'apprendre qu'elle était la fille du curé. Je comprends son désir de disparaître sous le tapis.

— C'est pourquoi je me dis que dans un autre contexte, elle serait sans doute très agréable. En fait, même maintenant, elle arrive à être agréable.

— Tu es amoureux.

Ce n'était même pas une question.

— Sans doute. Dès le premier jour, j'ai eu envie de l'aider… de la sauver… Et encore samedi dernier, je lui disais de compter sur moi, que je ne l'abandonnerais pas. D'un autre côté, elle a dix-huit ans. Ça veut dire qu'un vieux monsieur concupiscent désire une fille qui a moins de la moitié de son âge.

— Mon père a une douzaine d'années de plus que ma mère. Il existe des couples heureux avec un large écart d'âge.

— Moi, j'ai vingt et un ans de plus qu'elle !

— Quels sont ses sentiments à elle ?

— Tu vas rire, mais je ne le sais pas. Et je ne crois pas qu'elle le sache elle-même.

— Que veux-tu dire ?

Pour Xavier, se mettre dans la peau de cette jeune fille était difficile. Pourtant, il s'y essaya.

— Je pense que la laisser avec sa mère et la retourner dans son usine la plongera tout droit dans un abîme. Elle paraît tellement désespérée. Quels sont ses sentiments ? Un type arrive de nulle part, la prend sous son aile et lui apporte une vie décente.

— Comme un ange gardien ?

L'homme opina du chef.

— Alors si je lui disais : "Tu viens passer la nuit avec moi, je te sortirai de là", je pense qu'elle accepterait. Peut-être pas le premier jour, mais deux nuits de plus avec sa mère et elle dirait oui.

— Mais moi, je sais que tu ne le feras pas.

— Ou si je lui dis : "La seule façon de te sortir de là, c'est de m'épouser", elle dira oui. C'est comme si elle se trouvait sur le bord d'un précipice et que je disais : "Tu fais ce que je veux, sinon tu crèves."

— Je comprends parfaitement.

Elle aussi avait été au bord du précipice. À dix-sept ans, Georges avait pensé à un mariage pour la tirer d'affaire, mais le docteur Turgeon l'avait amené à une position plus raisonnable. Finalement, ses parents dont elle faisait connaissance si tardivement s'étaient avérés aimants. Attendre la même chose de Clarisse paraissait impossible.

— Mais si tu la demandais en mariage, ce ne serait pas pour abuser d'elle.

Il secoua doucement la tête de droite à gauche.

— Elle est peut-être condamnée à dire oui, comme tu dis, mais ça ne change rien à ta bienveillance.

— Tout de même, j'ai trente-neuf ans, et elle dix-huit.

Tout en parlant, ils avaient terminé leur repas. Ils en étaient au thé quand Sophie demanda :

— Quand tu es venu me voir pour la première fois à Merton, pour plaider la cause de Georges, je t'ai plu ?

— Beaucoup.

— Tu n'as jamais eu le moindre geste, la moindre parole pour faire valoir ta cause. Tu as parlé pour Georges...

— Évidemment. C'est mon ami, il m'a demandé de te rencontrer, et il était sincèrement amoureux de toi. Ça ne se fait pas.

La jeune femme lui adressa un sourire entendu. Elle acquiesça :

— Tu ne ferais pas ça à quelqu'un pour qui tu as de l'estime.

Elle traduisait parfaitement ses valeurs morales.

— Et tout à coup, tu deviendrais le vieil homme concupiscent qui abuserait d'une jeune fille ?

Bientôt, Xavier regarda discrètement la montre à son poignet droit.

— Tu t'inquiètes de ce qu'elle devient ? Tu ne peux pas la laisser deux heures loin de toi ?

Sophie était bien un peu moqueuse. Elle amorça le geste de se lever en disant :

— De mon côté, ma fille me manque déjà.

Xavier alla tirer sa chaise, puis l'aida à mettre son manteau.

Quand ils arrivèrent rue de Salaberry, Sophie murmura :

— Je ne regrette pas que tu n'aies pas tenté ta chance avec moi. Je suis heureuse de mon mariage. Mais tu m'as montré quel genre d'ami tu peux être. Je suis contente que tu sois devenu le mien. Alors, quoi que tu fasses avec cette fille, je pense que tu te montreras bienveillant.

Chapitre 22

Pendant tout l'après-midi, Xavier avait ressassé sa conversation au salon de thé. Sophie ne condamnait pas d'emblée le mariage d'un homme de son âge et d'une jeune fille. Cela rendait-il l'idée acceptable pour autant?

En fin d'après-midi, Aristide vint le saluer avant son départ. Il demeurait un peu maussade après la scène de la matinée. Peu de temps après, ce fut au tour d'Odile de se placer dans l'embrasure de la porte.

— Venez vous asseoir.

La jeune fille obtempéra, à la fois intimidée et craintive.

— Quand vous êtes arrivée à la maison, l'accueil a été aussi mauvais que vous le craigniez?

Tous les deux se trouvaient seuls dans la banque. Pourtant, son employeur était revenu au vouvoiement. Cette mise à distance l'inquiéta.

— Elle m'a accusée d'être une fille facile et elle a réclamé l'intervention du curé afin de mettre fin au scandale.

— Voilà donc pourquoi Lanoue a jugé utile de me faire venir au presbytère afin de connaître mes intentions...

Comme il n'enchaîna pas tout de suite, Odile se sentit un peu désemparée. Elle n'osa pas demander: «Quelles sont-elles?» Finalement, il sortit de son mutisme et dit:

— Pour échapper au contrôle de votre mère, il y a quelques façons... D'abord, attendre l'âge de vingt et un ans.

Odile fit la grimace.

— Je comprends que ce n'est pas le meilleur moyen. Vous pourriez aussi demander une émancipation à un juge. Cependant, aux yeux de vos voisins, Clarisse n'est pas une mauvaise mère. Être mal nourrie, mal logée, mal vêtue, même giflée ne suffira pas à obtenir un jugement favorable. Pour cela, il faudrait des blessures graves, une maladie attribuable aux mauvais traitements ou à la malnutrition.

— La façon la plus simple, ce serait le mariage.

Les mots flottèrent dans la pièce un long moment. À la fin, Odile finit par dire à voix basse :

— Il faudrait qu'elle accepte.

— Je pense qu'il serait possible de faire pression sur elle.

Xavier réfléchissait à haute voix.

— Je crois que tu pourrais continuer à travailler ici. Quand je serai parti, ta mère devrait cesser de te harceler. Même pour le compte d'épargne, notre petit arrangement pourrait se poursuivre.

Dans la seule mesure où cela demeurait secret. Son salaire appartenait à sa mère. Officiellement, Odile n'avait aucune épargne.

— Vous aviez dit…

Sa voix se cassa. Elle quitta sa chaise pour sortir de la pièce.

— Odile, attends…

Il la poursuivit pour la retrouver devant la penderie où elle mettait son manteau.

— Revenez vous asseoir.

Les passages rapides d'un niveau de langage à l'autre n'avaient rien pour la rassurer. Elle obtempéra, la tête basse. Quand elle occupa à nouveau son siège, il rapprocha le sien. La proximité l'aida à retrouver le ton de l'avant-veille.

— Je t'ai dit que tu me plaisais, et c'est vrai. Pas comme ma fille, comme une jolie jeune femme. Si je te demande de m'épouser, tu diras oui ? Et si tu dis oui, ça sera parce que tu m'aimes ou parce que tu es prête à tout pour quitter la maison ?

Une nouvelle mariée sur deux se retrouvait au pied de l'autel juste pour fuir son foyer. Souvent, les choses se passaient bien.

Odile préféra éluder la question.

— C'est parce que l'autre fois je suis restée... figée ?

Elle se sentait si gourde. Elle dit quand même, en relevant la tête :

— J'apprendrai...

Xavier se rendit compte à ce moment de sa parfaite innocence.

— Odile, tu sors du couvent. Tu ne peux pas faire autre chose que demeurer figée dans ce genre de situation. Quand tu ne seras plus chez elle, nous pourrons reprendre la discussion là où nous l'avons laissée samedi dernier.

— Vous me laissez tomber.

— Bon, alors dis-moi ce que je devrais faire.

Odile demeura longuement silencieuse. Il pouvait l'épouser, l'emmener avec lui. Mais aucune jeune fille ne devait dire cela à haute voix. Encore moins après ses dernières déclarations.

— Je veux rentrer à la maison.

Xavier accusa le coup. Sa présence en venait à peser sur la jeune fille plus lourd que celle de Clarisse.

— Nous pourrions aller manger.

— Je veux rentrer.

Maintenant, elle tenait sa tête penchée et avait les bras croisés sur sa poitrine.

— D'accord. Je peux te raccompagner ?

Elle fit non d'un mouvement de la tête. Quand la jeune femme quitta son siège, il ne fit aucun geste pour la retenir.

Pendant tout le trajet vers la rue Longueuil, Odile garda la tête baissée. Des larmes coulaient sur ses joues. Heureusement, l'obscurité lui permettait de les dissimuler aux autres passants. Quand elle entra dans l'appartement, de sa place à table, Clarisse lança:

— Compte tenu de l'heure, j'ai pensé que ton galant t'avait invitée au restaurant.

Comme la jeune femme se dirigeait tout droit vers sa chambre, elle ajouta:

— D'habitude, à cette heure-ci, tu es de retour depuis vingt minutes.

Odile se retourna et lui dit:

— Tu peux te rassurer, ça n'arrivera plus. Ne t'inquiète plus pour le salut de mon âme, je ne le verrai plus.

Ce ne fut qu'à ce moment que Clarisse remarqua les larmes sur les joues.

— Que s'est-il passé?

Sa fille rentra dans sa chambre et ferma derrière elle. Clarisse vint se coller à sa porte.

— Que s'est-il passé? répéta-t-elle.

Elle tenta de pousser la porte, mais Odile s'était assise par terre, le dos contre l'huis, pour l'empêcher d'entrer.

— Tu peux me le dire…

— Je ne veux plus le revoir.

Elle ne pouvait tout de même pas confesser: «Je m'attendais à ce qu'il me demande en mariage, compte tenu des mots et des gestes de samedi dernier.» Parce qu'un baiser, cela valait bien un engagement formel, non? Mais aujourd'hui, il n'en restait rien.

— Il a voulu te… faire des choses?

— Tu veux rire. L'homme qui t'écrivait des poèmes pourrait mal se comporter envers une couventine ?

Tout ce temps, Odile ressassait sa question : « Parce que tu m'aimes ou parce que tu es prête à tout pour quitter la maison ? » Évidemment, elle voulait quitter la maison à tout prix.

— Viens manger quelque chose, dit la mère.

— Je n'ai pas faim.

Le lendemain, à huit heures, Clarisse frappa à la porte de sa fille en disant :

— Odile, tu vas être en retard.

Aucune réponse ne vint. La mère frappa encore et répéta les mêmes paroles. À la fin, elle poussa la porte. La chambre était déserte. Sur le lit étroit, elle vit les vêtements habituels de sa fille soigneusement pliés.

— Où es-tu ?

Clarisse ouvrit la minuscule penderie pour voir l'uniforme scolaire tout comme les habits successivement trop petits et trop grands l'été précédent. Il ne manquait que la robe vinaigrée.

Odile n'avait pas dormi une minute, la nuit précédente. Pour elle, la honte allait croissant. Après la conversation de la veille, faire face à Xavier serait intolérable. Elle avait cru qu'il l'emporterait sur son beau cheval blanc. De toute façon, bientôt, il rentrerait à Montréal. Alors un peu plus tôt ou un peu plus tard... À sept heures, vêtue de sa vieille robe empestant le vinaigre, elle se dirigea vers Eureka.

Un vieux manteau beaucoup trop petit la protégeait bien mal du froid.

Fin novembre, l'odeur de la manufacture était moins prenante. Quelques-unes des travailleuses connues l'été précédent lui jetèrent un regard surpris. Aucune ne vint la saluer.

À l'intérieur, monsieur Latulipe était déjà dans son bureau. Odile demeura un instant dans l'encadrement de la porte et toussota pour attirer son attention.

— Qu'est-ce tu fais icitte ? demanda-t-il en levant les yeux.

Puis devant son air catastrophé il reprit, cette fois plus amène :

— Tu travailles pas à la banque ?

Elle secoua la tête.

— Je voudrais reprendre mon travail.

— Depuis, j'ai embauché quelqu'un d'autre. Pis y en a dix que je vas mettre dehors avant Noël, la nouvelle dans le lot.

Dans ce genre de manufacture, la production suivait la demande. Odile apprenait que la belle saison profitait au commerce du vinaigre, et que l'hiver avait l'effet contraire.

— Pis t'sais, t'es pas faite pour icitte. Mets ton beau linge pis va voir toutes les banques, toutes les magasins, partout où y a des secrétaires ou des vendeuses.

Elle hocha la tête et quitta les lieux, découragée. Compte tenu de ses vêtements, elle décida de passer par les manufactures de chapeaux, de sanitaires et de cols et chemises. Peine perdue. Partout, la production semblait à la baisse à l'approche de Noël.

Lorsqu'il arriva à la banque, Xavier pensait trouver Odile attendant à la porte. Une fois à l'intérieur, il demeura dans l'espace des clients, planté devant une fenêtre. Quand il vit Aristide Careau, il retraita dans son bureau.

Dix minutes après son arrivée, le commis demanda à son patron :

— Monsieur, Odile devait-elle se présenter au travail, aujourd'hui ?

Le soupçonnait-il de l'avoir renvoyée la veille ? Quand des patrons poursuivaient de jeunes employées de leurs assiduités, parfois la situation dégénérait.

— Évidemment. Je suppose qu'elle arrivera bientôt.

Cependant, une heure passa sans que la jeune fille se présente. Au point où un peu avant dix heures, Xavier se planta devant le pupitre du commis pour dire :

— Elle doit être souffrante. Comme sa mère n'a pas le téléphone, je vais aller aux nouvelles.

Déjà, il avait endossé son paletot. Il mit son chapeau en se dirigeant vers la porte. Aristide se reprocha son jugement téméraire. Non seulement son patron ne s'était pas débarrassé de la jeune fille, mais son inquiétude ne faisait pas de doute.

Alors qu'il montait l'escalier conduisant au petit appartement de la rue Longueuil, Xavier n'en menait pas large. Depuis juin, chacune de ses rencontres avec cette femme l'avait horripilé, et il se présentait chez elle. Elle vint tout de suite répondre à ses coups contre la porte.

— Où est-elle ? Elle n'est pas venue travailler ce matin.

— Viens voir.

La femme s'effaça pour le laisser entrer et l'entraîna dans la petite chambre. Au passage, il vit les lieux délabrés, la vieille table, les quelques chaises dépareillées. Et puis le lit étroit et les vêtements pliés dessus.

— À matin, j'ai trouvé ça. Mais pas sa vieille robe. Qu'est-ce que tu lui as fait ?

— Je n'ai pas voulu la demander en mariage.

— C'est certain que ce serait plus normal avec une femme de ton âge...

Le banquier eut un rire bref, puis il demanda, méprisant :

— Seigneur, tu penses encore à ça ?

Dans cette pièce, sans aucun témoin, il revenait au tutoiement.

— Non, plus vraiment. Je pensais que ce serait Odile... Après toutes tes largesses des dernières semaines, pourquoi ne la demandes-tu pas en mariage ? Elle est jeune, jolie. Dès notre première rencontre, tu ne regardais qu'elle.

Xavier ne répondit rien. Clarisse reprit, une lueur salace dans l'œil :

— Tu ne la trouves pas assez délurée ? Hein, c'est ça ?

— Certaines décisions doivent être prises librement. Actuellement, Odile est si désespérée de s'éloigner de toi qu'elle épouserait le premier petit vieux phtisique sur son chemin.

L'homme marqua une pause, puis dit d'une voix anxieuse :

— Elle est prête à faire un mariage désespéré, ou à se jeter à l'eau, plutôt que de renouer avec sa vie de l'été dernier.

D'ailleurs, maintenant qu'il évoquait cette possibilité, une inquiétude nouvelle le tenailla. Ces vêtements soigneusement pliés sur son lit, c'était pour les lui rendre. C'est dans une robe empestant le vinaigre qu'aurait lieu le sacrifice.

— Il faut la retrouver.

Il fallut un moment à Clarisse avant de comprendre l'allusion à la rivière. Quelques personnes à Douceville, dont un avocat impécunieux une quinzaine d'années plus tôt, avaient choisi ce moyen pour abréger leurs souffrances.

Après avoir essuyé des refus chez plusieurs manufacturiers, Odile était allée marcher sur le pont conduisant à Iberville, de l'autre côté du Richelieu. L'idée de sauter à l'eau ne l'attirait plus du tout. Il existait une autre façon de dire adieu à une vie misérable : le couvent. Devant ses yeux larmoyants et ses guenilles, peut-être que le curé Lanoue lui donnerait un véritable appui pour entrer au noviciat.

C'est donc à l'église qu'elle trouva bientôt refuge.

Après être sorti de chez Clarisse, Xavier se dirigea vers la banque au pas de course, même s'il ne croyait guère qu'Odile s'y trouvait. D'un autre côté, il s'en serait voulu de négliger cette possibilité. Quand il entra dans l'établissement, deux clients attendaient devant le guichet. En bon commerçant, il prit le temps de les saluer, alors qu'Aristide, de l'autre côté de la grille de laiton, jetait sur lui un regard préoccupé.

Plutôt que de demeurer planté là, il regagna son bureau, gardant son manteau sur son dos. Le commis alla le retrouver dès qu'il en eut la chance.

— Elle n'était pas chez elle ?

— Non. J'ai cru qu'elle était peut-être passée ici.

L'autre secoua la tête.

— Bon, je vais téléphoner au curé.

Du bruit dans la pièce voisine ramena Aristide à son poste. Xavier approcha le téléphone, puis il demanda d'être mis en communication avec le presbytère. Un curé devait se livrer à diverses tâches : les visites dans les écoles, à l'hôpital, chez ses paroissiens malades. Pourtant, quand madame curé prit l'appel, elle s'exclama :

— Ah ! Tu as de la chance. Justement, il est ici.

Bientôt, le prêtre répondit. Coupant court aux salutations, Xavier dit tout de suite :

— As-tu vu Odile, ce matin ?

— Non. Pourquoi me demandes-tu ça ?

— Elle ne s'est pas présentée au travail et elle n'est plus chez sa mère.

— Personne n'est venu ici ce matin.

Xavier raccrocha rapidement. Dans la pièce voisine, il dit à Aristide :

— Elle est partie de la maison avec sa robe empestant le vinaigre. Je vais aller chez Eureka. Tu pourras tenir le fort ?

L'abbé Lanoue se donna la peine de passer quelques coups de téléphone afin de demander si quelqu'un avait aperçu la jeune fille disparue. Sans succès. À la fin, il se résolut à demander à la société Bell de faire un appel général. Une très longue sonnerie amènerait tous les Doucevilliens à décrocher, pour entendre une voix grave demander de signaler les allées et venues d'Odile Payant au curé ou au chef de police.

Ensuite, à peine une heure plus tard, le bedeau vint frapper à la porte du presbytère pour demander à le voir. Depuis la porte du bureau, il lui dit :

— M'sieur le curé, ma femme m'a dit que la p'tite Payant était disparue. Pis j'viens de la voir dans l'église.

Lanoue eut envie de se frapper le front. Évidemment ! Toutes les âmes en peine se réfugiaient dans la maison de Dieu, en cas de coup dur.

— Allez chez madame Payant pour la rassurer, dit-il en mettant sa barrette sur sa tête.

Pourtant, il ne sortit pas tout de suite. Son premier souci fut d'aller dans la cuisine afin de parler à sa mère :

— Peux-tu téléphoner à Xavier à la banque et lui dire que son employée fait des oraisons à l'église ?

— La petite Payant ?

Elle aussi avait décroché au moment de l'appel général. Il fit signe que oui, puis il se dirigea vers l'église. Il entra par une porte latérale et se rendit dans la nef en passant par la gauche de l'autel. En allant vers l'arrière du temple, il crut percevoir une vague odeur de vinaigre. Odile Payant était là, recroquevillée sur un banc, pas très loin du confessionnal.

— Qu'est-ce que tu fais ici ? dit-il en prenant place sur le banc situé juste devant.

— J'attendais votre venue. Vous faites des confessions tous les jours.

— Pas avant cinq heures. Toi, depuis quand es-tu ici ?

— Ce matin.

Cela signifiait plusieurs heures passées sur ce banc inconfortable.

— Pourquoi n'es-tu pas venue au presbytère ?

— Je pue...

— Tu n'as rien mangé depuis ce matin ?

La jeune fille murmura un tout petit non. En réalité, son dernier repas datait de la veille, à midi. Vingt-quatre heures plus tôt.

— Viens avec moi.

Même si Odile se sentait honteuse de sa tenue, elle accepta d'entrer dans le presbytère. Madame curé l'accueillit avec un sourire.

— Cette jeune personne doit avoir l'estomac dans les talons, dit Lanoue. Tu peux lui servir quelque chose ?

— Si elle accepte de manger froid, je suis capable de la remplumer un peu.

Certain qu'elle serait nourrie, et même consolée si besoin était, le prêtre alla dans son bureau en laissant la porte ouverte, conscient qu'il n'aurait pas à attendre longtemps avant d'avoir une visiteuse.

❦

Cinq minutes plus tard, en effet, Clarisse se présentait au presbytère, surexcitée. Dès que le curé ouvrit la porte, elle demanda :

— Où est-elle ?

— Pour l'instant, elle a besoin de manger. Ce serait dommage de lui gâcher l'appétit avec une scène dramatique. Allez dans mon bureau.

Clarisse obéit sans discuter. Ce ne fut qu'une fois assise qu'elle demanda :

— Où était-elle ?

— À l'église. Elle y a passé toute la journée.

La femme s'en voulut de ne pas y avoir pensé. À la place, elle avait erré dans la ville pendant des heures...

Une quarantaine de minutes plus tard, Odile alla les rejoindre. Clarisse demeura assise, les yeux rivés sur elle. Le silence en disait long sur leur relation.

Le prêtre demanda à la jeune fille :

— Peux-tu rentrer avec ta mère ?

Il n'avait pas dit « Veux-tu ». Odile était perplexe.

— Demain, tu retourneras travailler, continua le curé. Pas d'autres journées à traîner dans les églises au programme.

— Je veux aller au couvent.

Clarisse eut le bon goût de ne pas protester, même si son visage disait tout son dégoût face à cette proposition.

— Même si tu passes quelques journées de plus à la banque, ça ne changera rien à ta vocation.

Après une longue hésitation, elle opina de la tête.

Rassuré d'avoir appris qu'Odile se trouvait en sécurité, Xavier avait décidé de terminer sa journée de travail. Il se rendit donc au presbytère un peu après six heures. En conséquence, il se retrouva à table avec son ami le curé et la mère de celui-ci.

— C'est elle, la fille à qui tu fais les yeux doux ? demanda cette dernière.

— Maman !

— Quoi, maman ? Quand un gars se montre en public une demi-douzaine de fois avec la même fille, il lui fait les yeux doux, non ?

— Je pense qu'on peut bien dire ça, madame Lanoue. Je lui ai fait les yeux doux.

— Une jolie fille, quoique se parfumer au vinaigre…

Elle lui adressa son sourire à moitié édenté.

— À l'état naturel, son odeur n'a rien d'offensant, dit Xavier.

— T'as l'intention de lui faire la grande demande ?

— Je pourrais être son père. Vous ne trouvez pas ça scandaleux ?

La vieille dame fixa sur lui un regard amusé.

— Tu sais, mon jeune, si t'atteins mon âge, tu vas voir ben des choses scandaleuses. Un homme qui marie une jeunesse, c'est pas le pire qui peut arriver.

— Maman, je pense qu'on devrait changer de sujet.

Madame curé lança un regard sévère à son fils. Elle aussi prenait très au sérieux le « Honore ton père et ta mère ».

— Moi ça ne me gêne pas, dit Xavier.

Puis il regarda la vieille dame et dit :

— Vous l'avez vue ? Pour échapper à sa mère, elle serait prête à épouser le père de votre bedeau.

Il évoquait un homme d'au moins quatre-vingts ans, borgne et bossu.

— Mais toi, t'es un p'tit brin mieux…

Comme son fils n'avait pas l'air d'apprécier la tournure de la conversation, elle adopta un ton plus sérieux.

— As-tu seulement une idée pourquoi une fille se marie ? Le désir de quitter la maison vient tout en haut de la liste. Mais c'est pas la seule raison. J'en ai connu une qui a marié un gars parce qu'il avait deux vaches, et l'autre prétendant juste une. Ça veut pas dire qu'elle a été moins bien traitée.

— Dans ma situation, on peut dire que j'ai pas mal de vaches. Mais j'aimerais mieux que ma femme me choisisse parce que je lui plais, pas à cause de mon troupeau.

— Ouais. T'es un sentimental. Pis le coup des vaches, Clarisse te l'a déjà fait.

Finalement, elle comprenait assez bien la psyché humaine. Calixte se dit qu'il aurait intérêt à la consulter plus souvent, quand il serait question des histoires de cœur.

— Ben Odile, c'est pas Clarisse. On le voit au premier coup d'œil.

⁂

Dans le bureau du curé, ils en étaient à leur deuxième cognac quand Xavier aborda le sujet de la mère et de la fille.

— Je compte quitter la ville début décembre. Odile devrait faire la même chose, pour son propre bien. Je peux l'aider à se dénicher un endroit où vivre, et même un emploi.

— Sa mère s'y opposera. Elle se montrait plutôt raisonnable, tout à l'heure, mais le naturel lui reviendra.

— Est-ce que les religieuses hospitalières accueillent toujours des veuves ou des vieilles filles désireuses de se rapprocher de Dieu ?

Certaines se « donnaient » à la congrégation : elles lui laissaient leurs biens par testament, et en échange, les religieuses les prenaient en charge. D'autres payaient simplement une pension.

— Oui… Pourquoi poses-tu cette question ?

— Présentement, je paie le loyer de Clarisse. Mais je ne le ferai pas pour décembre. En revanche, je suis prêt à la maintenir chez les sœurs aussi longtemps qu'elle ne l'embêtera pas.

— C'est ton argent, je suppose que Dieu te rendra au centuple ces actions charitables. Comme je sais que tu ne fais pas ça pour les beaux yeux de Clarisse, c'est donc pour les beaux yeux de sa fille. Puisque ma mère paraît prête à avoir son propre courrier du cœur dans *Le Canada français*, tu devrais suivre son avis. Épouse-la.

Comme Xavier ne répondait pas, il insista :

— Tu l'aimes, non ?

— Peux-tu en douter ? Pour lui donner un peu de liberté, je suis prêt à consentir le plus grand sacrifice imaginable : payer le gîte et le couvert à cette femme.

— Dans ce cas…

Lanoue trouvait son ami bien compliqué. Il reprit après une pause :

— Quand vous serez tous les deux à Montréal, comment ça va se passer ?

— J'espère qu'elle voudra sortir les bons soirs. Et après des fréquentations d'une durée raisonnable, si nous sommes enclins tous les deux à convoler en justes noces, nous le ferons.

— Clarisse ne voudra pas.

— Sans moi, Vallières l'aurait déjà évincée de son logement. Je ne pense pas qu'elle ait le choix. J'aimerais quand même que tu lui en parles. Ça passera mieux venant de toi.

— Elle peut l'empêcher d'aller vivre avec toi.

— Que prévoit la loi, quand une mère n'a plus de toit?

L'ecclésiastique ne le savait pas trop.

— Aujourd'hui, j'ai fait le tour de toutes les manufactures. Odile s'est présentée partout ce matin, sans succès. Je me suis demandé si elle ne ferait pas la même sottise que moi. Clarisse a cet effet-là sur les gens…

— … Elle avait la même inquiétude que toi, quand je l'ai reçue aujourd'hui.

— Si elle commence à le réaliser, il y a peut-être une chance de rédemption. Comme elle a un bon instinct de survie, je pense que lui procurer un toit et de quoi manger permettra de la convaincre, conclut Xavier.

La discussion se poursuivit un moment. Xavier répétait ses arguments, Calixte les siens. Au moment où il s'apprêtait à quitter le presbytère, Xavier dit:

— Tu sais, une chose m'enrage… Je me retrouve à lui proposer de la faire vivre. C'est comme si elle avait réussi à me mettre le grappin dessus.

Chapitre 23

Le lendemain matin, Xavier était arrivé à la banque à l'heure habituelle. Bientôt, il entendit la porte s'ouvrir et se refermer. Puis Odile surgit dans l'entrée de son bureau.

— Monsieur Blain, je m'excuse pour hier.

— Vous êtes en avance, nous pouvons parler un peu.

Comme elle acquiesça, il lui désigna la chaise devant son pupitre.

— Hier soir, Clarisse s'est montrée… compréhensive ?

— Mon absence l'a inquiétée. Alors j'ai profité d'un certain répit.

— Je suis content de l'entendre.

L'homme marqua une pause, puis commença :

— Le soir où nous sommes allés au cinéma, je vous ai dit que je chercherais un moyen de vous sortir d'ici. Voici ce que je vous propose : vous venez à Montréal en même temps que moi. Je partirai le 3 décembre. D'ici là, nous regarderons les petites annonces dans *La Presse*, pour une maison de chambres. Je vous aiderai aussi à trouver un travail.

Odile rougit un peu et baissa les yeux. Xavier craignit de la voir détaler, aussi il ajouta :

— Nous pourrons continuer de nous voir. À Montréal, il y a des restaurants à profusion, des cinémas, des salles de spectacles…

— Comme ça, pour que je ne m'ennuie pas.

— Comme ça, parce que vous me plaisez beaucoup. Là-bas, vous serez libre de me dire oui ou non. Ce ne sera pas pour retarder le moment du retour à la maison.

Cette fois, elle le regarda droit dans les yeux.

— Tout ça me fait un peu peur. Vivre à Montréal, avec des étrangers, et travailler avec des inconnus. Mais je dirai oui à toutes vos propositions.

Cela valait peut-être les plus belles déclarations d'amour. Odile réfléchit un moment, puis elle ajouta d'une toute petite voix :

— Mais ma mère refusera.

— Je pense qu'elle va accepter. J'ai confié la négociation de tout ça au curé. Il trouvera mieux que moi le meilleur ton à adopter avec elle.

Ils entendirent la porte s'ouvrir et se refermer. Aristide venait d'arriver.

— On mange ensemble, ce soir ? murmura Xavier.

Elle hocha la tête pour acquiescer, puis alla dans la pièce des employés. Il entendit le commis demander :

— Vous allez bien, Odile ?

— Oui. Je veux m'excuser de vous avoir laissé tomber, hier. Ça vous a certainement apporté un surcroît de travail.

— Ce n'est rien.

⁂

En après-midi, Odile alla se poster dans l'embrasure de la porte du bureau de Xavier :

— Monsieur le curé souhaite vous parler au téléphone.

Elle paraissait terriblement inquiète. Pourtant, au moment de retrouver sa place, elle résista à la tentation d'écouter la conversation.

— Comme je m'en doutais, notre charmante dame ne s'est pas montrée terriblement enthousiasmée par ta proposition.

— Elle ne trouvera pas mieux. Sa situation ne peut que se dégrader.

— Pourtant, elle s'attend à plus.

— Elle a encore huit jours pour se décider. Merci de tes efforts.

Quand Xavier eut raccroché, il leva le cornet à nouveau pour demander à la téléphoniste :

— Mademoiselle, pouvez-vous me mettre en communication avec le domicile de Jean-Baptiste Vallières ?

Dans huit jours, il faudrait payer le loyer de décembre. Bientôt, il entendit une voix féminine. Elle s'appelait Aldée, un prénom peu usité.

— Madame, je voulais vous avertir que désormais, je n'assumerai plus le loyer de madame veuve Isidore Payant.

— Ah… très bien. Je ferai le message à Jean-Baptiste.

Dans le ton, il devina une petite déception, celle de l'épouse d'un propriétaire qui venait de perdre un bon payeur pour en retrouver un mauvais.

— Après quelques mois, je pense qu'elle a dû stabiliser sa situation.

Il entendit un petit rire à l'autre bout du fil. Madame Vallières ne se faisait pas d'illusion à ce sujet.

À la fin de la journée, Xavier et Odile se rendirent au restaurant de l'hôtel National. La jeune femme affichait un sourire satisfait. Les prisonniers devaient avoir le même au moment de recouvrer leur liberté. À nouveau, elle opta pour un plat de viande et une bière. Le banquier eut l'impression d'être à l'origine d'une mauvaise habitude. Plus probablement, boire l'aidait à maîtriser sa nervosité.

Pendant tout le repas, elle le questionna sur les emplois disponibles à Montréal. Quand ils eurent fini de manger, Xavier ouvrit le journal *La Presse* à la page des annonces de chambres à louer. Décidément, l'immobilier devenait sa spécialité. Des gens offraient de loger des personnes seules ou des couples. Les tenanciers vantaient la présence d'un téléphone, d'un système de chauffage central et d'une salle de bain « moderne ».

— Qu'est-ce que ça veut dire quand ils parlent d'une pièce double ?

— Il s'agit d'une grande pièce où il y a un salon et une chambre, parfois séparés par un rideau ou des portes. C'est pour les couples ou pour des célibataires qui tiennent à prendre leurs aises.

— Ça paraît cher, non ?

Dans les trois colonnes d'annonces, le prix le plus bas était de deux dollars, le plus élevé quatre dollars par semaine.

— Les moins chers ne te conviendront pas.

— Vous avez vu où j'habite ?

— La chambre ne serait peut-être pas si mal, mais les mauvais quartiers de Montréal peuvent être plus inquiétants que ceux de Douceville.

Elle eut le petit « Oh ! » des jeunes filles certaines que les mauvais quartiers des villes étaient des lieux de perdition.

— Pour une chambre pour une personne, dans un quartier sûr, il faut compter trois dollars.

— Et pour la pension ?

— La même chose.

— J'en fais six.

C'était huit, plutôt. Qu'une jeune fille dépense les trois quarts de son salaire pour se loger et se nourrir n'avait rien d'exceptionnel. L'exception, c'était d'en mettre le quart dans un compte d'épargne.

La question des revenus et des dépenses les retint un moment, puis Xavier la reconduisit jusqu'à sa porte. Tout au long du trajet, Odile s'inquiéta de la façon dont la promenade se terminerait. Rue Longueuil, après lui avoir dit « À demain », il posa sa main sur une joue, puis embrassa l'autre légèrement. Quand elle eut monté trois marches, la jeune fille se retourna à demi pour le saluer d'un geste de la main.

Le samedi suivant, quand il quitta sa maison de chambres, Xavier eut la surprise de trouver Clarisse Payant sur le trottoir. Pour être là si tôt, elle avait dû partir avant que sa fille ne soit levée.

— Tu es un beau salaud !

— Madame Payant, allez-vous répéter ça sur le parvis de l'église demain ? Si vous voulez enchaîner avec une attaque à la banque, il vous reste exactement une semaine pour le faire.

— Tu n'avais aucune raison de faire ça. Dire à Vallières que tu ne paieras plus. Il est venu me préciser que s'il n'était pas payé le 1er, il prendrait des procédures le 2.

— Les logeurs sont comme les banquiers : ils veulent se faire payer.

— Si tu es prêt à payer les bonnes sœurs, tu peux continuer avec le loyer.

— Vous oubliez un élément du marché. Odile quitte la ville, et vous vous engagez à ne rien lui demander. Chez les sœurs, vous serez nourrie.

— Tu ne peux pas séparer une mère de son enfant. C'est inhumain.

— La monstruosité, c'est qu'une enfant tienne autant à se libérer de sa mère.

— Tu fais ça pour te venger. Pour que je me retrouve seule, vivant de la charité publique.

Car une chambre chez les hospitalières, quand on ne la payait pas par un héritage ou en versant une pension, c'était vraiment dépendre de la charité.

— Vous pourriez vous présenter toutes les deux ensemble à la manufacture de vinaigre lundi prochain. Les deux salaires vous permettraient de vivre. Maintenant, je vais travailler.

Le lendemain, même si elle lui jeta un regard torve, Clarisse Payant ne fit pas d'esclandre sur le parvis de l'église.

Ensuite, il rejoignit les Turgeon. Pour la dernière fois, il irait dans la maison de la rue de Salaberry. En entrant, il remarqua des caisses dans le couloir et dans le salon. Cette fois, Évariste ne se donna même pas la peine de lui demander ce qu'il voulait boire. Bientôt, il se retrouva avec un verre triangulaire à la main.

— Le grand jour approche, à ce que je vois.

— Il se précipite à la vitesse d'un train. Nous avons passé des heures et des heures à décider de ce que nous apporterons avec nous, et de ce qui ira à la société Saint-Vincent-de-Paul. Nous avions encore les vêtements pour bébés de Corinne et Georges…

— Amènerez-vous beaucoup de choses avec vous, finalement ?

— Les vêtements que nous avons portés au cours de la dernière année et les meubles pas trop anciens, pas trop massifs pour notre nouveau logis. Moins de la moitié en réalité, répartis entre Georges et moi.

— C'est la même chose du côté du cabinet ?

Le médecin hocha la tête pour dire oui. Georges compléta l'information :

— Nos malades ne seront pas trop déçus. Il y a dix jours, nous avons mis une annonce dans les journaux de Montréal pour sous-louer le cabinet et céder nos dossiers.

— Ça doit valoir une petite fortune, une clientèle toute faite comme ça.

— Nous n'avons rien demandé, dit Georges.

Son ton disait que cette générosité ne lui plaisait pas vraiment. Évariste, lui, se réjouissait de voir que sa clientèle n'aurait pas à changer ses habitudes pour recevoir des soins.

— Jeudi prochain, nous publierons un encart pour remercier nos patients de leur confiance, et donner le nom du médecin qui prendra la relève. J'ai aussi parlé de lui à l'hôpital.

— Nous distribuons notre bien, commenta le fils.

— Notre bien, dit le père en faisant un grand mouvement de la main comme pour désigner la maison et son contenu, nous le devons à la confiance de la population au cours des trente et quelques années passées. Je suis heureux de le laisser entre des mains compétentes.

Xavier sourit à cette façon de faire des affaires. Cette attitude lui avait permis de gagner la confiance de ses concitoyens et de la garder d'une génération à l'autre. Georges avait d'autant moins de raisons de s'en plaindre que lui, il avait simplement hérité de ces patients. Quand sa situation à Montréal serait bien assurée, il en viendrait sûrement à de meilleurs sentiments.

— Passons à table, dit Délia depuis l'embrasure de la porte. J'espère que ce sera à la hauteur.

Cela ne lui ressemblait pas. Après le premier service, elle expliqua à voix basse à l'intention de Xavier :

— La cuisinière n'a pas voulu nous suivre à Montréal, et depuis une semaine, elle se comporte comme si on l'avait abandonnée.

ൟ

Encore une fois, Xavier était allé chercher Sophie chez elle, et lui avait offert son bras jusqu'au salon de thé. La conversation porta sur des sujets anodins jusqu'à ce que les assiettes soient posées sur la table. Le banquier remarqua :

— Georges a l'air vraiment réticent.

— Georges n'aime pas le changement, ça l'angoisse. Il est venu à Boston en se pinçant le nez pour épouser la femme qui lui a fait vivre ses premiers émois, et là, l'idée d'aller à Montréal le terrorise. Ça lui passera quand il entendra les pas de sa mère à l'étage en dessous de nous.

Xavier fixa ses yeux dans les siens. Le rose monta aux joues de Sophie.

— Je sais, je suis sévère. Il a peur de partir, et moi je crains qu'un prochain dimanche quelqu'un pointe son index sur moi pour lancer une accusation.

Elle avala un peu de thé pour retrouver sa contenance et ajouta avec un rire qui sonnait faux :

— Noël approche. À cette période de l'année, après quelques verres, les gens perdent totalement leurs inhibitions.

— Veux-tu que je lui parle de nouveau ?

— Non, non. Tout rentrera dans l'ordre, tu verras. De ton côté, qu'est-ce qui se passe avec cette jolie jeune fille ?

— Si les planètes s'alignent de la bonne façon, elle devrait venir avec moi à Montréal dimanche prochain.

— Vous allez…

Son amie n'osait pas dire « vivre en concubinage », ni évoquer un mariage clandestin.

— Non. Je vais simplement la placer quelque part où elle sera en sécurité, et lui trouver un emploi.

— Tu me dis tout ?

— Et je vais la fréquenter sagement.

Le sourire de son interlocutrice s'agrandit.

— Vraiment, tu es le dernier romantique !

— Mon ami monsieur le curé aurait un autre terme pour me décrire.

— On ne doit pas enseigner le romantisme au Grand Séminaire.

Le sujet les occupa encore un peu. Ce ne fut qu'au moment de la reconduire qu'il lui demanda :

— Georges a une idée du moment où le nouveau cabinet sera ouvert, à Montréal ?

— Au début de l'année prochaine, je suppose.

— Tu crois qu'il aura besoin d'une réceptionniste ?

Sophie s'arrêta pour lui faire face.

— Tu penses à Odile ?

— Oui. Quoique, honnêtement, j'aimerais mieux la voir employée comme secrétaire dans une banque ou à un autre service administratif. C'est mieux payé.

Le couple se remit en marche. Avant qu'ils se quittent sur le perron de la maison, elle demanda :

— Nous ne nous reverrons pas avant notre grande migration ?

— Je crois que chacun de notre côté, nous serons très occupés.

— La reine mère te fera signe dès que nous serons installés, pour t'inviter à manger.

— La reine mère ?

— Délia. Ne vois rien d'irrespectueux là-dedans, Corinne a commencé à la nommer ainsi. D'ailleurs, toi aussi tu as dit lui trouver un air de majesté.

Ils se séparèrent sur une poignée de main et un au revoir.

À la fin de la journée, Odile vint s'asseoir dans le bureau de son patron, penaude. Xavier n'eut aucun mal à deviner la cause de son désarroi.

— Elle se montre détestable ?

— Oui et non. D'un côté, elle se soucie comme jamais de mes états d'âme, de l'autre, elle me demande comment j'ose l'abandonner.

— Traduit en français courant, elle veut dire : “Comment peux-tu priver ta mère de vingt-quatre dollars par mois ?”

Odile baissa les yeux, d'autant plus mal à l'aise qu'il disait vrai.

— Elle peut m'en empêcher.

— Dans ce cas, tu partiras sans sa permission.

Cette fois, elle lui jeta un regard désemparé.

— Des gens partent tous les jours de cette ville. Voilà l'avantage de nos deux gares. Tu peux le faire aussi.

Il ne lui avait pas donné les détails de l'arrangement qu'il avait proposé à Clarisse. Pour ne pas lui laisser l'impression d'acheter sa liberté. Mais il souhaitait ardemment qu'elle la saisisse.

Le 1er décembre, Xavier en était à sa dernière journée de travail. Au milieu de la matinée, il entendit dans un français au lourd accent anglais :

— Voilà le héros !

Il quitta aussitôt son siège pour se rendre dans la pièce des employés. Un petit homme secouait la main d'Aristide. Le mélange de gris et de roux de ses cheveux, de sa moustache et de ses favoris, lui donnait un drôle d'air. Il continua son discours en anglais, sans doute au bout de ses maigres ressources.

— Et vous, vous êtes la belle jeune fille que ces messieurs ont sauvée.

Odile rougit et accepta la main tendue en murmurant : « Bonjour, monsieur McDonald. »

— Et l'autre chevalier qui a assommé l'agresseur.

Ce fut le tour de Xavier de se faire secouer tout l'avant-bras. Après avoir récupéré sa main et s'être assuré qu'elle était encore en état de marche, il annonça à ses employés :

— Vous l'avez compris, monsieur McDonald sera votre directeur à compter de demain. Mais dès aujourd'hui, je ne serai plus tout à fait là : tout mon temps ira au transfert des dossiers.

McDonald et Xavier s'enfermèrent dans le bureau du directeur. Aristide dut recevoir deux clients au guichet. Quand ils furent partis, il murmura :

— "Voilà le héros !" Je ne suis pas certain que notre nouveau patron soit aussi aimable que l'ancien...

— Il m'a semblé tout à fait cordial.

— Le genre de gars qui en fait trop. Quand il sera en colère contre l'un d'entre nous, il en fera trop aussi.

Xavier avait recommandé à Odile de ne pas dire un mot de ses projets, au cas où ils ne se réaliseraient pas. Dans ce cas, la meilleure attitude à adopter serait de se présenter au travail comme si de rien n'était et d'attendre la suite.

Avant la fin de la journée, son directeur réussit à lui glisser une enveloppe contenant un billet de train de première classe et un petit mot.

Comme nous ne pourrons pas nous parler demain, je te dis à bientôt, nous nous reverrons sur le quai de la gare.
Xavier

À six heures, McDonald et Xavier étaient toujours dans le bureau. Ils étaient brièvement sortis pour aller manger au restaurant, pour s'enfermer à nouveau. Odile et Aristide fermèrent eux-mêmes la banque et en sortirent discrètement.

Alors qu'ils se trouvaient sur le trottoir, Odile tendit la main à son collègue en disant :

— Je te souhaite le meilleur mariage du monde, Aristide. Je suis désolée de devoir rester au bureau, demain. Sinon, j'aurais assisté à la cérémonie.

Le nouveau patron avait exigé sa présence, « pour qu'il reste au moins une personne familière avec la banque sur les lieux ». Compte tenu de son sentiment d'être un imposteur, la situation ne manquait pas d'ironie.

— Je m'excuse aussi de te laisser tomber. Je ne reviendrai plus au bureau.

Le jeune homme reçut la nouvelle avec étonnement. Mais comme il se targuait de pratiquer la discrétion, il ne le laissa pas paraître. Odile enchaîna :

— Monsieur Blain accepte de me recommander pour un emploi à Montréal. Alors je vais tenter ma chance. Tu comprends, ici je n'en peux plus.

Son escapade, le mois précédent, avait été éloquente à ce sujet. Careau ne chercha pas à en savoir plus sur la nature des arrangements entre ces deux-là. Toutefois, il les avait vus assez souvent ensemble pour deviner.

— Dans ce cas, je te souhaite la meilleure des chances. Essaie juste de te convaincre que tu as les compétences pour faire ce genre de travail.

Ils se tenaient la main depuis le début de l'échange. Odile émit un petit « merci » à demi étouffé, puis elle s'approcha pour lui embrasser la joue. Un geste dont elle était l'initiatrice pour la première fois de son existence.

À près de quarante ans, Xavier avait assisté à de nombreux mariages, mais toujours seul. Il écouta la cérémonie depuis la nef, au milieu des Careau et des Vincelette. Ensuite, il se rendit à la réception chez les parents de la mariée. Pendant plusieurs minutes, il répéta :

— Oui, j'ai été le patron d'Aristide jusqu'à hier.

Ou encore :

— Oui, il s'est précipité vers Rancourt pour sauver sa collègue.

Le bon curé Lanoue vint faire un tour en après-midi pour féliciter les mariés. Il en profita pour prendre Xavier à part.

— Savais-tu que Vallières est allé voir Clarisse, hier ? Je le soupçonne d'avoir raté une heure de travail pour aller lui rappeler qu'elle devait payer son loyer ce jour-là. Tout à l'heure, elle est venue me dire qu'elle acceptait tes conditions.

— Ainsi, elle n'est pas aussi folle que je le croyais.

— Tu la tiens.

— D'une certaine façon. D'un autre côté, je la loge et je la nourris. C'est exactement ce qu'elle désirait au début de l'été. Alors qui tient qui ?

Lanoue hocha la tête. Si les choses n'avaient pas tourné au mieux pour elle, au fond, Clarisse ne s'en tirait pas si mal. Ils se quittèrent sur une poignée de main et la promesse d'un repas prochain à Montréal, avec madame curé.

Xavier se réserva un moment en tête à tête avec les nouveaux mariés. Après les vœux de bonheur éternel, Aristide demanda :

— Monsieur, si Odile ne revient pas au bureau, pensez-vous que je pourrais suggérer l'embauche d'Hélène ?

Ainsi, la jeune femme lui avait fait part de ses projets. Cela devait arriver, ces deux-là s'étaient tout de suite bien entendus. Et puis après tout, il s'agissait de son sauveur. Ne pas l'aviser aurait été un manque de respect total.

Comme Xavier ne répondit pas tout de suite, Aristide ajouta :

— C'est ma sœur, vous l'avez aperçue chez moi.

— Oui, je me souviens d'elle. Ce serait certainement une bonne candidate.

— Je le pense aussi. Depuis un an, au moins, quand nous sommes seuls à la maison, je ne lui parle qu'en anglais.

— Voilà qui devrait plaire à McDonald.

Ils se quittèrent sur un « Au revoir ». Employés par la même entreprise, ils se rencontreraient certainement à nouveau.

Quand Xavier arriva sur le quai de la gare avec une grosse valise à la main, un peu avant neuf heures le lendemain matin, il n'aperçut pas Odile. Puis il la vit sortir du petit édifice de la gare, frissonnante dans son manteau trop mince. En guise de valise, elle tenait un sac de papier à la main.

Quand ils furent face à face, il murmura :

— Un instant, j'ai cru que tu avais changé d'idée.

Cette fois, il entendait renoncer définitivement au vouvoiement. Et exiger la réciproque.

— J'avais tellement peur qu'elle tente de me convaincre de rester. Je suis partie de la maison à six heures, sans lui dire adieu. Depuis, je me suis cachée dans la gare. Chaque fois que je voyais une femme entrer, je courais me réfugier dans les toilettes.

Elle paraissait au bord des larmes. Il eut envie de la serrer contre lui, mais d'autres voyageurs pouvaient les reconnaître. Heureusement, le train entra en gare dans un nuage de vapeur.

— Donne-moi ça.

Il prit le sac et la fit passer devant lui pour monter dans le wagon. Odile regardait tout autour avec intensité, pour tout imprimer dans sa mémoire : les sièges confortables, les parois lambrissées de chêne. Elle occupa la place près de la fenêtre, en se faisant toute petite.

— J'ai peur de ce qui va m'arriver.

— Pourtant, je sais que le pire est derrière toi.

Xavier prit sa main pour la serrer doucement.

Encore un mot

Si vous désirez garder le contact entre deux romans, vous pouvez le faire sur Facebook à l'adresse suivante :

Jean-Pierre Charland auteur

Au plaisir de vous y voir.

Jean-Pierre Charland